Gilles Lambert

EL GUARDIÁN DEL DESIERTO

Javier Vergara Editor
GRUPO ZETA

Barcelona / Bogotá / Buenos Aires
Caracas / Madrid / México D. F.
Montevideo / Quito / Santiago de Chile

EL GUARDIÁN DEL DESIERTO

Título original: *Auguste Mariette*

Edición original: JC Lattés

Traducción: Amanda Forns de Gioia

Diseño de tapa: Raquel Cané

Diseño de interior: Cecilia Roust

© 1997 Jean-Claude Lattés
© 1999 Ediciones B Argentina, S.A.,
   para el sello de Javier Vergara Editor
   Paseo Colón 221, 6º - Buenos Aires (Argentina)

Printed in Spain
ISBN: 950-15-1972-4
Depósito legal: B. 31.222-1999

Impreso por PURESA, S.A.
Girona, 206 - 08203 Sabadell

Índice

Agradecimientos

A raíz de una conversación con el abate Étienne Drioton, en la terraza del hotel Shepheard's en El Cairo (en 1950), se me ocurrió la idea de escribir la vida de Auguste Mariette, sabio autodidacta poco conocido, verdadero creador de la egiptología. Naturalmente, el abate Drioton no podía saber entonces que sería el último sucesor francés de Mariette como director de Antigüedades de Egipto: perseguido por los revolucionarios, se instaló cerca de París, donde más tarde recogí sus recuerdos para la revista *Constellation*. Él me alentó en mi proyecto.

Tardé mucho tiempo en realizarlo. ¿Qué son algunas décadas cuando se remontan cinco milenios en el tiempo? Debo agradecer a quienes, desde el comienzo, se interesaron por esta empresa: Robert Laffont, que puso su sello a la edición francesa; mi amigo Pierre Grobel, uno de los creadores de *Constellation* (luego redactor jefe de *Télé 7 jours*), con quien realicé las primeras investigaciones en la Biblioteca Nacional. (Entonces no existía la fotocopia y era necesario copiar a mano decenas de páginas.)

Más tarde, otro editor-escritor, Jean-Claude Simoën, especialista en el Egipto del último siglo, en viajeros cultos y en los primeros fotógrafos del Valle, me transmitió numerosos documentos.

Un egiptólogo aficionado, proveniente del área informática, Albert Slosman, a quien me unían lazos de amistad, enriqueció mi documentación.

Al haber participado para el diario *Le Figaro* en la conducción de varios viajes culturales organizados en Egipto por Denis Plé (*Voyages à la Une*), tuve ocasión de conversar en Sakkara con

9

Jean-Philippe Lauer, que sigue trabajando —en 1997— muy cerca de la primera excavación de Mariette. En el Valle de los Reyes (y las Reinas), y en Asuán, encontré a Christiane Desroches-Noblecourt que, con Jean Leclant, Jean Yoyotte y algunos otros científicos, perpetúa la tradición iniciada por Mariette.

Durante mis trabajos, visité muchas bibliotecas; agradezco la ayuda que me brindaron archiveros y bibliotecarios de Boulogne-sur-Mer, ciudad natal de Mariette. En Alejandría, conocí al bibliotecario del IFAO (Instituto Francés de Arqueología Oriental) Jean-Pierre Corteggiani, saliendo empapado después de zambullirse entre los vestigios sumergidos del célebre faro.

Debo también mi agradecimiento a Berto Fahri, escritor egipcio de París, y a su hija Catherine que trabaja en El Cairo. Muchos amigos escritores o periodistas me han brindado su ayuda: Roland Harari, redactor jefe del *Readers Digest* francés, autor de una importante obra sobre Alejandría, donde nació; Véra Kornicker, especialista en arqueología del *Figaro*; Lydie Mialosque-Chaumont, colaboradora del mismo periódico; Isabelle Trinquesse, futura egiptóloga, gracias a quien puse al día de cartas inéditas y fotos desconocidas de Mariette por Nadar.

En fin, tengo un reconocimiento particular para Isabelle y Laurent Laffont, que leyeron mi manuscrito desde el principio al fin y, sin embargo, no vacilaron en publicarlo en Lattès.

G. L.
París, junio de 1997.

Introducción

Hoy tendríamos un conocimiento parcial y muy vago del antiguo Egipto si Auguste Mariette, cuarenta años después del descubrimiento del secreto de los jeroglíficos por Champollion, no hubiese logrado poner fin al pillaje en el delta y en el valle del Nilo.

Herederos de la expedición de Bonaparte, Champollion y Mariette se encuentran en el origen de la egiptología. Curiosamente, cada uno tuvo que afrontar la desconfianza, los celos, el odio de sus contemporáneos. Champollion jamás vio la famosa piedra trilingüe de Rosetta, origen de su descubrimiento; sólo la conocía por estampas. Se lo acusó de haber explotado los trabajos de otros investigadores, del sueco Akerblad, del inglés Young.

Mariette fue puesto fuera de la ley por un virrey de Egipto, viéndose obligado a excavar clandestinamente. Se le ha discutido el haber sacado a la luz el subterráneo de los bueyes Apis en Sakkara (primera gran excavación arqueológica en Egipto), así como el descubrimiento del Escriba sentado del Louvre. Su nombre desapareció durante mucho tiempo de los programas de *Aída*, la ópera de Verdi, cuyo libreto compuso y para la cual diseñó decorados y vestimenta.

"Era incapaz de traducir sus descubrimientos en notoriedad", ha escrito Ernest Renan. Y Edmond About: "Honesto y delicado hasta la ridiculez... cuando haya muerto de desesperación, tal vez se le erija una estatua".

La posteridad ha rendido justicia a Champollion. Mariette sigue siendo casi desconocido por todos aquellos a quienes apasiona el antiguo Egipto, y sorprende ver su nombre citado tan pocas veces. En el Louvre, al que envió más de siete mil objetos y algunas

11

obras maestras, sólo un busto discreto evoca su memoria. Ningún museo, ni siquiera el de El Cairo que él creó con mucho sacrificio, ninguna biblioteca, llevan su nombre. En la lista de los arqueólogos que han excavado en el valle, Howard Carter, el "inventor" del tesoro de Tutankamón, simplemente lo olvida.

Mariette quemó su vida en el fuego de su pasión. Su joven esposa murió de cólera en El Cairo; perdió a seis de sus nueve hijos. Se lo acusó de traficar: vivió toda su vida al día y murió pobre. Cuando tuvo que elegir entre su interés y el del museo de El Cairo, no vaciló en malquistarse con la corte de Napoleón III. Amigo íntimo de Lesseps, asociado a las fiestas de la inauguración del canal de Suez, no compró acciones de la Compañía. No cobró un centavo de derechos de autor de *Aída*. Carente de subvenciones, no logró hacer editar en vida sus obras completas.

Este gran ausente de la gloria tuvo sin embargo, en el siglo último, su hora de celebridad. Reyes, emperadores, escritores y artistas acudieron a sus excavaciones, a su museo. Se lo hizo bajá, príncipe. Después de él, a causa de él, todos los directores de Antigüedades en Egipto fueron franceses, hasta la revolución nacionalista de 1953.

Desde la época de Mariette, la arqueología, la epigrafía, la filología, la investigación en general, hicieron inmensos progresos. Sus métodos de excavación, revolucionarios para la época (antes de él se cortaban los monumentos con sierra), hacen temblar a los especialistas de hoy. Pero si ellos pueden trabajar, continuar interrogando a las pirámides, a los templos, buscando las tumbas ocultas del valle, descifrando inscripciones, si se ha podido desplazar los templos amenazados por la alta presa del Nilo, si se puede contemplar la momia de Ramsés II milagrosamente preservada, es porque Mariette logró poner fin a las destrucciones y a las excavaciones salvajes.

Se ha olvidado que, sin la pasión y el coraje de un oscuro profesor de Boulogne-sur-Mer del siglo pasado, cuyo nombre ya no dice gran cosa, nada de todo eso habría sido posible.

G. L.

CAPÍTULO

1

Mariette

juega su futuro

a una intuición

y encuentra un templo

perdido de Apis.

Descubre el misterio

de la Gran Esfinge.

En el fondo de la zanja, la más larga y más profunda jamás cavada en la arena de Egipto, apareció una piedra calcárea blanca, horizontal, bajo la pala de un *fellah*, en la vertical de la pared. Era noche cerrada. A la luz de una lámpara de petróleo, el jefe de la excavación, un gran diablo francés barbado, de treinta años, cavó con sus manos y comprobó que la piedra, de ángulos pulidos, era un dintel, la parte superior de una puerta. ¿Una puerta del Serapeum, el templo perdido de Apis, el dios buey?

Hace más de un año que el francés, un empleado del museo del Louvre en misión, llamado Auguste Mariette, excava desesperadamente la arena de Sakkara, una de las necrópolis de la antigua Menfis, cerca de El Cairo, en la búsqueda del templo perdido. Los amantes de antigüedades, los desconfiados mercaderes, lo toman por loco. No cambia nada que autores griegos hayan descrito el santuario de Apis con el nombre de Serapeum. Para ellos el templo, como muchos monumentos, fue destruido en los primeros siglos de la era cristiana. Ningún excavador recuerda haber oído hablar jamás de ese templo en Sakkara.

Mariette se empecinó. Sin prestar atención a consejos o sarcasmos, guiado por su intuición, excavó más lejos, más profundo. Ni la enfermedad, ni la falta de dinero, ni la hostilidad de la corte del virrey de Egipto lo desalentaron.

Continuó. Y ahora, la duda y la angustia ceden lugar a la esperanza.

Son casi las tres de la mañana. Esa noche de noviembre de 1852 ha sido muy fría en la meseta árida y siniestra. Los *dib*, lobos del desierto, las hienas, los perros salvajes, han dado su concierto acostumbrado. Hace tiempo que ya no se les presta atención. A poca distancia de la excavación, la misteriosa pirámide escalonada (su origen es aún desconocido) yergue su masa enorme, surgida de la edad de piedra, más oscura que la noche. Desde la cima se perciben, al norte, las grandes pirámides de Gizeh, la otra necrópolis de Menfis.

Auguste Mariette interroga el horizonte. Los primeros resplandores del día no tardarán en iluminarlo. Hay que interrumpir la excavación prohibida, hacer desaparecer todo rastro de trabajo. Los fellahs disimulan el dintel bajo arena amontonada. En poco tiempo, como todas las mañanas, los *cawas*, inspectores del gobernador, que acampan en el pueblo vecino de Abusir llegarán al trote. Su misión es asegurarse de que se respeta la prohibición de excavar, recientemente drecretada por el virrey. Mariette no ha intentado siquiera sobornarlos. El asunto de Sakkara ha adquirido proporciones casi diplomáticas. Para seguir excavando en la arena del desierto, no había más solución que trabajar en secreto, durante la noche, en ausencia de los inspectores, con obreros seguros. ¡Excavaciones clandestinas! Mariette no vaciló. ¿Cómo decidirse a interrumpir una excavación después de tantos esfuerzos, en el momento en que está a punto de alcanzar su objetivo? Se han descubierto, entre los restos dispersos, pilones nivelados, casi seguramente los del templo de Apis-Osiris. Se encuentran en el recinto del dios-buey; sin duda muy cerca de sepulcros enterrados. La súbita aparición, en el fondo de la zanja, de la parte superior de una puerta es una prueba suplementaria.

Esa noche, el camuflaje habitual lleva un poco más de tiempo que de costumbre. Con su capataz francés Bonnefoy, Mariette se asegura de que la arena mojada, bien amontonada, no deje aparecer ningún rastro sospechoso, que ninguna herramienta quede olvidada, que se haya borrado hasta la marca de los pasos alrededor de la zanja oficialmente abandonada. Luego regresa a la pequeña casa de adobe construida recientemente, más arriba de la excavación. Un albergue más bien, de techo de paja, sostenido por troncos de palmeras, más confortable, a pesar de todo, que la tienda que una tormenta de arena terminó por llevarse.

Cuando Mariette se deja caer sobre su cama de tablas, el sol hace su entrada teatral en el desierto. ¡El rey sol, dios del delta y del valle del Nilo, adorado bajo tantas formas y tantos nombres! Mariette experimenta siempre la misma emoción ante ese espectáculo de principios del mundo. Esa mañana, su emoción es aún más fuerte, pues el sol se levanta sobre una casi certeza: ha llegado muy cerca de los bueyes celestiales, cuyo culto ha acompañado durante siglos la gran aventura del antiguo Egipto.

Evidentemente, no tiene todavía idea de la extensión de las galerías ni de su riqueza arqueológica. Pero su intuición le advierte que ha puesto la mano sobre un tesoro.

El *reis* (jefe de equipo) egipcio Hamzaui y sus hombres han regresado a su campamento, como el carpintero maltés Francesco. Para compartir su entusiasmo, Mariette no tiene junto a sí más que a su ayudante Bonnefoy, que ha trabajado con Champollion en el valle, veinte años antes. Fiel, valeroso, eficaz, pero poco cultivado. Los dos hombres, demasiado nerviosos para dormirse enseguida, descorchan su última botella de vino francés, obsequio del simpático cónsul de Francia Arnaud Lemoyne, cuyo apoyo, desde hace un año, nunca les ha faltado. ¡Pero cuidado! Ningún indicio debe alertar a los cawas, cuya llegada es inminente. Brindan discretamente al abrigo de la manta que los protege de la luz del día. Mañana, tal vez, la puerta calcárea que acaba de ser desenterrada se abra sobre un mundo.

En la casa de las arenas de Sakkara, la comodidad es más que somera, el agua es escasa, hay que luchar contra serpientes, ratas y escorpiones. Todo lo que posee Mariette cabe en dos baúles y una caja de hierro. No tiene un solo libro a su disposición; solamente sus notas, sus libretas de excavaciones, la lista de los objetos extraídos de la arena desde hace un año, ya en camino hacia el Louvre, como el magnífico Escriba sentado en madera de cedro, o un gran buey en piedra calcárea blanca. Cuando necesita una referencia exacta, va a El Cairo y consulta la biblioteca de uno de sus amigos. Inconveniente que poco le molesta pues su memoria es prodigiosa: ella le restituye casi automáticamente el texto que le es necesario. Así, antes de dormirse, esa mañana "relee", cerrando los ojos, un pasaje del *Tratado de Isis y de Osiris*, en el que Plutarco evoca "el inmenso monumento sepulcral de Apis" en Menfis y describe la ceremonia de sepultura del buey sagrado, imagen viviente del alma de Osiris, príncipe del Bien: "Entonces", escribió Plutarco, "se abrían con gran pompa las puertas de la tumba subterránea." ¿Por qué no, la puerta cuyo dintel acaba de aparecer en el fondo de la zanja? El extraño culto de Apis se remonta a la aurora de la historia de los hombres, atravesó los siglos y fue adoptado por los griegos. Todos los faraones —salvo la reina Hatshepsut que, sin embargo, se había atribuido todos los símbolos masculinos—, llevaron el título de "buey poderoso". El culto de Apis se celebró hasta la llegada de los conquistadores persas, que lo interrumpieron brutalmente, matando y arrojando a la calle, en Menfis, al último Apis sagrado.

Imaginamos también que esa mañana, Mariette ve de nuevo las etapas de su asombrosa aventura, desde la revelación de la civilización faraónica —un verdadero flechazo— en un desván de Boulogne, hace diez años, su insensata y arriesgada decisión, las vacilaciones, la coalición de elementos y de hombres y la indiferencia de los funcionarios de París. En su lugar, otro, sin duda, habría renunciado. Él resistió contra toda razón, consciente de jugarse su futuro y el de su familia que se quedaba en Francia. Pues no fue enviado a Egipto a excavar sino a comprar manuscritos. Sin autorización, invirtió sus escasos créditos en la búsqueda del Serapeum. Sabe desde el principio que un fracaso pondría fin a su carrera. Hoy, después de meses de duda —y de angustia— entreví el triunfo. El futuro se le antoja plenamente luminoso.

Hace largo rato que Bonnefoy duerme cuando él logra conciliar el sueño. Como de costumbre, después de una comida frugal, dedica el fin de la siesta al estudio de las piezas recientemente desenterradas. Pero su mente está en la zanja y aguarda con impaciencia las primeras sombras del crepúsculo. Pronto los cawas, desocupados e indolentes, abandonan el lugar y los fellahs de Hamzaui —el equipo de confianza— hacen su discreta aparición. Se reanuda la excavación nocturna.

Ahora hay que despejar la puerta y —¿quién sabe?— forzar el acceso al templo de Apis.

Surgen obstáculos imprevistos. Al apartar la arena en la vertical de la puerta, los obreros encuentran una especie de desprendimiento de rocas, hecho de grandes bloques de granito amontonados. Hay que romperlos. Trabajo irritante. Mariette empuña él mismo la maza. No rechaza esa clase de esfuerzos. De estatura atlética, de gran talla —mide más de un metro ochenta—, le gusta luchar contra la piedra. Sabe que en los pueblos vecinos lo apodan "el gigante rojo". Golpea. Hacia la medianoche, la parte superior de la puerta queda despejada:

"Pronto aparece", escribirá Mariette, "un pequeño rincón de entrada."

Hunde un pico en la abertura, que deja escapar un flujo de aire nauseabundo. ¡Se trata de una cavidad! Una vela introducida en el extremo de una pértiga se apaga de inmediato: hay que esperar que se renueve el aire. Mariette aprovecha la espera para agrandar la abertura.

No es la primera vez que penetra en una tumba en la meseta de Sakkara. En su acercamiento vacilante, decepcionante, al Serapeum, ha abierto más de una decena de siringas, cuevas horadadas en la roca o sepultadas en la arena. Algunas le han brindado joyas, estelas, objetos raros. Pero no se trataba más que de tumbas o de estatuas. Lo que ahora se ofrece a él es, sin duda, el templo subterráneo de Apis, sepultura milenaria y común del dios-buey, donde reyes, príncipes, dignatarios y fieles, se sucedieron a través de los siglos para honrar los despojos momificados, celebrar su culto, invocar su protección y depositar sus ofrendas.

Con una cuerda atada alrededor de la cintura, Mariette se introduce en el orificio y se deja deslizar en la oscuridad. Al término de un descenso de unos dos metros, sus pies tocan el suelo. Respira un aire rarificado, sofocante, pestilente. Las velas que enciende (por temor a una explosión, jamás se desciende al interior de una tumba con una lámpara) se apagan casi de inmediato, señal de que no puede permanecer en la cavidad más de unos minutos sin correr el riesgo de asfixiarse. No obstante, tiene tiempo de entrever un espectáculo de sombras más extraordinario que el que soñó tantas veces: se encuentra en una galería abovedada, horadada en la roca, de más de tres metros de altura, de cinco o seis de ancho, apenas con un poco de arena. Estelas, cubiertas de inscripciones, se hallan encastradas en los muros, el suelo está sembrado de otras estelas rotas, de estatuas, de objetos, de fragmentos de todo tamaño, de exvotos, de *ushbetis* (figurillas funerarias), de *ostracas* (tiestos grabados de piedra), en un desorden que hace pensar en el pillaje. Pero lo que atrae la mirada del arqueólogo, adaptada ahora a las sombras, es la masa oscura, irreal, de un sarcófago inmenso, más grande que ningún sarcófago conocido. ¡El sarcófago de un Apis! Asombrosa visión que no deja duda alguna a Mariette. Está en el subterráneo del templo perdido que nadie había visitado. ¡Aparte de algunos saqueadores, nadie ha penetrado allí desde hace veinte siglos!

Momento de intensa emoción. Mariette se sofoca; debería subir nuevamente al aire libre, pero no puede evitar acercarse al enorme sarcófago de granito negro y pulido como un espejo y seguir sus contornos con la mano. Una tapa quebrada descansa sobre el suelo, prueba de que la galería ha sido saqueada. Ésta parece no tener fin. Mariette percibe a medias otros sarcófagos, igualmente macizos, curiosamente coronados todos por una especie de columna. Tiene tiempo de distinguir, desembocando en la galería principal, otros corredores, otros recintos de sombras, otros sarcófagos. Un verdadero laberinto, lleno de objetos, una mina de vestigios, de inscripciones, de tesoros...

Al borde de la asfixia, Mariette pide a los obreros que lo icen al exterior. Tarda un largo momento en recuperar el aliento. Bonnefoy, que a su vez se ha hecho deslizar por la abertura, reaparece jadeando:

—¡No puedo creer a mis ojos! —dice.

—Yo tenía razón —murmura Mariette.

Una duda lo había atenazado hasta el final. Ahora sabe que los bueyes sagrados no fueron enterrados en tumbas dispersas, sino en una tumba común construida debajo de su lugar de culto principal. ¡Y ese templo subterráneo no fue destruido, en los primeros siglos de nuestra era, como afirmaban algunos, por los monjes cristianos del delta, en particular por los del vecino convento de San Jeremías! Esos minutos pasados en el subterráneo le dan la razón. Ahora es una certeza: hasta la llegada del conquistador persa Cambises, hijo de Ciro el Grande, que en el siglo VI antes de nuestra era mató simbólicamente al último Apis, los bueyes sagrados, reencarnación de Osiris, identificados con Ptah, dios tutelar de Menfis, fueron enterrados allí, en galerías cavadas debajo de su templo. Ningún descubrimiento hasta ese momento ha ofrecido una visión igual en continuidad. La historia del antiguo Egipto va a avanzar de manera espectacular.

Ella se fundamentaba entonces, casi exclusivamente, en las listas dinásticas escritas en griego trescientos años antes de Cristo por el sacerdote griego Manethon. Los descubrimientos del Serapeum permitirán fechar acontecimientos tan importantes como las campañas de Ramsés II, la toma de Jerusalén por el faraón Sesec (970 a.C.) o las etapas de la conquista persa. Aportarán elementos primordiales sobre el arte religioso y funerario de los antiguos egipcios. Ernest Renan escribirá: "El descubrimiento del Serapeum fue uno de los grandes acontecimientos del siglo". La onda de choque todavía es perceptible en nuestros días.

Jean-Philippe Lauer, que puso en evidencia el espléndido complejo funerario de Zoser, alrededor de la pirámide escalonada, no lejos del Serapeum, y que sigue trabajando allí, escribió: "El descubrimiento del Serapeum de Sakkara fue un acontecimiento capital para la egiptología, origen de muchos otros". (Cerca de un siglo y medio más tarde, el inventario de los objetos del Serapeum continúa. En 1991, en el congreso de egiptología de Turín, el egiptólogo Mohammed Ibrahim Alí presentó una comunicación sobre una representación de los genios de la inundación encontrada en una capilla funeraria del Serapeum.)

Y, finalmente, la red de tumbas subterráneas, de complicado trazado, de niveles superpuestos, reserva a Mariette una alegría excepcional, sueño de todo egiptólogo: el descubrimiento de una tumba inviolada. Pronto encontrará el sarcófago de uno de los hijos del gran Ramsés II, Khamuaset, gran sacerdote de Ptah. De la tumba extraerá un tesoro en alhajas.

El Serapeum de Menfis es ciertamente el mayor descubrimiento realizado desde que se excava en suelo egipcio. Habrá que esperar el hallazgo de la tumba de Tutankamón, por Carter, en 1928, para que un tesoro de igual magnitud sea arrancado a la arena.

Como todas las noches, la última hora se dedica a borrar los rastros de trabajo en la zanja: el camuflaje queda terminado antes del alba. Más que nunca, hay que proteger el secreto de las excavaciones. Si la noticia del descubrimiento del laberinto de Sakkara llegara hasta él, el virrey Abbas Bajá exigiría que le fueran entregados los objetos extraídos de las galerías. Y, sin pensar siquiera en hacerlos examinar o estudiar, los amontonaría en uno de los inmensos sótanos de la ciudadela de El Cairo, libre de distribuirlos luego al antojo de su fantasía. (En poco tiempo, ofrecerá la totalidad de su colección de antigüedades al archiduque Maximiliano de Austria, que las convertirá en el punto de partida de su museo de Miramar.)

Mariette y Bonnefoy supervisan las operaciones de ocultamiento. Inútil recomendar silencio a Hamzaui: sus fellahs jamás han traicionado. Y no traicionarán. Sólo serán puestos al corriente, en El Cairo, el cónsul Lemoyne y el ingeniero Linant de Bellefonds, y tendrán acceso a la galería. Pronto, Lemoyne logrará firmar un acuerdo con la corte de Abbas, y el descubrimiento de Sakkara se convertirá en un acontecimiento celebrado en el mundo entero.

Han pasado dos años desde el descubrimiento del subterráneo de los Apis.

El sol está en el cenit. El desierto arde. Mariette, a caballo, contempla la Esfinge. Sólo son visibles la cabeza torturada y el comienzo de los hombros, emergiendo de un montón de arena endurecida, de tierra, de ladrillos apilados, de escombros. En la época griega, se edificaron habitaciones sobre el monumento.

Sin abandonar Egipto, Mariette ha sido hecho caballero de la Legión de Honor; ha obtenido titularidad en el museo del Louvre. Terminado el inventario del Serapeum, deseaba emprender otras excavaciones en Sakkara, pero su solicitud fue rechazada en París. Razón alegada: la falta de créditos.

Confió su decepción por carta a su más fiel apoyo, Emmanuel de Rougé, eminente egiptólogo, conservador en el Louvre. ¡Qué tristeza regresar a Francia sin haber visto el Alto Egipto, sin haber llegado siquiera hasta Abydos, en momentos en que se siente en víspera de otros descubrimientos igualmente importantes! Una estela del Serapeum, por ejemplo, el descubrimiento de las huellas del Anubión, santuario perdido de Anubis, el dios-chacal, que reina en el país de los muertos. Rougé no ha logrado obtener nuevos créditos. Pero ha encontrado un medio de permitir a su protegido permanecer en Egipto: excavaciones privadas.

Rougé tiene un amigo íntimo, miembro como él del Instituto, el duque de Luynes. Muy culto, experto en numismática, ese sabio se interroga desde hace años sobre la índole y el origen de la Esfinge de Gizeh, sobre la existencia de cámaras secretas en el interior del coloso. Quiere asegurarse de que la Esfinge está efectivamente tallada en la roca, que no está hecha de varios bloques, y que no encierra, como lo afirma Plinio, la tumba de Horemheb, último faraón de la XVIII dinastía o la de un rey llamado Armashis, ni un corredor que lleva a la pirámide de Keops. Luynes es rico. Rougé le ha propuesto subvencionar a Mariette, capaz, según él, de resolver el enigma de la Esfinge. Luynes ha aceptado y le ha enviado sesenta mil francos. Para Mariette comienza una nueva aventura.

Desde su llegada a El Cairo, se ha sentido fascinado por el coloso enterrado, su rostro enigmático, su mirada extraña, inquietante. Unida a los misterios más profundos de la historia, la Esfinge parece fijar, en su muda meditación, el horizonte invisible del este, símbolo de la resurrección, más allá del hombre y de sus desesperados esfuerzos para comprender el sentido de la vida. En su mirada, Mariette ha leído una suerte de desafío. El emir que en un rapto de locura hizo desaparecer la insostenible sonrisa del coloso bajo las balas del cañón, ¿no experimentó un sentimiento análogo? Desde entonces, no han cesado de circular leyendas en torno de la Esfinge mutilada. Los fellahs la llaman *Aboul'boul*, padre del terror...

Al pie de la obra, Mariette calcula ahora las dificultades y los riesgos del trabajo que acaba de aceptar. Hasta ese día, nadie ha excavado jamás seriamente en torno al coloso. Hamzaui, el reis del Serapeum, vacila en participar de la operación. Es supersticioso. Sus hombres también. "No se toca la Esfinge", murmuran. Teme las reacciones de los habitantes de la meseta. Finalmente acepta y reúne a unos cincuenta obreros, pues la masa de arena que deben desplazar es enorme y no se dispone de ningún medio mecánico.

En una primera etapa, Mariette decide buscar un cerco eventual. Lo encuentra rápidamente desenterrando muros al oeste y al sur, e incluso descubre un segundo cerco. Luego hace despejar los vestigios de habitaciones que recubren el coloso. Terminada esa limpieza, regresa al norte. Si la Esfinge es una tumba, en ese lado se encontrará su acceso.

Treinta años antes, en 1822, un buscador de antigüedades italiano, Caviglia, descubrió entre las patas del coloso una estela de la época de Tutmosis IV, faraón de la XVIII dinastía. Joven príncipe heredero, Tutmosis fue a cazar antílopes a la meseta de Menfis, alrededor de las pirámides ancestrales y de la Esfinge. Adormecido, tiene un sueño: ¡el león divino le suplica que lo libere de su prisión de arena! Al llegar a rey, Tutmosis cumple ese deseo —sin duda la primera restauración de la historia— y erige entre las patas del león de piedra una estela recordatoria de esa empresa. Fue esa estela la que descubrió Caviglia (se encuentra siempre en su emplazamiento original). Caviglia señaló también, muy cerca del coloso, cámaras llenas en parte de arena, de paredes cubiertas de inscripciones. Luego, otros exploradores de Menfis, el alemán Karl Lepsius en particular, han visitado esas "cámaras".

Mariette las encuentra sin mayor dificultad, comprueba que son utilizadas de tanto en tanto por viajeros que vienen a pasar la noche cerca de las pirámides. Pero las inscripciones, que vieron viejos obreros contratados por Caviglia, han desaparecido. Restos de cemento en la pared de la roca atestiguan la presencia de un revestimiento... también desaparecido. ¡Qué pérdida para la ciencia! Acercándose al coloso, Mariette inicia otros sondeos.

Un viajero del siglo XVII, el padre Vansleb, religioso alemán enviado por Colbert en búsqueda de manuscritos antiguos, vio un pozo en el nacimiento del muslo del coloso. ¿Lleva a una tumba oculta? Mariette encuentra el pozo. Tardan quince días en vaciarlo. Sólo se trata de una fisura natural, ¡sin salida a ninguna parte!

Mariette se ha instalado en el terreno. Con Bonnefoy, han acondicionado, en una tumba vecina, un refugio recubierto con una lona de tienda remendada. ¡Bolsas apiladas sirven de jergón! Proveniente de El Cairo, el novelista Charles Didier pasa allí una noche y nota, no sin sorpresa, que la tormenta, muy violenta, que lo mantiene despierto ¡no perturba el sueño de Mariette! (*Les Nuits du Caire*, Hachette, 1860.)

Hay que despejar completamente la cara norte. Los obreros trabajan cerca de un mes, antes de llegar al embaldosado al pie del monumento. En el siglo II a.C., Jamblico escribió que la Esfinge poseía una entrada secreta, cerrada por puertas de bronce que solamente los sacerdotes podían abrir, que daba acceso a una gran sala circular donde se celebraban los misterios de Isis. Jamblico afirma que la Esfinge estaba unida a la gran pirámide por subterráneos. Mariette aporta la prueba de lo contrario. No hay entrada ni corredores secretos, ni cámara subterránea en la Esfinge.

Es una roca natural, un bloque único que mide 19,80 metros de alto, 4,15 metros de ancho y 72 metros de largo. Se la recubrió de dos capas de mampostería para modificar la forma. La primera capa tuvo por objeto tapar los huecos naturales. La segunda, formada por pequeñas piedras, le dio su forma definitiva, la de un león con cabeza humana. Hacia la mitad del cuerpo, se elevó un contrafuerte de piedras. Durante un período bastante prolongado, la Esfinge estuvo hundida en la arena. En el transcurso de sus excavaciones, Mariette sacó a la luz fragmentos de estelas anteriores a la de Tutmosis. En una de ellas, la Esfinge es representada con la cabeza adornada por un ancho disco solar. Se la llama "Horus en el horizonte". Era pues un dios, imagen del sol naciente, adorada como tal. Estaba pintada, sin duda de rojo. (Curiosamente, en árabe antiguo se la designaba con el nombre de *Sabael leil*, león de la noche, o león de *el Atmeh*, las semitinieblas que siguen al crepúsculo.)

Mariette no se pronuncia en cuanto al origen del monumento. Piensa que es anterior a las grandes pirámides vecinas. (Su tesis será corroborada cuando se descubra que Keops la conocía ya.) No va más lejos. Actualmente, sigue abierto el debate sobre la edad del coloso. En 1992, un profesor de la Universidad de Boston, Robert M. Schoch, publicó un informe en el que afirmaba que el peñasco de Gizeh se remonta a la época predinástica, aproximadamente cinco mil años antes de Cristo. Para él, las piedras macizas del templo vecino exhumado por

Mariette fueron importadas de Jericó. "En esa época", escribe, "existían ya intercambios comerciales entre Egipto y Palestina." Las conclusiones de Schoch han levantado vivas críticas. En febrero de 1997, la revista *New Yorker* publicó una respuesta del profesor Alex Stirle: *La Esfinge en peligro*, en la cual Schoch es acusado de ligereza. "La Esfinge", afirma A. Stirle, "fue esculpida en 2600 a.C. aproximadamente."

Esclarecido, al menos en parte, el enigma de la Esfinge, Mariette se vuelve hacia las patas desenterradas y al entorno inmediato. Debajo de la arena extraída, aparece una pequeña capilla, luego el comienzo de una avenida embaldosada, un *dromos* dirigido hacia el sur, que recuerda la avenida que lo condujo hace dos años a la entrada del Serapeum.

Mariette la hace despejar y desemboca en un alineamiento de enormes bloques de granito rosado. Verdaderos muros ciclópeos que, según él, tienen la marca de los constructores de las pirámides. ¡Los restos de un templo sepultado del período arcaico!

Sin preocuparse por los gastos, contrata una cuadrilla suplementaria. A fines de junio de 1854, penetra en la parte superior de una sala de granito rojo y de alabastro. Sus dimensiones, la calidad de las piedras, de los pilares, de los arquitrabes y del revestimiento, lo sofocan de admiración. Un trabajo excepcional.

"¡Es como si hubiésemos entrado en un palacio por el techo!", escribirá.

La arena, acumulada y endurecida, dificulta los sondeos, pero éstos dejan entrever, tanto vertical como horizontalmente, vastas proporciones. Varias cámaras se suceden. Piensa que se trata de un templo. ¿El templo de la Esfinge? (Mucho más tarde se establecerá que se trata en realidad del templo ritual de la segunda pirámide, la de Kefrén. Mariette ignora que cada pirámide está unida, al este, a un templo elevado, o "templo del valle", reservado a las ceremonias de purificación y de embalsamamiento del faraón.)

Templo o palacio, el edificio es muy vasto. Por consiguiente, al acercarse a la base se puede esperar descubrir inscripciones. ¿Tal vez el nombre del constructor, faraón de las primeras dinastías? A nivel del suelo, con toda lógica, deberían encontrarse objetos.

Un sondeo revela que el suelo está a más de ocho metros de profundidad. Se necesitarán semanas de excavación para alcanzarlo. Mariette ya no tiene dinero. Los créditos de Luynes se han agotado. Como de costumbre, se vuelve hacia Rougé:

—¡Vea lo que puede hacer!

Pese a todos sus esfuerzos y a la recomendación del Instituto, Rougé sólo le saca al ministro diez mil francos de "ampliación". Cuando llegan, en abril, ¡ya están gastados! Mariette insiste, pues la excavación ha proseguido sin descanso:

—Sólo estamos a aproximadamente un metro del suelo antiguo y debo interrumpir la excavación. Hasta ahora no hemos encontrado nada, pero no hay razón alguna para que los objetos floten y se encuentren, por así decirlo, entre dos aguas. ¡Tengamos el coraje de seguir hasta el final!

Sus llamadas no tienen eco. Los funcionarios reprochan a Mariette no haber enviado a París, desde el comienzo de su misión, hace más de tres años, más que cuentas aproximadas, embrolladas, aunque después de la llegada de su mujer, Éléonore, a Egipto, las cosas hayan mejorado un poco. (Mariette rehusará creerle cuando ella le revele que ha recibido, y gastado, en total más de cien mil francos. "Eso me parece mucho", se limitará a decirle él.)

"Él no asignaba ninguna importancia a esa clase de problemas", confirmará su amigo Heinrich Brugsch, joven egiptólogo alemán que fue a visitarlo a Sakkara y que se instaló en su casa durante las excavaciones del Serapeum.

Ya no hay solución. Se despide a los obreros. Hasta Bonnefoy, que desde hace tres meses no recibe salario, abandona la excavación y regresa a El Cairo.

Mariette, con la muerte en el alma, cierra la casa de las arenas en Sakkara donde viven, por ahorrar, su mujer y sus tres hijos. Sus amigos de El Cairo, Linant de Bellefonds, el ingeniero pionero del canal de Suez, el cónsul Sabatier que ha reemplazado a Lemoyne, el politécnico Charles Lambert, y otros le ofrecen una cena de despedida en el Hotel de Oriente, lugar de reunión de los franceses:

—¿Regresará usted? —pregunta Linant de Bellefonds.

—¿Quién sabe? —responde él—. Parto con el corazón entristecido. Contrariamente al Serapeum, el templo de la Esfinge no ha liberado sus secretos —añade—. ¡Estábamos a punto de llegar al embaldosado! Todo iba a ser posible...

Mariette había acertado una vez más. Años más tarde, convertido en director de Antigüedades del virrey, reanudará las excavaciones del "templo de la Esfinge" y sacará a la luz, en el fondo de un pozo, entre objetos de las primeras dinastías, la espléndida estatua en diorita de Kefrén, protegida por el halcón Horus, obra maestra de la estatuaria antigua, que maravilló a Rodin "por el elegante modelado de sus formas y su majestad sin artificios" (Édouard Herriot, *Sanctuaires*). El Kefrén es hoy una de las obras maestras del museo de El Cairo. Sin el empecinamiento y la avaricia de los funcionarios parisinos, esa estatua sin equivalente estaría en el Louvre.

Puesto que Rougé no ha encontrado otro mecenas, Mariette y su familia se embarcan en Alejandría a fines de julio de 1854. Abbas Bajá, que había clausurado la obra del Serapeum y obligado a Mariette a realizar excavaciones clandestinas, hombre perverso y refinado cuya cría de pavos reales enanos Darwin admiraba, acaba de ser salvajemente asesinado en su palacio del desierto, Benha el Asal, por sus guardias del cuerpo de homosexuales. Según el rumor, su propia hermana, Nazla Hanem, estaría involucrada en el origen del asesinato. Al embarcarse, Mariette se entera de que le sucede Said, último hijo de Mehemet Alí (tenía más de setenta años cuando nació Said de una joven esclava circasiana). Es una buena noticia: Said Bajá es de cultura francesa y dicen que más afecto al pasado lejano de su país que el virrey difunto. ¿Un feliz presagio en el momento de la partida? Mariette ve con tristeza alejarse la costa alejandrina y desaparecer ante sus ojos un país que ama apasionadamente, que no ha tenido tiempo de conocer de verdad, donde hay tantos tesoros que salvar y tantos tesoros por descubrir.

CAPÍTULO

2

Mariette, célebre

a los treinta y cuatro años,

se inclina

sobre su adolescencia

en Boulogne-sur-Mer.

Como Champollion,

debe su vocación

al azar.

En París, Auguste Mariette comprueba con cierta incredulidad que se ha convertido en un hombre célebre. Partió solo, casi furtivamente, hace cuatro años. El éxito de su campaña de excavaciones, las notables piezas enviadas al Louvre, artículos escritos por sabios de gran nombradía, como François Jomard, geógrafo, ex expedicionario de Bonaparte, Saulcy o Emmanuel de Rougé, conservador del Louvre, le han ganado el respeto de lo más selecto de los hombres de ciencia y el interés del público culto. ¡Todos los diarios anuncian su regreso! *Le Moniteur* lo colma de elogios, señalando, al pasar, que sus excavaciones han enriquecido al Louvre con quinientos trece objetos. (Esa es la cifra oficial. En realidad, el museo recibió siete mil, pero el número fue rebajado por razones diplomáticas. Se empieza a hablar seriamente de la construcción del canal de Suez e interesa no indisponer al nuevo virrey.)

En el *Constitutionnel,* Saulcy indica que los epitafios de los bueyes Apis del templo subterráneo han sacado simplemente a la cronología del antiguo Egipto del terreno de las conjeturas. Aparecen artículos en numerosos diarios y revistas franceses y extranjeros, con los errores y exageraciones inevitables. Egipto está de moda. La monumental *Descripción* de los sabios de la expedición de Bonaparte figura en todas las grandes bibliotecas, como el viaje de Vivant Denon. Desde los trabajos de Champollion, es de buen tono interesarse por los jeroglíficos. Los románticos han sentido debilidad por el Oriente, y los pintores viajeros, los orientalistas, son buscados. París, "que gira alrededor del Obelisco erigido por Luis Felipe", según la frase de un periodista, nunca ha cesado de mirar hacia el Nilo. Provinciano, Mariette se encuentra, un poco asustado, en el centro de un movimiento de curiosidad cuya amplitud lo supera. Hasta las gacetas satíricas, como el *Charivari*, se apoderan de sus descubrimientos:

"Se burlan de mí", escribe Mariette a su amigo Édouard Desseille, de Boulogne. "No hay duda, ¡soy célebre!"

En el Louvre, se hace cola para contemplar la estatua de madera pintada del Escriba sentado, de ojos de cristal incrustados, casi pavoroso de veracidad, el buey Apis de piedra calcárea con el disco solar entre los cuernos y sus huellas de pintura, el extraño pequeño dios Bes gesticulante, y las joyas del hijo de Ramsés II. Hasta el emperador, a quien interesa la Antigüedad —acaba de comenzar la redacción de una *Vida de César*—, se ha desplazado para verlos.

La Academia de Inscripciones y Literatura dedica a Auguste Mariette dos sesiones plenarias. Al presentarlo a sus colegas, Emmanuel de Rougé no ahorra las alabanzas. El informe de esas sesiones, publicado por *Le Fígaro*, muestra que el "joven aventurero" se ha enfrentado con éxito al areópago de sabios ilustres, considerados poco favorables a los autodidactas y bastante celosos de los éxitos de los que no pertenecen a su cofradía. Ahora se le predice un porvenir universitario, y hasta académico, brillante. Pero esa perspectiva, si bien le halaga, no le atrae. Realmente no le gusta el trabajo de gabinete. Sólo concibe el estudio sobre el terreno, en el impulso de la acción, la excitación de las excavaciones. Se le ha pedido que clasifique y publique sus notas. Puso manos a la obra pero muy pronto lo asalta el aburrimiento:

—Al redactar estos informes —confía a su mujer—, me cuesta mucho no pensar en otra cosa. A mi pesar, mi pensamiento me lleva al desierto. Siento correr sobre mí el aire viciado y cálido de las galerías subterráneas. ¡Y me veo en la obra, excavando la arena, con Bonnefoy y Hamzaui!

Sin embargo, escribe. La Editorial Gide et Baudry, que ha publicado el relato del viaje de Maxime Du Camp, *El Nilo*, emprende la publicación de los descubrimientos del Serapeum con ilustraciones según el novísimo procedimiento Poitevin, que permite el traslado de las fotos a piedra litográfica. El proyecto no prevé menos de veinte volúmenes. Será interrumpido después del primer tomo, y el trabajo no será terminado y publicado hasta después de la muerte de Mariette. Escribe también artículos para el *Atheneum français*. Uno de ellos contiene esta orgullosa declaración:

"Yo había partido a Egipto en la búsqueda de manuscritos coptos. No los encontré. Pero traje un templo."

Mejora su situación material. Mientras que un año antes, cuando excavaba alrededor de la Esfinge, su solicitud de crédito fue secamente rechazada, ahora es promovido, a comienzos del año 1855, al cargo de conservador adjunto del Louvre, con un sueldo de cuatro mil francos al mes. Ya no será nunca más profesor de letras y de dibujo en Boulogne. Es un gran alivio —y una alegría— que hace compartir a su joven hermanastro Édouard:

"Mi destino está trazado", escribe. "¡Con Éléonore y los niños, entramos en una nueva vida!"

Han dejado las dos incómodas habitaciones de la rue Pigalle por un apartamento más grande en el 72 de la rue de Seine. Allí Éléonore da a luz, en abril, a su cuarta hija, Marie-Émilie. A un amigo que se asombra, Mariette le confía:

—¡Qué quieres, es así! Basta que mire a Éléonore a los ojos, y ella queda embarazada...

¡Ha de mirarla a menudo a los ojos, pues ella traerá diez hijos al mundo!

Napoleón III, que acaba de casarse con la bella condesa española Eugenia de Montijo, reina con autoridad. Todas las miradas se vuelven hacia la Gran Exposición que pretende rivalizar con la del Crystal Palace de Londres, realizada en honor de la reina Victoria. En esta ocasión, Maxime Du Camp ha compuesto con oportunismo *Cantos modernos*, himnos a la mística industrialista. En el Palacio de la Industria, Berlioz dirige un gran concierto.

Sin embargo, se elevan algunas voces críticas: Renan, Leconte de Lisle, Flaubert, el joven Baudelaire, reclaman más espacio para el arte, la literatura, la poesía. Mariette está demasiado ocupado para participar en ese debate, pero, evidentemente, está del lado de los artistas. Ha sido recibido por el primo del emperador, el príncipe Napoleón, apodado *Plon Plon*, ex amante de la actriz Rachel. Él también deplora que en la Exposición la Antigüedad sea tan sacrificada al culto del progreso. Pero es la época de las empresas y de las inversiones.

Mariette trabaja en su pequeño gabinete de la rue de Seine en un *Informe sobre la madre virgen de Apis*. Da a entender que el dogma cristiano de la madre virgen de Cristo se origina tal vez en los conceptos religiosos egipcios. Esta hipótesis causará escándalo entre los católicos de estricta observancia.

Pero su mente está del otro lado del Mediterráneo:

"Desde esa época", escribirá, "sólo pensaba en volver a Egipto."

No obstante, es un hombre de moda y le llueven las invitaciones: conoce a pintores, escritores, ministros, al duque de Morny, hermanastro del emperador, que se interesa por Egipto, pero desde un punto de vista algo particular: pagado por los británicos, lucha contra el proyecto francés del canal de Suez, defendido por Ferdinand de Lesseps, primo de la emperatriz.

El emperador mira a lo lejos. Nostálgico de gloria militar, acaba de hacer entrar a Francia, en Crimea, junto con Inglaterra, en una guerra contra Rusia, con el pretexto de proteger los santos lugares de Jerusalén (los historiadores verán en ello la primera falta grave del Imperio). En las riberas del río Alma, los zuavos imperiales logran una brillante victoria. Víctor Hugo se halla en el exilio. Se representa *La dama de las camelias*, y Offenbach aparece en los Campos Elíseos.

Auguste Mariette no logra interesarse verdaderamente por la vida parisina. El presente le parece sin brillo al lado de lo que él ha visto y de lo que espera descubrir todavía en Egipto. Pero nada hace prever una próxima misión. Faltan créditos. Todo lo que Mariette consigue obtener es una misión del Louvre para ir a examinar, y comparar, las colecciones egipcias de los museos de Europa. Eso es mejor que nada. Decide comenzar por el museo de Berlín. Su amigo Heinrich Brugsch, egiptólogo alemán, testigo de los descubrimientos de Sakkara, convertido en su amigo íntimo, le ha transmitido una invitación oficial del rey de Prusia, Federico Guillermo IV. Proyecta ir luego a estudiar las colecciones de Turín.

Pero antes quiere volver a ver Boulogne-sur-Mer. Durante su travesía hacia Egipto, se ha enterado de la muerte de su padre. Quiere sumergirse en el ambiente familiar, respirar el aire cargado de aromas marinos de su infancia. Nunca olvidó Boulogne. Pero no se trata solamente de una peregrinación. A pesar del aumento de salario de que ha gozado en el Louvre, el matrimonio carece de dinero. Éléonore, su mujer, le sugiere solicitar un préstamo de honor a su propio padre, Sylvain Millon, cuyo negocio de vinos prospera.

El intento fracasa. Mariette regresa a París sin dinero pero desbordante de energía y de proyectos. Fue en Boulogne donde su mente se abrió, donde tuvo la revelación del antiguo Egipto, donde adquirió, solo, los conocimientos que lo proyectaron en el pasado. A lo largo de toda su vida, irá a Boulogne a adquirir nuevas fuerzas, a olvidar sus penas, y luego, a buscar una curación cada vez más aleatoria. Ese exiliado que se convertirá en bajá (príncipe) de un país lejano y en una celebridad internacional jamás dejará pasar una ocasión de regresar a la pequeña ciudad de la costa norte de Francia.

Allí nació en 1821, hace treinta y cuatro años, en la rue de la Balance, en el centro de la ciudad. Su padre, Paulin Mariette, es un hombre cultivado y enérgico, afecto a las ideas liberales. Ha sido partidario de Luis Felipe, el rey ciudadano. Sus funciones de jefe de la Oficina de Asuntos Marítimos en la Alcaldía lo convierten en un importante funcionario. Boulogne es un puerto muy activo en el que recalan numerosos barcos mercantes, con un gran tránsito de pasajeros hacia Inglaterra.

Paulin Mariette ha contado frecuentemente a su hijo que, siendo muy joven, el 18 de junio de 1815, ¡escuchó al norte de la ciudad, pegando el oído al suelo, el fragor de los cañones de Waterloo! Su propio hermano Guillaume, oficial de marina bajo Napoleón I, fue hecho prisionero por los ingleses y recluido en la isla de Man. Si nos remontamos en el pasado de los Mariette, encontramos a un abogado que sesionó en una asamblea de la Revolución, a un notario real bajo Luis XV, y a un corsario, cuyo puerto de amarre era Boulogne.

La madre de Auguste, Mélanie Delobeau, murió de parto cuando él tenía nueve años. Conserva de ella un tierno recuerdo. Era hija de un sargento mayor del Gran Ejército, superviviente de la retirada de Rusia, convertido en comerciante y maestro de billar en Boulogne. Auguste era el segundo hijo del matrimonio. El año de su nacimiento, en 1821, Napoleón muere en Santa Elena, y Champollion, de Figeac, que trabaja en París en un desván de la rue Mazarine, muy cerca del Instituto, acaba de descubrir la clave de la escritura jeroglífica, que va a comunicar a la Academia de Inscripciones.

Los primeros años de Auguste Mariette tienen como escenario una pequeña casa que ha desaparecido. Posee una hermana mayor, Sophie, y un hermano menor, Charles. Es un niño curioso de todo, dotado para el dibujo, y que no se queda quieto. A los trece años es testigo de un drama: un barco británico, el *Amphitrite*, que transportaba a Australia mujeres de mala vida condenadas a la relegación, es víctima de la tormenta frente a las costas francesas y encalla a poca distancia de Boulogne, donde intenta refugiarse. Paulin Mariette participa en las operaciones de rescate. Lleva a su hijo. El viento sopla en ráfagas, sacudiendo al barco encallado. Mujeres despeinadas, implorantes, se agolpan en la cubierta. Toda la noche, embarcaciones sacudidas por las olas tratan de aproximarse al navío para socorrerlo. Muchas mujeres se ahogan. La marea trae sus cuerpos. El encargado de la misión marítima británica en Boulogne, Mr. Austin, participa en los intentos de rescate. Está acompañado por su hija Lucie, que tiene más o menos la edad de Auguste. Extraño azar del destino, esa chiquilla frágil de largos cabellos claros, que reside en Boulogne con sus padres —ella conocerá allí a Heine en la mesa de huéspedes de la posada— es la futura Lucie Duff Gordon que, atacada de tuberculosis, pasará gran parte de su vida en Egipto, desde donde escribirá a su marido notables cartas. Publicadas en Inglaterra, tendrán un enorme éxito. En una de sus cartas, Lucie describirá a Auguste Mariette, convertido en alto funcionario egipcio, y a Ferdinand de Lesseps, hacia el cual, como buena ciudadana británica, se muestra sumamente crítica.

De ese período de su infancia, Auguste Mariette conserva el recuerdo de locas carreras sobre las murallas con su hermano Charles-Alphonse. Una tradición pretende que unos subterráneos abandonados unen Boulogne con la aldea vecina de Ostrohove. Los niños los buscan. Como más tarde en el Serapeum, Auguste descubre, recorriendo las ruinas, una entrada disimulada por un amontonamiento de piedras y se introduce con su pequeño hermano en un pasadizo estrecho. Los niños se arrastran reptando durante largo rato. Su vela se apaga. Charles-Alphonse, de siete años, está aterrorizado. En la oscuridad, les cuesta reencontrar la entrada y salir del subterráneo.

A los dieciséis años, Auguste gana todos los primeros premios en el colegio. Su padre se ha vuelto a casar con una joven burguesa de la ciudad, Louise Bech, con quien tendrá otros tres hijos. El último, Édouard, veinte años menor que Auguste, será arquitecto y se unirá a su hermanastro en Egipto. Trabajará en el canal de Suez y escribirá un libro de recuerdos sobre su hermano mayor.

Inclinado a las letras y al dibujo, Auguste Mariette ve perfilarse una carrera de profesor o de funcionario. Escribe artículos para los periódicos locales. A los dieciocho años, le proponen un puesto en la Alcaldía de la ciudad. A pesar de la admiración que siente por su padre, rehúsa. Él necesita acción. Un compañero de colegio regresa de Inglaterra, donde ha ocupado funciones de profesor de francés en una institución privada de Stratford - upon- Avon, la Shakespeare House Academy. Se propone recomendar a su camarada, que es aceptado. Auguste se embarca a Inglaterra y se instala en la ciudad natal de Shakespeare.

No se quedará mucho tiempo. Al cabo de unos meses lo despiden bruscamente. Cuando pide explicaciones, el director le responde, tajante:

—No deseo escuchar su defensa, mister Mariette. Es la primera vez que ocurre algo parecido en nuestra institución. ¡Y yo espero que nunca más suceda!

Aunque bastante cohibido, el joven profesor apenas logra reprimir un gran deseo de reír. El delito de que se le acusa no puede ser otro que una cita galante con una de las alumnas del establecimiento. ¡Y una de las más bonitas, Elizabeth! Dieciséis años, ya despabilada. ¿Quién lo denunció? ¿Tal vez otra alumna, celosa?

La directora adjunta, que asiste a la entrevista, no puede disimular una sonrisa que no escapa al joven profesor. Se sabe popular entre las mujeres. Con su elevada estatura, sus ojos de un azul muy claro, su fino bigote, sus rizos rubio-rojizos, su andar desenvuelto, su alegría natural, sin hablar de su gusto por las bromas y por los versos de Alfred de Musset, goza de la reputación halagadora que se asigna a los franceses —a pesar de Napoleón— del otro lado del Canal de la Mancha. Lo que el director de la institución ignora, e ignorará siempre, es que el profesor podría mostrarle varias esquelas de alumnas solicitándole una cita, que bastarían, al establecer la provocación, para salvar su responsabilidad. Pero, por supuesto, no entregará esas esquelas. Partirá, enaltecido a sus ojos por su silencio de gentleman, dejando mucha pesadumbre detrás de él.

¿Qué será de su vida? Sin un chelín en el bolsillo, sin empleo, no tiene siquiera con qué pagarse el viaje si decidiera regresar a Boulogne. Idea que apenas lo roza. No va a capitular ante el primer fracaso, si éste lo es. Encontrará una solución. Mañana, antes de tomar el *mail-coach* para Coventry, donde un amigo originario de Boulogne aceptará sin duda alojarlo, escribirá a la pequeña Elizabeth, tan bella con sus grandes ojos claros y su provocativa sonrisa, una carta que ella romperá el día de su compromiso matrimonial con un tonto de fortuna de la buena sociedad. Él partira hacia nuevas aventuras.

En Coventry, nadie busca un profesor de francés o de dibujo, sus dos "especialidades". Pronto está dispuesto a aceptar cualquier empleo. El amigo de Boulogne ha regresado a Londres; se ha instalado en la pensión de una mujer gruñona poco dispuesta a otorgar crédito a Mariette. Éste descubre la Inglaterra miserable que describirá Dickens, hijo también de un empleado de administración portuaria. Finalmente, es contratado como dibujante en un triste taller textil. Contrato poco glorioso para un aventurero descendiente de osados corsarios, pero que le permite, embelleciendo un poco las cosas, escribir a su padre, a su hermano Charles-Alphonse, y a su hermana Sophie, entusiastas cartas. Éstas tendrán un efecto positivo en Charles-Alphonse, que atravesará también el Canal de la Mancha, será profesor en el King's College, se casará con una heredera del condado de Suffolk y se instalará definitivamente en el país.

El trabajo de Auguste es ingrato: durante ocho horas diarias dibuja cintas "al gusto de París". Si bien encuentra algunas compensaciones entre el personal femenino del taller, el salario es miserable. Una libra esterlina por semana, apenas lo suficiente para sobrevivir, pasando necesidades.

Y, finalmente, decide regresar a Boulogne. (Unos meses antes, otro "aventurero" francés ha atravesado también el Canal para desembarcar en Boulogne: el príncipe Luis Napoleón, futuro Napoleón III, cuyo destino se cruzará más tarde con el del pequeño dibujante. El príncipe piensa en un golpe de Estado. Pero su plan fracasará de manera lamentable. Detenido, condenado a prisión de por vida, termina en el fuerte de Ham, de donde se evadirá en 1846. ¡Nadie asigna entonces la menor posibilidad de éxito al futuro Napoleón III!)

Auguste Mariette pasó cerca de un año en Inglaterra. Se convirtió en un hombre. Ganó en seguridad, en equilibrio, en experiencia. Leyó mucho.

En Boulogne también han cambiado las cosas: la nueva esposa de su padre, Louise, ha dado a luz dos hijas, Pauline y Zoé. Pronto nacerá Édouard, su medio hermano. Para la familia, Auguste es, con menos de dieciocho años, una especie de héroe. Le reservan una buena acogida. ¡Boulogne ha festejado siempre a los aventureros!

¿Cómo habría de adivinar él que tiene una cita con otro país de ultramar, más lejano, donde esta vez le espera la verdadera aventura?

Han transcurrido casi quince años.

En camino de conocer en Berlín a uno de los más poderosos soberanos de Europa, Mariette, convertido en un arqueólogo reconocido y admirado, no puede dejar de medir, una vez más, el papel que ha desempeñado el azar en su vida. Faltó nada para que ese encuentro con el antiguo Egipto no tuviese lugar y que su destino se cumpliera en Boulogne-sur-Mer, en la seguridad y la quietud de una ciudad que él ama como se ama a la familia, pero que no está hecha a su medida. Esa nada fue un baúl, que un extraño encadenamiento de circunstancias depositó una noche en la Alcaldía de Boulogne, en el despacho de su padre Paulin.

Auguste Mariette vuelve a ver la escena. El baúl —un cofre más bien—, de madera con armazón de hierro, proviene del Louvre de París. Su propietario, Nestor L'Hote, dibujante de Champollion, ha muerto en Egipto. El museo del Louvre ha recibido sus papeles personales, sus archivos y dibujos, conservando parte de ellos. Un notario parisino decide enviar el resto a los únicos herederos conocidos del dibujante, los Mariette, de Boulogne.

Paulin Mariette conoció a ese primo lejano unos años antes en París. De profesión aduanero, excelente dibujante, ese hombre original, vinculado a la familia por una boda bastante lejana (no se lo encuentra en la genealogía), es un apasionado del Oriente. Logró participar, en 1828, en la expedición francotoscana de Champollion y Rossellini. Sus cualidades de dibujante le valen la estima del joven sabio de Figeac. Pero pronto su carácter difícil los aleja. Por un momento, hasta piensa en seguir a Grecia a un tránsfuga de la expedición, Alexandre Duchesne. Finalmente, se queda con Champollion, pero no regresa a París con él. En compañía de otros dos dibujantes de la expedición, Leroux y Bertin, se instala en Alejandría, donde trabaja como pintor y decorador.

De regreso en Francia, al enterarse de que Champollion está enfermo, Nestor L'Hote se reconcilia con él y ya no lo abandona. Velará su agonía: el descifrador de los jeroglíficos apenas tiene cuarenta años cuando entrega su alma. Poco después, Nestor L'Hote solicitará —y obtendrá— del Louvre una misión para completar los apuntes de Champollion en el valle. ¿Quién conoce mejor que él los proyectos del sabio desaparecido, los monumentos del valle que pensaba estudiar y detallar en una segunda expedición? Es durante esa misión cuando la disentería se lleva a Nestor L'Hote. (Su nombre está grabado en el frontón del museo de El Cairo, con los de los precursores de la egiptología. Sus dibujos han sido reeditados recientemente.)

En la Alcaldía de Boulogne, el baúl de Nestor L'Hote no despierta interés. Auguste Mariette, recién llegado de Inglaterra, no le presta más atención que los otros. Habiendo terminado el bachillerato en letras, con mención, ha decidido aceptar un puesto de profesor en el colegio de Boulogne. Continúa escribiendo. Tantea todos los géneros, desde la elegía a la novela histórica, *Hassan el negro*, pasando por crónicas como un *Elogio del marinerito de Boulogne* (considerado superior al pilluelo parisino), un estudio sobre los corsarios de Boulogne, una historia de la canción francesa, unos escritos al estilo de Marivaux, etc. Su facilidad es tan evidente, que el alcalde, M. Adam, le propone la dirección del periódico local, favorable al gobierno, *L'Annotateur boulonnais*. Acepta. El periódico de la oposición republicana, *L'Observateur*, protesta con vehemencia y comenta deslealmente: "M. Adam ha descubierto a un joven escapado apenas de los bancos de la escuela...", leemos en ese diario. "Ese joven carece de pasado y de presente... como no tiene principios definidos ni opinión formada, M. Adam reconoce en él al hombre que puede convenirle y hacerse eco de su pensamiento."

El joven director se muda a un pequeño apartamento en la rue des Vieillards. Sus alumnos de las clases inferiores, sus lecciones de dibujo, la dirección del periódico y la redacción de sus artículos le dejan poco tiempo libre. Así pues, presta sólo un oído distraído a la propuesta de su padre:

—François-Auguste, deberías mirar qué encierra el baúl del primo L'Hote. Datos sobre monumentos, acuarelas, dibujos. ¡Tal vez sea interesante!

—No tengo tiempo.

—Mira, de todos modos.

Acepta sin entusiasmo. Lo posterga para más tarde. Cuando comience, ya no se detendrá.

Con la perspectiva que da el tiempo, asombra la analogía entre ese encuentro fortuito en Boulogne-sur-Mer y el que orientó, en Grenoble, a Jean-François Champollion hacia Egipto, treinta y cinco años antes. Como Mariette, Champollion no había tenido, directa ni indirectamente, contacto con la tierra de los faraones. Un acontecimiento tan poco previsible como el regreso de los papeles de L'Hote decidió su destino: hijo menor del librero de Figeac, alumno brillante en el liceo de Grenoble, Jean-François Champollion tiene doce años cuando su hermano mayor lo presenta al prefecto del Isère, Joseph Fourier. Ese funcionario de treinta y cinco años, nombrado por Napoleón, es un veterano de la expedición de Bonaparte a Egipto. Hasta ha sido el primer secretario general del Instituto creado en El Cairo, y ha redactado el prefacio de la célebre *Descripción*. La madurez del hijo del librero, apasionado por la historia antigua, capaz de disertar sobre numerosos temas, le divierte y le asombra. Mantienen una larga conversación que ninguno de los dos explicó jamás, pero que, evidentemente, tuvo por tema el antiguo Egipto. Como Mariette, el joven Champollion tiene ambiciones literarias. Pero unos días después de ese encuentro, habiendo consultado en la biblioteca del liceo las primeras láminas de la *Descripción*, escribe a sus padres: "Deseo hacer un estudio profundo y continuo de esa antigua nación. El entusiasmo al que me ha llevado la descripción de sus enormes monumentos, la admiración que han despertado en mí su poder y sus conocimientos, se acrecentarán con las nuevas nociones que adquiriré".

El improbable encuentro de Auguste Mariette con Egipto hace pensar en el joven normando Gustave Flaubert, asistente, a la edad de doce años, en 1833 en Ruán, a la llegada de la barcaza *Louxor*, remolcada por el vapor *Sphinx*, transportando el obelisco, obsequio del virrey Mehemet Alí al rey Luis Felipe. Mientras aguarda la crecida de otoño del Sena, el *Louxor* permanece amarrado dos meses en el muelle de Harcourt. El joven Flaubert sube a bordo, examina, fascinado, el obelisco —ese rayo de sol petrificado— tendido como un yacente. En el primer relato que escribirá a los diecisiete años, en plena preparación del bachillerato, Egipto y las pirámides desempeñan un papel esencial. Y en las *Memorias de un loco*, escritas al año siguiente, encontramos estas líneas: "Soñaba con viajes lejanos... veía el Oriente y sus arenas inmensas, sus palacios que pisotean los camellos con sus campanillas de bronce...". Más tarde, con Maxime Du Camp, Flaubert precederá a Mariette en Egipto solamente en unos meses.

El joven Mariette, sumergido en Boulogne en los papeles de su primo desconocido, experimenta, también él, un verdadero flechazo. Él mismo se asombra: "El ánade egipcio", escribe entonces, "es un animal temible. Cuando nos muerde, no nos suelta más". Como Champollion en Grenoble y tal vez como Flaubert en Ruán, Mariette corre al museo de su ciudad. Desde la expedición de Bonaparte, cada museo francés se empeña en poseer por lo menos un sarcófago y una momia. En Grenoble, el sarcófago que contempla Jean-François Champollion está allí desde 1779. Un delfinés, ex cónsul en El Cairo, lo ha ofrecido a su ciudad natal. Champollion se siente fascinado por los jeroglíficos indescifrados e indescifrables que lo adornan. Poco después, se hará enviar una lámina de la piedra trilingüe descubierta en Rosetta, cerca de Alejandría, por un oficial de Napoleón, de la que se apoderaron enseguida los ingleses. Champollion jamás verá la piedra, que se encuentra siempre en el Museo Británico de Londres. Es el comienzo de la aventura que conducirá al joven de Grenoble a su gran descubrimiento.

Treinta años más tarde, Auguste Mariette contempla a su vez, en el museo de su ciudad, un sarcófago impresionante. Pero, entretanto, Champollion ha dado con la clave de los jeroglíficos, y el joven profesor de Boulogne, que se ha procurado su gramática, descifra sin dificultad el nombre y los títulos del muerto: un marino, tal vez almirante, del siglo VIII a.C., llamado Nehemsimotu. El sarcófago de Boulogne fue comprado cinco años antes al doctor Antoine Hebray, de París. Estaba compuesto entonces por tres ataúdes, uno dentro del otro. (El ataúd intermedio de Nehemsimotu se encuentra siempre en el museo de Boulogne-sur-Mer. Sobre la tapa está representado el pesaje del corazón. Una fórmula de ofrendas corre sobre la pared exterior de la cuba. En la pared interna, el buitre protector extiende sus alas sobre la cabeza del difunto. Recientemente, el profesor Jean Yoyotte, del Colegio de Francia, ha estudiado ese sarcófago. El ataúd exterior desapareció misteriosamente durante la segunda guerra mundial. En cuanto al interior, curiosa coincidencia, se encuentra ahora [1997] en el museo de Grenoble. La momia sigue estando en Boulogne. Se ha establecido que no es la del marino, inquilino titular del triple sarcófago.)

Mariette pasa largas horas ante ese triple ataúd, que le habla. Un compañero de clases, el futuro músico Vervoitte, lo ve en el museo una tarde de julio de 1843, tendido en el suelo, boca abajo, inmóvil, silencioso, contemplando el sarcófago.

—¿Qué haces ahí? —le pregunta.

—No lo sé —responde Mariette—. ¡Pero estoy seguro de que esto me llevará lejos!

CAPÍTULO

3

Primeros trabajos

de egiptología

en Boulogne-sur-Mer.

París se interesa en él.

Supernumerario

en el museo del Louvre

durante la revolución de 1848.

Partida a Egipto en busca

de manuscritos antiguos.

La carrera egiptológica de Mariette habría podido interrumpirse en el museo municipal de Boulogne antes de haber comenzado de verdad. Las inscripciones del sarcófago del navegante, salvo el nombre de aquel a quien está destinado, son indescifrables. Mariette es presa de creciente inquietud. Está seguro de haber asimilado la gramática de Champollion; conoce más de trescientos jeroglíficos, y a pesar de todos sus esfuerzos, no logra comprender el sentido de los signos familiares pintados en las paredes del sarcófago.

Se empecina. Sin resultado. Por un momento, ganado por el desaliento, lo acomete el deseo de abandonar el estudio de la caja funeraria, de los jeroglíficos, de la egiptología en general. Luego se recupera. Debe haber una explicación, piensa.

La hay. El primer propietario del sarcófago de Boulogne no era otro que el célebre barón Vivant Denon, ex participante en la expedición de Bonaparte, convertido en amigo del emperador, autor del famoso *Viaje*, creador del museo del Louvre. Vivant Denon ha hecho restaurar el sarcófago según el método de la época, es decir llenando los jeroglíficos borrados o faltantes, ¡con signos tomados al azar! Como todos, estaba entonces persuadido de que la escritura sagrada de los egipcios no revelaría jamás su secreto ¡e hizo hacer simplemente un llenado!

(Por la misma razón, parte de las inscripciones de la célebre *Descripción* son indescifrables, habiéndose limitado frecuentemente los dibujantes de la expedición a marcar en sus calcos el emplazamiento y el número de líneas. Por la noche, en el campamento, en condiciones más confortables, llenaban los espacios en blanco con signos, figuras, tomados de sus notas al azar. Pensaban que el subterfugio nunca sería descubierto. Gaston Maspero, futuro sucesor de Mariette al frente de la dirección de las Antigüedades, caerá también en la trampa, intentando descifrar, durante sus estudios en la Escuela Normal Superior, láminas ilegibles de la *Descripción*.)

Ante el obstáculo incomprensible, Mariette se niega a darse por vencido. Investiga. Necesita seis meses para comprender... que no hay nada que comprender. Ya forma parte de esos investigadores de excepción a quienes la dificultad, en lugar de abatir, estimula. Su empecinamiento dará sus frutos.

Si por el momento la egiptología, en Boulogne, no le reserva más que sinsabores, su actividad literaria le vale la consideración de los notables. Director del periódico más importante de la ciudad, sus artículos son apreciados. En 1840 se casa con una de sus alumnas, Éléonore Million, señorita de la buena sociedad, hija de un rico comerciante en vinos. Según el contrato de matrimonio, la esposa sólo goza de una renta anual de mil francos, nada como para salir de apuros. Ella dará pruebas toda la vida de mucho coraje y discreción. "Fue", escribió Mariette, "la esposa perfecta, atenta, amante, presente cuando hacía falta, sabiendo borrarse también, sólida, inteligente y eficaz." Cuando el cólera se la llevó, en El Cairo, Mariette experimentó un inmenso dolor.

En sus raros momentos de ocio, él estudia en la biblioteca municipal los infolios impresionantes de la famosa *Descripción*. Se sumerge en el estudio de los autores griegos y romanos: Homero, que no le gusta, Diodoro de Sicilia, Herodoto, Estrabón, Plutarco, Jamblico, los filósofos alejandrinos. Se ha procurado casi todos los relatos de los viajeros de Oriente: de Maillet, del padre Vansleb, de Sicard, de Volney, y las obras en inglés de Bruce, descendiente de los reyes de Escocia, imponentes in-quarto ilustrados, *Viajes a Nubia y a Abisinia*, que también leyó Henri Beyle en su juventud por consejo de su abuelo Gagnon: "Sus láminas", escribió Stendhal, "tuvieron una infuencia inmensa en mi educación". Mariette toma conocimiento de los relatos de los cronistas árabes, Abd el Latif, Gabart. Acrecienta su conocimiento del árabe, aprende el copto que deriva del egipcio antiguo. Él mismo se asombra de la facilidad con que asimila y retiene los elementos de las lenguas muertas. Se pone a estudiar el hebreo. Hay que admitir que, al menos en ese terreno, el joven profesor es un superdotado.

Su primera hija, Marguerite-Louise, nace en Boulogne en 1846. Él preside varias sociedades culturales, los Amigos del Arte, el Círculo de Agricultura, etc. Se interesa por las excavaciones arqueológicas cerca de las murallas, ¡las primeras de su carrera! Pero su verdadera pasión es el antiguo Egipto, y sus superiores del colegio comienzan a preocuparse. El director le reprocha descuidar a sus alumnos. Mariette es consciente de que debe optar:

—En nuestros días —confía a un amigo—, hace falta una especialidad, pero una sola.

Será la egiptología. Valiéndose de sus conocimientos recientes, olvidando la decepción de su primer descifrado, recurre, no sin ingenuidad, al Ministerio de Instrucción Pública de París, solicitando una misión de investigación en Egipto. Evidentemente, la respuesta es negativa. El ministro Dumont responde: "Yo habría estado dispuesto a secundar sus investigaciones si no hubiese encargado ya a otro viajero una misión análoga a la que usted propone. De todos modos, el estado del presupuesto no me permitiría dar curso a sus proyectos". El viajero de quien habla el ministro es el filólogo Jean-Jacques Ampère, hijo del célebre físico, que traerá del Valle de los Reyes documentos y estampas de gran calidad.

Mariette se empecina. Obtiene el apoyo del diputado de Pas-de-Calais, François Delessert, y dirige una segunda petición al Ministerio. Se manifiesta dispuesto a absorber él mismo —nos preguntamos cómo— los gastos de la misión si se le concede un pasaje gratis en un barco-correo, de Marsella a Alejandría, y, de todos modos, una "ayuda" de dos mil francos.

Nuevo rechazo: "Los reglamentos", escribe el Ministerio, "se oponen a la concesión de pasajes gratuitos en los barcos del Mediterráneo". En cuanto a la "ayuda", remite al corresponsal a la carta precedente.

Ese segundo fracaso no desalienta al joven profesor. Continúa familiarizándose con los viajeros de la Antigüedad que le fascinan. Está en Egipto con ellos. Ve a Egipto a través de sus ojos, de sus relatos a menudo confusos, imprecisos, fantasiosos, hasta contradictorios... pero siempre apasionantes. Lee y relee a Herodoto, a Estrabón. Sabe ahora hebreo y arameo. Ha estudiado en detalle los papeles de Nestor L'Hote. Se procura las publicaciones recientes del Louvre, en particular la estampa del misterioso zodíaco circular tomada del techo del templo ptolemaico de Denderah por Le Lorrain y Saulnier, en 1823, y adquirida por Luis XVIII. Conoce las comunicaciones recientes de Prisse d'Avennes, de Letronne, sobre el período de dominación griega, de Emmanuel de Rougé sobre Ahmes. Pero no tiene acceso, con gran pena de su parte, a los trabajos de los extranjeros Karl Richard Lepsius, Birch, Wilkinson, etc.

De Egipto, nunca ha visto nada más que los objetos del museo de Boulogne. La pequeña colección fue creada en 1824, al haber comprado la ciudad el "gabinete de curiosidades" de un aficionado: una momia de gato y algunas estatuillas. En 1834, el almirante de Rosamel y la condesa de Rigny obsequian al museo una madera esculpida de Ptolomeo VII Evergetes, sin duda desprendida de un dintel de Karnak (pieza hoy desaparecida), una estela familiar del Imperio Medio (XII dinastía) y un vaso canope de alabastro. Con la momia y los sarcófagos del navegante Nehemsimotu, adquiridos en 1837, eso es todo lo que Mariette puede estudiar. Redacta, sin embargo, un *"Catálogo analítico de los monumentos de la galería egipcia del museo de Boulogne"*, cuyos extractos publica *L'Annotateur*. Del fascículo, de una veintena de páginas, sólo resta actualmente un único ejemplar.

(Mariette no dejará de enviar jamás, durante toda su vida, objetos de las excavaciones al museo de su ciudad natal, en particular emblemas de Osiris y una bella estatuilla de madera policromada de la cantante Amon Re Urel, de la época de los Ramsés.)

Trabaja con tesón, pero su impaciencia aumenta: "¡Tengo tantas cosas que descubrir, que comprender!", escribe. "¡Hiervo, literalmente!"

Desde la muerte de Champollion, la contribución francesa a la egiptología es modesta. No se ha encontrado todavía la clave de la escritura demótica, que Champollion se limitó a señalar. Aparte de los trabajos de Rougé y de los de Letronne sobre el período griego, pocos progresos se han hecho en Francia. Los alemanes, con Lepsius, y los ingleses, ocupan el terreno. Mariette se siente capaz de hacer avanzar las cosas. ¿Pero cómo?

Su mirada se vuelve hacia París. Lamentablemente, allí no conoce a nadie. Los periódicos, recibidos con demora, ¡sólo hablan de la visita de la reina Victoria! Sus solicitudes de misiones han quedado en la nada. ¿Qué hacer? Se confía a un amigo:

—No abandono. Todavía no sé cómo, pero lo lograré.

Para obtener los apoyos indispensables en París, necesita adquirir notoriedad. Solamente entonces tendrá la posibilidad de convencer a las autoridades.

La publicación de una obra notable, el Diccionario de Louis Bouilhet, va a brindarle la oportunidad. Es una enciclopedia histórica. ¡Auguste Mariette pone en tela de juicio el artículo concerniente a Boulogne-sur-Mer! Redacta una memoria de unas cien páginas, con gran sorpresa de Bouilhet que no esperaba una reacción tan erudita. La demostración de Mariette se refiere en particular a los nombres de la ciudad de Boulogne en la Antigüedad. Su texto llama la atención de algunos historiadores. En esa época, los medios cultivados están muy atentos a toda polémica histórica. Mariette lo sabe... ¡y da en el blanco! Recibe en Boulogne numerosas cartas de felicitación. Algunas llevan firmas célebres; varios miembros del Instituto se han tomado la molestia de escribirle: Letronne, Charles Lenormant, ex compañero de Champollion y sobrino político de Mme Récamier, Adrien de Longpérier. Y sobre todo el vizconde de Rougé, el más célebre egiptólogo de la época, conservador del Louvre. A todos ellos les ha impresionado la calidad de la documentación, la claridad de la demostración, el estilo vivaz y la juventud del autor. Mariette responde largamente a cada uno: "No soy un total desconocido en París", escribe entonces con orgullo.

Pero esa correspondencia le lleva mucho tiempo. Hasta tal punto que el director del colegio vuelve a llamarlo al orden:

—Usted descuida cada vez más su clase y sus lecciones de dibujo. Los padres se quejan. Sus estudios egipcios lo acaparan, señor Mariette. ¡Debe elegir!

Renunciar al profesorado equivale a abandonar su única fuente de ingresos, cuando acaba de nacer una segunda hija, Joséphine-Cornélie. Una arriesgada decisión. La discute largamente con Éléonore. Pero ella sabe que, en verdad, su marido ya ha hecho su elección. No trata de desalentarlo. Por el contrario. Auguste Mariette le agradecerá toda la vida esa generosidad, ese coraje, esa prueba de amor. Pide una licencia de tres meses. La obtiene, y parte a París.

Podría creerse que se ha vuelto a las grandes horas de la Revolución: presionado por el pueblo y por la burguesía liberal, el rey Luis Felipe ha huido y se ha proclamado la República. Proliferan periódicos, partidos políticos, clubes. Se plantan árboles de la libertad. Se abren los famosos talleres nacionales. Barbès, Blanqui, Proudhon, Luis Bonaparte, anuncian horas cercanas de felicidad. El gobierno provisional, que ha organizado elecciones por sufragio universal, cree controlar la situación. Pero la miseria aumenta entre los obreros; el pueblo se considera traicionado.

Mariette ha alquilado una pequeña habitación en el último piso de un hotel cercano al Palais-Royal y al museo del Louvre. Allí se encuentra con Rougé, Lenormant, Longpérier.

La revolución ha puesto al frente de los museos nacionales a un pintor socialista, Philippe Jeanron. Por coincidencia, ha nacido en Boulogne, como Mariette. Aunque su presupuesto ha sido disminuido, promete encontrar una solución: pronto ofrecerá al joven profesor de Boulogne un empleo provisional, mal remunerado —166,66 francos al mes— con la misión de redactar un catálogo de los nuevos monumentos egipcios y de pegar los papiros sobre cartón satinado para protegerlos. El contrato es válido hasta octubre del año siguiente. No importa. Para Mariette, es una especie de triunfo. Tiene un pie en el Louvre.

Sin embargo, el ambiente no es muy favorable para el trabajo. En mayo, grandes manifestaciones obreras enardecen los ánimos. En junio, reaparecen las barricadas y comienzan nuevamente los motines. La burguesía liberal ha cambiado de bando. En los suburbios, la guardia nacional y los soldados de la guardia móvil se enfrentan a los combatientes "rojos". Maxime Du Camp, que vive en la plaza de la Madeleine, es herido en una pierna. Mariette ve pasar los ómnibus y los carros de mudanza cargados de cadáveres. Los insurrectos son desarmados tras una viva resistencia. Se fusila en los subterráneos de las Tullerías. (Todavía hoy, el número de víctimas de ambos bandos sigue siendo un misterio.) Una verdadera carnicería. Comienzan las deportaciones de los supervivientes a las colonias.

En medio de la tormenta, Mariette descubre los tesoros del museo. Hace veintidós años, Carlos X creó una división de los monumentos egipcios de la que Champollion fue nombrado conservador. Si bien el museo rechazó la primera colección del cónsul francés Drovetti (que Turín acogió), adquirió la colección Durand. Poco después, Champollion logró, no sin dificultad, hacer comprar por el rey Carlos X, por doscientos cincuenta mil francos, las cuatro mil piezas de la segunda colección Drovetti. Entre esos objetos se cuentan la gran Esfinge de granito de Tanis, una encantadora estela esculpida que representa a Ramsés II niño, el sarcófago de granito rosado de Ramsés III, un naos del templo de Philae, un muro grabado de Karnak, la estatua de Sebekhotep IV, de Amenofis IV, de la dama Nay en madera chapada en oro,

Setau presentando a la diosa cobra Nekhbet, un portaestandarte de madera de karité del Imperio Nuevo, etc.

Más tarde, Champollion hará comprar también por el museo objetos de excavaciones: las efigies colosales de Ramsés II y de Sebekhotep, la cabeza de Amenofis III en diorita, un gran naos de granito ptolemaico del templo de Isis en Philae y magníficas piezas de orfebrería, como la copa del general Yeuty.

El museo de Champollion que Mariette recorre, deslumbrado, es, salvo algunos detalles, el que se visitaba todavía, antes del notable reacondicionamiento de 1997. El propio Champollion eligió los armarios adornados con bronce dorado, los falsos mármoles, las pinturas de los techos (el Estudio y el Genio de las artes desvelando Egipto a Grecia, y Egipto salvado por José). Al mismo tiempo, el descifrador de los jeroglíficos inventaba la concepción moderna del museo, concebido no ya como un simple lugar de exposición, sino como una puesta en perspectiva histórica, una descripción analítica, mediante la división de las salas: sala de los dioses, sala funeraria, sala civil, etc.

De su expedición de 1828, a pesar de sus créditos limitados, Champollion ha traído nuevas obras maestras: el gran sarcófago de Yedhor, de la época ptolemaica, el relieve policromado de Hathor y Seti I (XIX dinastía) extraído de la tumba del faraón en el Valle de los Reyes, y la estatua de la divina adoratriz Karomara, en bronce incrustado de oro. Todas esas piezas ante las cuales desfilan hoy los visitantes aburridos embargan a Auguste Mariette de un entusiasmo indescriptible: "¡Tengo la impresión de que podría pasar aquí mi vida!", escribe a Éléonore. Ella comprende que va a pedir una prolongación de su licencia.

Otros objetos han entrado recientemente al Louvre: las grandes estatuas de Sepa y Nesa compradas al cónsul de Francia Mimaut, amigo de Mehemet Alí, relieves de Karnak. ¡En total, el departamento posee ahora más de nueve mil piezas!

No obstante, es en la Biblioteca Nacional, al otro lado de los jardines del Palais-Royal, donde Auguste Mariette va a experimentar su más viva emoción. Allí están expuestos el famoso zodíaco de Denderah e importantes fragmentos de la sala de los ancestros de Tutmosis III en Karnak, quitados astutamente a Lepsius por Prisse d'Avennes, ingeniero de fortificaciones reclutado por Mehemet Alí. (El zodíaco y la sala de los Ancestros dejaron la Biblioteca Nacional por el Louvre en 1922.) Mariette decide efectuar un estudio sobre un detalle de la sala de los Ancestros. La iniciación de las clases lo sorprende en pleno trabajo. Pide a Éléonore tener paciencia: "Simplemente", escribe él, "soy incapaz de detenerme".

Obtiene otra prolongación de su licencia. No es una sorpresa para el director, que sospecha que su joven profesor está perdido para el liceo. Y, en efecto, dos meses más tarde recibe una nueva solicitud. Auguste Mariette es prisionero del Egipto faraónico.

El informe de Mariette está terminado a principios de 1849. Se compone de setenta páginas de una escritura apretada. Lleva como título: "Sobre el lado izquierdo de la sala de los Ancestros de Tutmosis III, y en particular sobre las dos últimas líneas de esa parte del monumento". Criticado por Prisse d'Avennes, celoso, de inmediato inspira la admiración de Charles Lenormant:

—He leído ese manuscrito —dice éste— con la desconfianza que se siente siempre hacia los ensayos de personas que suponemos no han podido extraer la instrucción científica de sus verdaderas fuentes, y he sido agradablemente sorprendido en sentido contrario...

Lenormant invita a Mariette a cenar en *Les Trois Frères Provençaux*, restaurante del Palais-Royal de moda, frecuentado por los escritores, los músicos y los actores. No le oculta su admiración:

—Usted será, ¿qué digo?, ¡usted ya es un egiptólogo!

El joven profesor no esperaba semejante elogio. Ha recibido su contrato, la situación política se ha calmado, se apresura pues a llamar a su lado a Éléonore y a sus dos pequeñas hijas. Una tercera niña, Sophie-Éléonore, nacerá poco después de la llegada de su mujer. Para alojar a esa familia, alquila una vivienda de dos habitaciones, en la cité Pigalle. Pero ya no tiene dinero para amueblarla, y un amigo de Boulogne que lo visita escribe que "lo encuentra con su mujer y sus hijas, ¡en un apartamento casi vacío!".

Como carece de dinero, Mariette reanuda su actividad de periodista. Envía artículos a *L'Annotateur* y a otros periódicos del norte. Recibe a su amigo Édouard Desseille sentado ante una mala mesa de madera en medio de los libros, con Marguerite-Louise sobre las rodillas, Joséphine a sus pies y Sophie-Éléonore, de seis meses, en su cuna:

—Nunca trabajo mejor que así —dice él—. ¡Me gusta sentir a mi pequeño mundo alrededor!

Al expirar el contrato en octubre, el director Jeanron no tiene el coraje de privar a Mariette de su modesto salario. Decide extraerlo de los gastos del departamento, bajo los rótulos de "encolado" y "reparación". Mariette termina el inventario de los monumentos egipcios acumulados en la sala Enrique IV, o guardados en los depósitos. Otro amigo lo sorprende a horcajadas de la gran Esfinge de granito de Tanis de la colección Drovetti, con la pierna izquierda colgando y la derecha, plegada y sirviéndole de pupitre:

—¿Qué haces ahí? —le pregunta.

—Ya lo ves: ¡recojo inscripciones para escribir la historia de este bicho!

Su capacidad de trabajo ha aumentado aún más: lee enormemente y puede tomar conocimiento, al fin, de los trabajos recientes de los egiptólogos alemanes, ingleses e italianos. Su sucesor, Gaston Maspero, encontrará las notas tomadas entonces por Mariette (al menos las que resistieron a numerosas mudanzas y a una desastrosa crecida del Nilo). Maspero queda deslumbrado: "Ellas testimonian un conocimiento íntimo de la literatura egiptológica", escribirá, "y justifican la leyenda según la cual Mariette no pudo nunca plegarse al trabajo de gabinete".

En 1849, Mariette publica su primera verdadera comunicación científica en la *Revue archéologique*: "Nota sobre un fragmento del papiro real de Turín y la VI dinastía de Manethon". Es bien recibida. El futuro se presenta prometedor, cuando se abate sobre él una especie de calamidad. La corriente política se invierte. El príncipe Luis Napoleón se ha convertido en presidente de la República, y los "revolucionarios" de 1848, víctimas de una cacería de brujas, poco a poco son despedidos de sus puestos. La ola bonapartista arrastra al director de los museos, Philippe Jeanron. Sus sucesores no consideran útil mantener el sueldo mensual asignado, de los gastos de encolado del departamento, al protegido del ex director republicano.

Mariette ya no cuenta más que con los magros pagos de los periódicos de Boulogne para hacer vivir a su familia. Situación dramática. A petición de Rougé, cuya influencia es grande, el secretario general del Ministerio de Instrucción Pública, M. Genin, busca para el joven egiptólogo un empleo de escritorio que le permita continuar sus investigaciones.

No lo encuentra, y ésa es la gran suerte de Mariette. Al examinar su legajo, M. Genin toma conocimiento de las solicitudes de misión enviadas cuatro años antes por el profesor de Boulogne. ¡Le propone volver a la carga ahora que está asentada su reputación de egiptólogo! Cree poder hacer prosperar su demanda.

Mariette escucha esa propuesta con asombro. Cuando solicitaba una misión para ir a Egipto, apenas le respondían. Y ahora que no pide nada, ¡le proponen una misión! Charles Lenormant sugiere, como tema, la búsqueda y la compra de manuscritos etíopes, siriacos y coptos, abundantes en el Museo Británico pero de los que el Louvre está desprovisto. Se puede esperar encontrar, a través de traducciones, de textos perdidos, ¿por qué no tragedias de Sófocles o libros de Tácito? ¿Acaso Mariette no ha estudiado y clasificado desde hace dos años los pocos manuscritos coptos conservados en París y tomado conocimiento de los principales catálogos extranjeros? Para aumentar sus posibilidades y acrecentar su credibilidad, Mariette improvisa en pocos días, siempre por consejo de Lenormant, una "bibliografía copta".

La realización del proyecto de misión a Egipto no es sencilla. Pero el secretario general se esfuerza en obtenerla. Logra el acuerdo de su ministro antes de transmitir la solicitud a la Academia. Por su parte, Charles Lenormant se las arregla para que la comisión de la Academia, encargada de considerar el proyecto, esté compuesta por amigos. En julio, aboga ante sus pares por la causa de su protegido. Agrega que el joven Mariette se propone también descubrir futuros emplazamientos para excavaciones, en particular en Abydos, la ciudad santa de Osiris. Desde la expedición de Champollion y la de Lepsius, se sabe que allí afloran muchos vestigios antiguos.

En agosto de 1850, ¡Auguste Mariette se entera de que su proyecto es aceptado! Se le asigna un monto de seis mil francos oro, que cobrará en Egipto al llegar. No es una suma enorme. (A título indicativo, Flaubert, ese mismo año, pide prestados a su madre diez mil francos oro para un viaje de un año que, por otra parte, le costará más.)

Por un momento, Mariette piensa en llevar consigo a Éléonore y a sus tres pequeñas hijas. Pero el viaje se anuncia largo y penoso. El clima es peligroso para las niñas. La última epidemia de cólera se produjo hace apenas unos años; no se sabe curar la "fiebre del Nilo" (paludismo) ni la disentería, que afecta a muchos viajeros, como ocurrió con Nestor L'Hote. Recientemente en Luxor, Jean-Jacques Ampère ha estado a punto de morir. Éléonore acepta esperar en París el regreso de su marido. Él afirma que su ausencia durará menos de un año.

¿Lo piensa en realidad? Podemos dudarlo al leer la carta que envía a su padre: "Estoy dedicado por entero a la preparación de mi expedición. Quiero verte antes de mi partida. Ven urgentemente a París, si puedes".

Unos días más tarde, va a esperar a François-Paulin a la llegada del tren de Boulogne. El jefe del Servicio Marítimo, jubilado desde hace poco, sólo tiene cincuenta y siete años, pero está enfermo y ha cambiado mucho desde que su hijo abandonó Boulogne. Auguste lo lleva a su casa, en la cité Pigalle. Es como si reencontrara su juventud. Sin embargo, antes de volver a acompañar a su padre a la estación, se siente presa de una especie de angustia. Debe ocultarse para que no se vean las lágrimas que bañan sus ojos. Éléonore nota su turbación:

—¿Pero qué te pasa? —le pregunta.

—¡Mi pobre padre! Estoy seguro de que no lo volveré a ver...

No se equivoca: François-Paulin Mariette morirá en Boulogne antes del final de ese año.

El 20 de agosto de 1850, Éléonore acompaña a su marido, con levita de verano, al patio de las diligencias, cerca del Pont Neuf. Mariette sólo tiene dos baúles. Rougé le ha aconsejado el casco colonial de corcho, que no se pondrá jamás, el velo protector de color verde, las botas y un botiquín médico de campaña. Ha aprendido a disparar con pistola y fusil, pues el desierto está poblado de saqueadores. El segundo baúl está lleno de libros. Como todos los viajeros, habla de su regreso a Éléonore:

—¡Estaré aquí para festejar la Navidad!

Permanecerá más de cuatro años en Egipto, y será Éléonore quien, por propia iniciativa, irá a reunirse con él, llevando a sus hijas.

En 1850, hacen falta cuatro días, salvo accidente, para ir de París a Marsella. Han partido de madrugada. Auguste Mariette vuelve a ver los rostros de su hija mayor, Marguerite-Louise, de Joséphine-Cornélie y de la pequeña Sophie-Éléonore, dormidas en su alojamiento de la cité Pigalle. Luego los bellos ojos de su mujer, conteniendo las lágrimas, pues la gente del norte no llora, cuando la diligencia-correo se puso en movimiento.

En Fontainebleau, ésta se detuvo en la estación del ferrocarril. Se la izó a un vagón-plataforma con otros vehículos: cada uno se convierte en una suerte de compartimiento. Una ruidosa locomotora, escupiendo humo y chispas, tiró del convoy hasta Sens. Allí, los vehículos fueron descendidos, se les ataron los caballos y se reanudó el camino. Los viajeros pasan la primera noche en la posada de Avallon, llamada *du Chapeau de Cardinal.*

Después de una generosa cena regada con excelentes vinos de Borgoña, Auguste comparte la cama con un viajante de comercio conversador. Lo que no le impedirá conciliar rápidamente el sueño.

Al día siguiente, la diligencia se acerca a Chalon-sur-Saône al mediodía, con atraso. El calor agota a los caballos. Estirado en la imperial, Mariette sueña. Mentalmente ya se encuentra en Egipto. Su misión de búsqueda de manuscritos antiguos le permitirá recorrer el delta del Nilo, de convento en convento y, ¿por qué no?, el valle hasta Tebas y más allá. Una tierra llena de vestigios sepultados, de secretos y de misterios, Mariette no duda de que hará grandes descubrimientos. ¡Tantos monumentos invisibles, pero que le son familiares a través de sus lecturas, aguardan su llegada! La desaparecida tumba del dios Osiris, en Abydos, y la "segunda" tumba del dios en Busiris. Ya se ve arrancando triunfalmente de la nada del olvido al Fayum, el santuario del dios-cocodrilo Sobek, descrito en detalle por Estrabón, o el célebre Laberinto, templo funerario de Amenemhat III y lugar de iniciación con sus tres mil cámaras subterráneas unidas por corredores y escaleras. Herodoto lo visitó. ¿Por qué no la tumba del arquitecto-dios Imhotep, en Sakkara, que Luciano afirma haber admirado en el año 190 de nuestra era? ¿O, siempre en Sakkara, el templo subterráneo donde, según Plutarco, se sepultó durante siglos a los bueyes sagrados?

Está lejos de su misión principal, la búsqueda de manuscritos. Pero se puede soñar.

La diligencia llega a Chalon-sur-Saône. Los viajeros con destino a Marsella embarcan en un vapor de ruedas. La segunda noche se pasa en una especie de cabina común, en la que se sirve comida y refrescos. El sueño de los viajeros es acompasado por el ruido de la máquina de vapor y el chapoteo de las paletas de las ruedas que agitan el agua del río. Por la mañana, llegan a Lyon. En medio de un gran tumulto, suben a bordo del vapor del Ródano. Auguste Mariette encuentra refugio en la cubierta, hacia la proa, entre toneles de aceite, bolsas de patatas y cestos de legumbres.

En el Ródano, la navegación es lenta. Buena ocasión para reanudar la lectura de la segunda *Encuesta* de Herodoto, compuesta hacia 455 a.C., época de la dominación de Cambises, hijo de Ciro. Una duda se cierne sobre la fecha de la conquista persa. Auguste Mariette está muy lejos de imaginar que, dentro de dos años, una estela que él descubrirá en el subterráneo del Serapeum de Menfis permitirá fechar al fin la conquista de Cambises de manera irrefutable.

El vapor del Ródano necesita casi una jornada para llegar a Valence. El año anterior, Gustave Flaubert y Maxime Du Camp, hartos de esa lentitud, hicieron descender sus maletas en Valence y alquilaron un coche de cuatro caballos hasta Avignon, donde tomaron el tren de Marsella. Mariette no tiene su impaciencia ni sus medios. Pasa la cuarta noche a bordo. Al día siguiente, al promediar la jornada, llega a Marsella, en un radiante día de sol. La luz del Mediterráneo, que descubre, lo deslumbra.

Su pasaje para Alejandría ha sido reservado en París a bordo del *Osiris*, uno de los diez "barcos-correo" en servicio en las líneas del Mediterráneo. Tiene cuatro días ante él, el tiempo para recorrer la ciudad y para ir a ver al doctor Antoine Clot, llamado Clot bey, para quien tiene una carta de recomendación de Rougé. El doctor Clot ha pasado la vida en Egipto. Hace veinticinco años, Mehemet Alí le encargó crear en El Cairo una facultad de medicina y varios hospitales, y lo nombró bey. El sucesor de Mehemet Alí, Abbas Bajá, le comunicó bruscamente su despido. De baja estatura, de rostro cobrizo bajo una corona de cabellos blancos, acaba de instalarse en una casa de la cornisa. Su secretario viste todavía a la turca. Clot bey muestra a su visitante la colección de objetos antiguos que ha traído a Francia. Mariette no puede menos que admirar su gusto y su discernimiento: una mesa con treinta y cuatro cartuchos reales, llamada mesa de Kenhilopchef, una estela del rey Teti representado ante su pirámide, una figura, muy rara, de la tumba de Osiris sobre un sarcófago de basalto del Imperio Antiguo, bronces religiosos de la misma época, cimas de enseñas votivas; cuatro magníficas estelas de pieda calcárea de la XIX dinastía encontradas en Sakkara, una estatua de hombre de madera de karité. (Esas piezas constituyen hoy el núcleo de la colección egipcia del museo de Marsella.)

Clot bey no parece afectado por su caída en desgracia:

—Para sentar su autoridad, Abbas Bajá ha considerado prudente romper con la política de su abuelo. Ha interrumpido los trabajos de la represa del Nilo, suprimido la escuela de caballería, la escuela de obstetricia que yo creé, dispensarios, hospitales. Se dice que se apresta a cerrar la escuela politécnica de mi amigo Charles Lambert. Proclama que piensa desembarazarse de los europeos, esos perversos infieles, y volverse hacia la Puerta (Turquía). Pero, a mi entender, es más una maniobra que una verdadera política. La modernización inevitable del país continuará. Por otra parte, en el valle se construyen fábricas, manufacturas, pues el algodón se convierte en una gran fuente de riqueza. Lamentablemente, con frecuencia los monumentos antiguos pagan por esas innovaciones...

Por el rostro del doctor Clot pasa una sombra de tristeza:

—Desde luego, el pillaje de los templos y de las tumbas ha existido siempre. Es sabido que criptas del Valle de los Reyes del Imperio Nuevo fueron profanadas en general poco después de su clausura. En la Edad Media existía un fructífico negocio hacia Europa de polvo de momia, que supuestamente curaba la escrófula y otras enfermedades. Champollion ha establecido la primera constancia del desastre. Pero las cosas no cesan de empeorar.

—¿Abbas Bajá no se interesa por las antigüedades?

—En absoluto. En ese aspecto, manifiesta la misma indiferencia que su abuelo, Mehemet Alí, que me decía: "Ustedes, los europeos, asignan importancia a estos restos. ¡Yo se los daría todos, a cambio de algunas manufacturas!".

El doctor Clot evoca, no sin nostalgia, su palacio del antiguo Cairo:

—¡Yo tenía un parque magnífico, obsequio del virrey, donde criaba jirafas!

El entusiasmo, la curiosidad y la inteligencia de su joven visitante le impresionan. Le entrega cartas de presentación para su amigo Maurice Linant de Bellefonds, Linant bey, quien, aunque caído en desgracia como la mayoría de los europeos, se ha quedado en El Cairo:

—Es el hombre que conoce mejor el suelo y el subsuelo del territorio —dice el doctor Clot—. Joven ingeniero, entró al servicio de Mehemet Alí para quien trazó el mapa hidrográfico del país. Viajó al Alto Egipto, a Sudán, a Abisinia, a Arabia Pétrea. El virrey lo nombró inspector jefe. Construyó una presa, canales de irrigación, trazó rutas. Desde hace cinco años, se inclina por el gran proyecto de la canalización del istmo de Suez del padre Enfantin, apóstol de los saint-simonianos. ¡Pero el nuevo virrey no quiere oír hablar de un canal!

—Conozco ese proyecto —dijo Mariette—. Ferdinand de Lesseps lo ha tomado de su cuenta. Se habla mucho de ello en París. ¿Cree usted que ese canal se hará algún día?

—Existía en la época de los faraones —replicó Clot bey—. Como yo, usted ha leído la descripción en Herodoto. Cincuenta años después de Darío, se unía el Nilo al mar Rojo, alcanzando el río en Bubastis.

—Y Estrabón lo vio también, poco antes de la era cristiana. ¿Pero eso significa que el enorme proyecto de Lesseps tiene probabilidades de realizarse?

—El Oriente —responde el doctor Clot—, es el país de los espejismos y de los milagros. A menudo, lo que parece más improbable ocurre...

Sigue evocando recuerdos sobre viajeros franceses que él recibió en El Cairo. Uno de ellos, un hombre barbado, de rostro redondo y ojos azules, había desembarcado en 1844 con un equipo voluminoso que iba a permitirle realizar daguerrotipos, las primeras fotografías.

—Nunca pudo utilizarlo —dijo el doctor Clot, riendo—. Los productos químicos no resistieron el clima.

Ese francés, vestido a la moda turca de principios de siglo —pantalón abullonado de algodón, chaleco con pasamanería de plata, *mashlah* (capa de pelo de camello) y gran turbante blanco—, había alquilado una casa en el barrio franco y comprado en el mercado de esclavos una joven javanesa o malaya, de bellos ojos rasgados, llamada Zenobia.

—Me causa muchos sinsabores —había confiado él al doctor Clot—. Sólo conoce una palabra de árabe, que opone a todas mis demandas: *¡mafishe!* (¡No!)

Decepcionado, el francés decidió marcharse de El Cairo, donde no veía más que "polvo y decrepitud". Partió a Siria.

—Era un escritor —concluyó el doctor Clot—. Se hacía llamar Gérard de Nerval.

Antes de despedir a su visitante, el doctor Clot le entrega un portafolios de cuero negro:

—Estampas del Alto Egipto. Sin duda provienen de un viajero despojado por los beduinos. Yo las compré en el bazar de El Cairo. No he tenido tiempo de examinarlas en detalle. Usted lo hará en mi lugar, y me hablará de ello más tarde. ¿Quizá nos veamos de nuevo en Egipto? ¡Yo espero volver! En Oriente, el humor de los soberanos es cambiante, y se puede recuperar la gracia tan fácilmente como caer en desgracia. Ya lo verá...

(En efecto, Clot bey regresará a Egipto seis años más tarde, llamado por el sucesor de Abbas Bajá, Said.)

Al día siguiente, 4 de septiembre de 1850, Auguste Mariette se embarca en el *Osiris*, cuyas chimeneas humean ya. Las dos grandes ruedas de paletas agitan el agua del Mediterráneo. Se izan las velas. Los primeros días de la travesía son calmos. Apenas si el vapor se sacude un poco al doblar las bocas de Bonifacio. En la escala de Malta, Mariette visita la iglesia de los caballeros en compañía del cónsul de Francia en Beirut, que va a hacerse cargo de su puesto. Poco después de levar anclas se desata la tormenta. Mariette soporta bastante bien la marejada, lo que no ocurre con sus compañeros. Es un alivio cuando, al término de la cuarta semana de navegación, el vigía lanza la palabra tan esperada: "¡Tierra!".

¡Egipto! En la bruma matinal, no es todavía más que una línea gris que se confunde con el horizonte. Con el catalejo,

Mariette distingue pronto Alejandría, la cúpula brillante del palacio de Mehemet Alí en Ras el Tine (la punta de la higuera), y la célebra columna de Pompeyo. El *Osiris* navega lentamente a través de los arrecifes. Un piloto egipcio sube a bordo para dirigir la maniobra: la entrada al puerto es peligrosa. A estribor, se recorta la masa oscura del fuerte mameluco de Quaitbey, construido, según dicen, en el emplazamiento del célebre faro, cuyas ruinas eran visibles todavía en el siglo xvi.

Finalmente, el barco arroja el ancla. Después de una inspección rápida del servicio sanitario, los pasajeros reciben, a cambio de un *bakshish* (propina), la autorización de desembarcar. Se abalanzan los maleteros que se apoderan de los equipajes. Más tarde, exigiendo un suplemento de bakshish, ¡amenazarán con arrojarlos por la borda! La canoa de remos se desliza entre los navíos egipcios, turcos, franceses, ingleses. El puerto está atestado. La canoa termina por amarrar en un muelle medio derruido. Es el 20 de octubre de 1850, a comienzos de la tarde. A los veintinueve años, Mariette pisa, por fin, la tierra de Egipto.

CAPÍTULO

4

Egipto

víctima del pillaje.

Ningún manuscrito,

pero sí esfinges.

La fascinación

de las pirámides.

Mariette y el desierto.

Alejandría era entonces el puerto más activo del Medio Oriente, puerta de Egipto y de Arabia, escala inevitable en la nueva ruta de las Indias: a partir de Alejandría el teniente inglés Waghorn acaba de organizar un transporte terrestre protegido a Suez, en el mar Rojo, que evita a los viajeros de las Indias, en los dos sentidos, el enorme desvío del cabo de Buena Esperanza.

Mariette experimenta la multitud, el desorden, el tumulto. Le impresiona la luz "a la vez fuerte y suave", según escribe a su mujer. "Cristalina, ahonda los relieves y les otorga una transparencia metafísica." Le asombran el calor, todavía agobiante en las proximidades del invierno, los perfumes embriagadores de las especias y los jazmines. Él, que creía conocer Egipto a través de sus innumerables lecturas de relatos de viajeros antiguos o modernos, de los cuadros de pintores orientalistas de moda, Decamps, Marilhat, Dauzat, Frère, etc., descubre un mundo sorprendente e imprevisto que le fascina.

Se ha alojado en el Hotel de Oriente, en la Plaza de los Cónsules. En el centro de la plaza hay una fuente de la que, según le dicen, nunca ha manado el agua.

La Casa de Francia está muy cerca, señalada por una bandera tricolor. Batissier, el cónsul, recibe a Mariette calurosamente. Si le hubiesen prevenido —dice—, habría ido a esperarlo al desembarcadero. Le presenta al cónsul de Francia en El Cairo,

Arnaud Lemoyne, de paso por Alejandría. Encuentro crucial, pues Arnaud Lemoyne, apasionado por las antigüedades, luego demostrará ser un amigo fiel, eficaz, y sacará varias veces a Mariette de situaciones críticas, casi desesperadas.

Por el momento, sólo se trata de reunir manuscritos antiguos. Después de solicitar una audiencia al padre superior del único convento de Alejandría, Mariette, en la espera de la respuesta, explora la ciudad, con Lemoyne como guía.

En general, Alejandría decepciona a los viajeros provenientes de Europa. Nada queda de los cinco mil palacios, de los mil jardines, de los innumerables templos construidos por Alejandro Magno, tres siglos antes de nuestra era. Nada del palacio de Cleopatra, de su teatro, que maravilló a Estrabón. Ya no hay rastros de la gran biblioteca que, según las versiones, incendiaron las legiones de César o los conquistadores árabes, tampoco del faro monumental cuya luz iluminaba el mar y que los griegos contaban entre las Siete Maravillas del Mundo.

Mariette va a ver las famosas "Agujas de Cleopatra", obeliscos que desde hace siglos intrigan a los visitantes. El primero fue ofrecido por Mehemet Alí a Inglaterra. Contrariamente a los franceses con el de Luxor, los ingleses no lo han recibido todavía. Se levanta al borde del mar. El segundo yace en la arena, quebrado en tres partes. Ambos monolitos de granito provienen de Heliópolis, cerca de El Cairo, donde proclamaban la gloria del dios sol, erigidos por el faraón Tutmosis III. Según una tradición, Cleopatra los hizo transportar a Alejandría para adornar la entrada del templo dedicado a César. (En nuestros días, el primer obelisco se encuentra en Londres, el segundo en Nueva York, en el Metropolitan Museum.)

La columna de Pompeyo, otro monumento célebre, fuera de la ciudad, se yergue entre un cementerio árabe y un terreno de maniobras militares. Habría formado parte de un amplio templo destruido, dedicado a Osiris. Desde la desaparición del faro, la columna, coronada por un capitel corintio, sirve de referencia a los navíos que se acercan a la rada.

Mariette y Lemoyne visitan luego los famosos "Baños de Cleopatra", en el puerto, considerados de gran interés, luego los subterráneos del antiguo "Fluvius Alexandrinus", que llevaba a la ciudad las aguas del Nilo.

Entre dos exploraciones, los franceses pasean por las calles de la ciudad. Todo apasiona a Mariette: el mercado, el paso de un rico *efendi* turco a caballo, precedido por sus lacayos que apartan a la multitud a latigazos, el regreso de los peregrinos de La Meca, pretexto de asombrosas ceremonias: hombres de mirada enloquecida se tienden bajo los cascos de los caballos... Asiste a una boda que dura tres días.

Puesto que Arnaud Lemoyne ha regresado a El Cairo, Mariette se presenta en el convento copto acompañado por el cónsul Batissier. Y de inmediato comprende la dificultad de su tarea. El superior afirma, contra la evidencia, que sus monjes no poseen ningún manuscrito, y no invita siquiera a los franceses a visitar el convento, como se acostumbra.

Mariette no ignora que entre los religiosos cristianos de Egipto reina la desconfianza. Hace años que los europeos, sobre todo los ingleses, están en la búsqueda de manuscritos antiguos. Ya en 1830, con la ayuda de Linant de Bellefonds, el duque de Northumberland exploró los principales conventos del delta y adquirió un gran número de manuscritos para el Museo Británico. Más adelante, dos enviados del Museo Británico, el honorable Robert Curzon y el reverendo Henry Tattam, futuro arzobispo de Bedford, negociaron a su vez algunos valiosísimos volúmenes. Para convencer a los monjes, un poco reticentes, de vender los más bellos ejemplares, en particular los del convento del lago Natron, a sesenta kilómetros de El Cairo, no vacilaron en emborracharlos con vino de Rosoglio del que transportaban consigo abundantes reservas. Con la mente obnubilada, los piadosos monjes responsables de los archivos se dejaron convencer. Advertido, el patriarca copto de El Cairo prohibió a los visitantes extranjeros el acceso a las bibliotecas de los conventos. Hasta circula el rumor de que reunió los manuscritos más valiosos en los subterráneos y las cisternas del convento de El Cairo.

La negativa del superior del convento copto de Alejandría no es alentadora. Resulta evidente que sólo el apoyo de las autoridades consulares francesas de El Cairo puede ayudar a Mariette a cumplir su misión.

En vísperas de su partida, es invitado a una velada ofrecida por el conde Menandro Zizinia, curioso personaje de origen griego, enriquecido en el comercio, promovido a cónsul de Bélgica. Acogedor y cultivado, el conde Zizinia ha visitado las grandes colecciones de Europa y se jacta de leer los jeroglíficos. Recibe regularmente a la sociedad cosmopolita de la ciudad en su vasto jardín florecido, plantado de higueras, sicomoros, cipreses, acacias. Sirvientes negros sudaneses, *barbarins*, ofrecen sorbetes y bebidas heladas. Hasta hay una orquesta y un espectáculo de almeas, bailarinas profesionales consideradas poco esquivas, a las que el virrey Abbas, presa de un extraño celo puritano, hace perseguir ahora, azotar en público y deportar al Alto Egipto. El lujo, la alegría de la fiesta, la tibieza de la noche, fascinan al joven francés. Antes de despedirse, observa en el jardín algunas pequeñas esfinges de piedra calcárea, idénticas, de estilo saíta tardío. El conde las ha adquirido recientemente:

—Provienen de Sakkara —dice—. En El Cairo hay un mercader judío, Salomón Fernández, que tiene otras para vender.

Mariette registra esas palabras sin adivinar que esas esfinges desempeñarán un papel esencial en la continuación de su aventura.

En 1850, la vía férrea Alejandría-El Cairo todavía no es más que un proyecto cuyo estudio Abbas Bajá acaba de confiar al británico Robert Stephenson, hijo del inventor de la locomotora. Robert Stephenson había llegado a El Cairo con la secta de los saint-simonianos. Esos dulces soñadores conducidos por el padre Enfantin, apóstoles de una fraternidad universal, tenían como objetivo primordial excavar un canal en el istmo de Suez. Lesseps retomó su proyecto y pronto lo realizará.

Ingeniero, Stephenson pasó al servicio de Abbas Bajá y, traicionando el ideal de la secta y abandonando la idea del canal de los dos mares, trabaja en el trazado de una línea férrea entre El Cairo y Alejandría, cuyas obras van a comenzar pronto.

Por el momento, el viaje se efectúa en barco de vapor, primero por el canal Mahmudieh, desde Alejandría hasta Afteh, luego remontando el Nilo hasta El Cairo. Hay que embarcarse en una canga, especie de chalana, tirada por un pequeño remolcador, que navega por el estrecho canal, de orillas chatas y grises. Mariette ve alejarse Alejandría sin mucha pena. Para él, la presencia de Grecia es allí demasiado persistente: no es el Egipto de los grandes faraones.

Y, de repente, el encuentro con el Nilo, en Afteh, donde el canal desemboca en el río. Ha comenzado la bajante. En esa época no se han localizado las fuentes del Nilo. Algunos egipcios siguen afirmando que no existen; para ellos, ¡el Nilo desciende directamente del paraíso!

En Afteh, los viajeros suben a bordo de un pequeño vapor cuya chimenea humea ya. Mañana, antes de la noche, atracarán en el puerto de Bulaq, en El Cairo.

Mariette está pensativo. Hace veintidós años, el canal Mahmudieh no había sido abierto todavía, y Jean-François Champollion, Charles Lenormant, Nestor L'Hote —y los otros miembros de la expedición franco-toscana— atravesaron el desierto a caballo, bajo la amenaza de los beduinos, antes de subir en Afteh a bordo de una canga de vela. Necesitaron cuatro días para llegar a El Cairo, pasando la noche en la orilla donde se levantaba el campamento. ¡Las cosas cambian rápido, hasta en el país de los dioses!

A bordo del vapor, la cabina delantera, reservada para los hombres, está oscurecida por el humo de los narguiles. Mariette se instala en la cubierta. El decorado gris, un poco monótono del canal, ha dado lugar a un paisaje variado, colorido, lleno de verdor. Palmeras, sicomoros, tamariscos, surgen entre los cañaverales. Algunos fellahs trabajan con el agua a la cintura.

El sol poniente tiñe de malva un cielo cristalino. El barco pasa frente a islas sobre las que vuelan cisnes salvajes, zancudas desconocidas, águilas, palomas, aves migradoras, tórtolas. Aparecen cabañas de pescadores, un pozo, una fila de dromedarios y, de pronto, en un recodo del río, un convento fortificado, de color ocre, o una tumba blanca. Falúas de vela triangular se deslizan lentamente, cargadas en exceso de pasajeros que agitan las manos en señal de bienvenida. Testimonio de la asombrosa gentileza de los egipcios para con los extranjeros.

En la tibia noche, el vapor remonta jadeando el curso del gran río. Llegan a la presa de Mehemet Alí, donde Abbas Bajá se está haciendo construir un palacio. De madrugada, las grandes pirámides de Gizeh aparecerán en el horizonte.

Y, en efecto, ellas surgen a lo lejos de entre la bruma, hacia las siete de la mañana, en un recodo del río, grandes bloques transparentes como de zafiro, irisadas por los primeros rayos del sol, recortadas sobre el cielo con una nitidez de dibujo terminado. Esperadas, pero sorprendentes, como una señal de los dioses. El Cairo está cerca. El barco deja atrás, en Embabeh, la obra abandonada de una segunda presa. Allí fue donde Bonaparte libró contra los mamelucos la célebre batalla de las Pirámides. Ya se perfilan las primeras construcciones de El Cairo. La montaña de Mokattam domina la ciudad, con la ciudadela y la gran mezquita de alabastro de Mehemet Alí. Cuando el barco arroja el ancla en el puerto de Bulaq, el cónsul Lemoyne está allí.

Auguste Mariette recupera su equipaje en los depósitos de la compañía de navegación. (Dentro de unos años —¿quién lo pensaría en esos momentos en medio de la febril agitación que reina en el muelle de Bulaq?— la Compañía de Tránsito, arruinada por el ferrocarril del delta, quebrará, y sus depósitos, abandonados, serán ofrecidos a Auguste Mariette, convertido en funcionario egipcio, que instalará allí el primer museo de antigüedades de El Cairo.)

El Cairo, en ese invierno de 1850, es todavía una ciudad plena de misterios. Se entra por la puerta de Elfi. Mehemet Alí trazó dos avenidas, desecó los pantanos de Ezbekieh, convertidos en el barrio residencial, con sus casas nuevas de estilo otomano. Pero el rostro milenario de la ciudad no ha cambiado. Si bien el antiguo palacio de Saladino, en el recinto de la ciudadela, con su gran sala cuadrada sostenida por treinta y ocho columnas de granito rosado transportadas desde Heliópolis y Menfis, admirada y dibujada por los sabios de la expedición de Bonaparte, fue desmantelada recientemente en beneficio de la gran mezquita, muchos otros vestigios del pasado aparecen al azar de los barrios francos, cerca del Muski, de los barrios copto y judío, en el bazar o a lo largo del Jalig, estrecho canal unido al Nilo, seco cuando decrecen las aguas, bordeado de bellas casas con *musharabieh* (celosías). Mariette pasa los primeros días recorriendo las calles del antiguo Cairo, seducido por su desordenado y bullente gentío, los empujones, el barullo, el paso súbito de una fila de camellos cargados de mercancías, la bulliciosa llegada de un importante personaje a horcajadas de un asno. Mezcla humana extravagante en la que se cruzan el persa con pelliza de piel, el copto con turbante negro, el judío con caftán de seda, el beduino del desierto con capa blanca, el albanés (llamado arnauta) con falda blanca y chaqueta bordada, el pope griego con pequeños rizos y larga barba, el capuchino furtivo, el fellah que regresa del mercado, el bajá importante, seguido por sus mujeres veladas cubiertas de joyas. Espectáculo pintoresco, alegre, bullicioso, colorido, del que uno no se cansa.

Como en Alejandría, Mariette ha presentado una solicitud de audiencia ante el patriarca copto. Ésta es aceptada, pero la acogida es tan fría como en Alejandría. El patriarca da a entender al enviado del museo del Louvre que no está dispuesto en absoluto a ayudarlo en su búsqueda. Hace alusión, sin nombrarlos, a los eruditos ingleses y a sus métodos particulares. En sus corteses palabras, no se nota ninguna simpatía. Su apoyo —dice él— se limitará a una carta de presentación para el archimandrita del convento de San Macario en el delta. Pide algunos días para redactar la carta, que promete enviar en cuanto le sea posible al cónsul de Francia. La carta no llegará nunca. Pero, mientras la espera, Mariette tendrá tiempo de recorrer El Cairo y sus alrededores. Y de pensar.

Primero va a Gizeh, necrópolis de Menfis. El viaje hasta las pirámides es, en ese entonces, una pequeña expedición. Después de atravesar el Nilo cerca de la isla de Rodah, donde la leyenda ubica el episodio bíblico de Moisés salvado de las aguas, se cabalga a lo largo de un sendero bordeado de palmeras y de sicomoros: el camino será construido dieciocho años más tarde, en ocasión de la inauguración del canal de Suez. La meseta está inundada. Los pueblos se asemejan a islas. Se avanza de dique en dique bajo la conducción de un guía. En algunos lugares, hay que vadear con el agua hasta la cintura.

Las pirámides, visibles desde muy lejos, se reflejan en las aguas del río en creciente, como en un inmenso espejo. ¡Gansos salvajes anidan todavía en ellas! Mariette se detiene junto a la Esfinge semienterrada en la arena, cuya mirada de piedra lo hipnotiza.

Alrededor de las pirámides hay poca gente. Viajeros ingleses han levantado su tienda. Uno de ellos, ayudado por beduinos, intenta escalar la gran pirámide.

Nada ha cambiado en Gizeh desde el paso de Champollion y de Nestor L'Hote. La necrópolis ofrece el mismo aspecto desolado, calcinado, bastante desesperante, que había impresionado a Champollion: "Llanura inmensa erizada de pequeños montículos de arena cubiertos de desechos, vendas de momias, osamentas rotas, cráneos blanqueados..." (carta de Champollion a su hermano). Mariette tiene otra visión de la meseta de Gizeh. Él ve más allá de las piedras, a través de la arena. Sabe que bastaría despejarla para hacer aparecer monumentos y tumbas intactos, ricos en documentos y en objetos raros. Experimenta una necesidad imperiosa, casi dolorosa, de buscar, de comprender. Le parece que conoce esa meseta desde siempre. Y que una voz le murmura al oído: "¡El destino te ha citado aquí!".

En El Cairo, Mariette se instala en el Hotel de Oriente, en la plaza del Ezbekieh, gran establecimiento concurrido por extranjeros de distintas nacionalidades, bullicioso, que nada tiene que ver con el de Alejandría. Es administrado por M. Coulomb, de Marsella, ex cocinero de Mehemet Alí. Es el lugar de cita de los franceses de El Cairo. El año anterior, Flaubert y Maxime Du Camp pararon en él antes de mudarse, por ahorrar, al Hotel del Nilo, en la esquina del Muski y del canal del Jalig, administrado por otro marsellés, ex cantante de ópera. Luego, Mariette se instalará en el consulado de Francia, en la casa de su amigo Lemoyne.

Gracias a la recomendación del doctor Clot, es recibido por Linant de Bellefonds, en su casa del antiguo Cairo. El ingeniero vive a la egipcia, con su joven esposa de origen etíope y sus hijas. Allí Linant recibió a Champollion veintidós años atrás (en 1828):

—Me sorprendió un poco —cuenta él a Mariette— verlo llegar disfrazado de turco, con la cabeza rasurada, tocado con un enorme turbante, ¡y una cimitarra en el cinturón! Se dejaba crecer el bigote, lo que no le sentaba muy bien. Se decía que estaba enfermo. Él me declaró que desde hacía meses no se sentía tan bien.

—¿Ya había ido a Gizeh? —preguntó Mariette.

—Sí. Y estaba muy decepcionado. La llanura de Menfis le pareció sin interés. ¡No hablaba más que del valle!

La amistad surgió de inmediato entre el viejo Linant de Bellefonds y el joven Mariette. Linant promete su ayuda. ¿Los monjes coptos oponen dificultades para los manuscritos? ¿Por qué limitarse a esos documentos? Mariette debería aprovechar sus desplazamientos eventuales a los conventos para descubrir lugares, emplazamientos para excavaciones:

—Con frecuencia —dice Linant bey—, ¡basta con agacharse para recoger un fragmento de estela, de vasija o de estatua! Champollion me mostró una encantadora estatuilla esmaltada en azul con la efigie de la diosa Neith: "¡La encontré —me dijo él— en la arena, viniendo de Alejandría, en la escala de Sais!".

Linant conoce los lugares donde trabajan los excavadores más o menos clandestinos, los restos de templos y de palacios olvidados, los yacimientos de objetos. Los designará a Mariette. ¿Las autorizaciones?

—Aquí todo se negocia —afirma—. Cuando usted tenga necesidad de un *firmán*, yo le indicaré cómo proceder. ¡Con frecuencia es cuestión de dinero!

Mariette recoge opiniones semejantes de otros franceses de El Cairo, interesados todos por el antiguo Egipto sepultado en la arena.

Si bien Charles Lambert, creador de la escuela politécnica de El Cairo, él mismo politécnico, llegado a Egipto con el padre Enfantin y los saint-simonianos, acaba de embarcarse a Francia, otros expatriados esperan permanecer en Egipto, en torno a Linant de Bellefonds. La búsqueda de antigüedades es una de sus pasiones. Entre ellos se cuentan Varin bey, director de la escuela de caballería (que Abbas Bajá piensa cerrar), Lubbert bey, ex director de la Ópera de París, convertido en intendente de Bellas Artes, el doctor Cuny, yerno de Linant de Bellefonds, que reúne una bella colección, y otros más. A todos les encanta conocer a un joven experto del Louvre. Desde Champollion, la búsqueda metódica, las excavaciones importantes, son privativas de los alemanes y de los británicos. Desde hace años no se ha visto pasar por El Cairo más que a dos sabios franceses, y sin grandes medios: Emmanuel de Rougé y Jean-Jacques Ampère. ¿La ciencia francesa se interesaría de nuevo por Egipto?

Una noche, Mariette es invitado a cenar en una gran casa de la plaza del Ezbekieh. Pertenece a otro francés, Bekir bey, cuyo verdadero nombre es Mari. De origen corso, ex compañero de armas de Mehemet Alí, está encargado del control de los extranjeros. En ese aspecto, nada se le escapa. Se le advierte de la misión de Mariette y de las dificultades con que tropieza:

—Para viejos papiros —le dice familiarmente—, te aconsejo que te dirijas directamente a los mercaderes. ¡Aquí, ellos pueden proporcionar todo lo que se les pide! Nosotros los conocemos bien. Ve a ver al judío Fernández, al copto Bulos Todros, al italiano Rosa, al sirio Harari... Pero ten cuidado, ¡todos son ladrones! ¡Sobre todo Harari!

Y añade en tono de confidencia:

—También está el pintor del virrey, Vassalli, que es muy fuerte en el tema.

En casa de Mari, Mariette conoce al doctor Chamas, quien ejerce en la corte del virrey las funciones de médico mayor, aunque, según algunos, ¡no tiene ninguna formación médica! Chamas se interesa también por las antigüedades, presume de literato, hasta compone tragedias en versos alejandrinos. El año anterior, leyó una de sus obras a Gustave Flaubert quien, según él, la habría juzgado excelente y le habría prometido hacerla representar en París. (En su diario, Flaubert escribe, por el contrario, que la pieza es execrable, que el doctor Chamas no vacila en copiar desvergonzadamente a autores poco conocidos, y cita como burla el siguiente alejandrino que le ha divertido mucho: *C'est de là, par Allah, qu'Abdallah s'en alla!* [Desde allá, por Alá, Abdala se marchó.] Finalmente, saldrá a la luz la ignorancia de Chamas en materia de medicina, y perderá su título de médico mayor.)

La colonia francesa de El Cairo ha adoptado a Mariette. Asiste a todas las cenas, a todas las fiestas. Pero su misión no avanza de igual modo. Ningún progreso en su búsqueda de manuscritos. En cambio, algunos lo incitan a pensar en el problema, mucho más urgente para ellos, del pillaje, de la destrucción de los monumentos antiguos.

Sobre ese tema, Linan bey es inagotable:

—Herodoto describe, en Menfis, el templo de Ptah, con sus estatuas gigantes —dice—. Aunque sus relatos no puedan ser considerados como testimonios, es dudoso que semejante cuadro haya podido ser el fruto de su imaginación. Fustat, que debía convertirse en El Cairo, fue edificada hacia el año mil y sin duda antes, con piedras tomadas de los edificios antiguos, en particular ¡del revestimiento de piedra calcárea pulida de la pirámide de Keops! El pillaje nunca cesó, y se acelera. ¡La modernización es una nueva plaga de Egipto! Basta con mirar alrededor... Mehemet Alí, preocupado ante todo, y exclusivamente, en sacar a Egipto de la Edad Media, no asignaba ninguna importancia a las antigüedades. Abbas no tiene mucho más respeto por las viejas piedras; sólo ve en ellas una reserva de materiales de construcción y, eventualmente, una moneda de cambio. Las excavaciones salvajes causan mucho daño. Hoy, todos los museos del mundo quieren antigüedades de Egipto. Sin hablar de los coleccionistas privados... Se excava en todas partes, sin importar cómo...

Mariette no ignora que el saqueo de las tumbas se remonta a la más remota antigüedad, a la época de las primeras dinastías. Cuando comenzó el primer período llamado Intermedio —2100 a 2000 a.c. aproximadamente—, la mayor parte de las pirámides y de las tumbas del Imperio Antiguo fueron profanadas y devastadas. Por eso los soberanos del Imperio Nuevo renunciaron a los monumentos exteriores demasiado visibles y decidieron encerrar sus sepulturas en el secreto de la montaña, esperando así escapar de los saqueadores. Esos fueron los hipogeos del Valle de los Reyes y del Valle de las Reinas, en Tebas, sobre la margen izquierda del Nilo. La montaña hacía las veces de pirámide natural. Millares de tumbas fueron cavadas en la roca. En ellas se acumulaban los tesoros. Cuando Amenofis IV, el faraón hereje, transportó su capital del Egipto Medio a Tell el Amarna, el pillaje de las sepulturas tebanas, ocultas pero abandonadas, se convirtió en una actividad floreciente. Sólo algunas tumbas particularmente bien disimuladas, como la de Tutankamón o la de los hijos de Ramsés, escaparon del saqueo. Mariette se entera de que, en el valle, los saquedadores continúan cavando la montaña, explotando sepulturas subterráneas cuyo emplazamiento es un secreto de familia. Abastecen, dosificando sabiamente las entregas, a mercaderes, museos de Europa y ricos coleccionistas particulares.

Mariette va a Heliópolis, cerca de El Cairo, la ciudad donde Atón, el sol, creó el mundo, y donde nació la leyenda de Osiris. Herodoto y Platón fueron allí a iniciarse en los misterios de los sacerdotes egipcios. También fue allí donde, según la tradición, José y María encontraron asilo durante la huida a Egipto. La ciudad del Sol fue destruida por Cambises, pero en los siglos XVI y XVII los viajeros admiraban todavía imponentes ruinas, estatuas colosales, y sus relatos son coincidentes al respecto. De esas ruinas ya no queda nada. En todas partes el patrimonio se encuentra amenazado:

—Si usted va a Esneh —dice Linant de Bellefonds— quedará aterrorizado. Se está desenterrando el templo, pero es para recuperar las piedras ¡que serán aprovechadas para un depósito de municiones cuya construcción ha decidido Abbas! En el templo de Denderah, que la expedición de Bonaparte redescubrió, cuyas innumerables inscripciones están lejos de haber sido copiadas, cuyas criptas que permiten remontar el tiempo no han sido exploradas, y de donde se extrajo el famoso zodíaco del Louvre, se piensa instalar una fábrica de nitrato...

Todos los amantes de las antigüedades se expresan de manera similar, acumulándose las pruebas del desastre. El bello templo de Erment, con su pórtico y su columnata, que el año anterior fotografiaron Maxime Du Camp y Felix Teynard, un ingeniero de Grenoble, ya no existe. ¡Acaban de desmantelarlo para construir, en sus cercanías, una refinería de azúcar!

Uno de los templos de la isla Elefantina corre el riesgo de sufrir la misma suerte. En Asuán, se utilizan las piedras de un palacio para los cimientos de una fábrica. ¡En Edfú, el Typhonium de la *Descripción* ha desaparecido!

Al mismo tiempo, como lo hizo notar Linant de Bellefonds, las excavaciones clandestinas se han convertido en una verdadera industria. A Mariette le ha bastado visitar a los principales mercaderes de El Cairo para tener la prueba. Los objetos, las esculturas, las estelas, los relieves, los sarcófagos, las *ushbetis* (estatuillas) y hasta las momias, se hallan en el mercado, le informan abundantemente. Las excavaciones salvajes son un drama para la ciencia, pues los saqueadores no se interesan más que por los objetos negociables y se desembarazan de todo lo que no tenga valor comercial. Estatuas incompletas, sarcófagos dañados, estelas quebradas, vasos y amuletos rotos, tiestos grabados, papiros incompletos, son destruidos o arrojados al fondo de pozos sin tomarse en cuenta su valor histórico. Por otra parte, ¿qué destino podría darse a todas esas piezas mutiladas? No hay museo para recibirlas, ni expertos para estudiarlas, ni talleres para restaurarlas.

El joven francés se angustia ante ese desastre irreparable. Escribe a su hermano: "Cada día observo una nueva pérdida para la ciencia; cada día me entero de una catástrofe suplementaria".

Más allá de la búsqueda de manuscritos, y hasta del estudio de nuevos emplazamientos de excavaciones, otra misión, mucho más importante, se impone a él: salvar de la desaparición todo un patrimonio, el más antiguo de nuestro planeta, la fuente de nuestra civilización y de nuestra cultura.

Mariette lleva casi un mes en El Cairo, y el patriarca copto multiplica los pretextos para explicar la demora en el envío de su carta de presentación. Los esfuerzos de Lemoyne no surten efecto. Es como para preguntarse si esa carta llegará algún día. En la espera, Mariette observa, toma notas, comprueba los daños, hace proyectos.

En el jardín de la Escuela Politécnica ha observado dos esfinges de estilo saíta, semejantes a las que vio en Alejandría en la casa del conde Zizinia. Provienen de la reserva de Salomón Fernández. Va a ver al mercader y descubre otras tres esfinges idénticas, de dulce mirada. Fernández no opone ninguna dificultad en revelar su origen: Sakkara.

—Cerca de la gran pirámide negra semisepultada —aclara.

Mariette comprende que se trata de la misteriosa pirámide escalonada, visitada en 1821 por el oficial prusiano von Minutoli, y donde se dice que Karl Richard Lepsius ha encontrado magníficas porcelanas azules. ¡Desde entonces, nadie ha logrado penetrar en ella! Mariette se promete ir a Sakkara en la primera oportunidad. Y prosigue su investigación.

Una noche, va a la casa de Soliman Bajá, figura histórica de Egipto. Su verdadero nombre es Maurice Selve. Nacido en Lyon hace cerca de setenta años, en plena Revolución, formó y comandó el ejército que liberó a Mehemet Alí de la dominación turca, le permitió conquistar el sur y fundar su dinastía. Mariette descubre, en un palacio del antiguo Cairo, a un anciano fatigado pero todavía vigoroso, de mirada chispeante. Tiene un harén, es decir que mantiene enclaustradas a varias esposas.

Durante la campaña de Rusia, combatió cerca del emperador como ayudante de campo del mariscal Ney. ¡Estuvo en Wagram y en Austerlitz! Siendo coronel, abandonó Francia en 1815 por Persia, con la misión de crear allí un ejército.

En la escala de Alejandría, su reputación de soldado del Imperio lo condujo ante el virrey, quien le propuso entrar a su servicio. Él acepta, olvida Persia, reorganiza el ejército egipcio y dirige las campañas militares del príncipe Ibrahim, hijo de Mehemet Alí, comandante en jefe. Para acceder al grado de coronel, vedado a los infieles, Selve se convierte al Islam y toma el nombre de Solimán.

—La Puerta (el gobierno turco) me hizo ofertas de servicio —dice Selve—. ¡Llegaron a proponerme la corona hereditaria de Chipre! ¡Habría sido rey! La rechacé.

Mehemet Alí lo nombra entonces bajá (príncipe) y jefe de su ejército.

—Abbas, su sucesor —declara Solimán en tono confidencial—, no se atrevió a quitarme el grado. ¡Tengo todavía muchos seguidores entre los oficiales!

Solimán, alias Maurice Selve, evoca su infancia en Lyon, su juventud. Mariette narra sus comienzos en Boulogne, su enamoramiento del Egipto antiguo. Entre el viejo militar y el joven profesor se establece una corriente de simpatía. Asombrado, Lemoyne los ve desaparecer a ambos en las profundidades del palacio: Solimán hace gustar a su visitante sus preciosas botellas de vino de Sauternes y de Saint-Péray. El ex combatiente del ejército de Napoleón quiere saber si el sobrino del emperador tiene posibilidades de ser a su vez emperador... Al terminar la velada, Solimán se propone interceder en favor de su nuevo amigo ante el patriarca copto.

Su intervención, aunque mantuvo su promesa, no dio resultado. Mariette se impacienta. Linant de Bellefonds le ha presentado el domingo por la mañana, en la misa de los Padres de Tierra Santa, a un compatriota, nacido como él en el norte de Francia, Bonnefoy, que ha trabajado en la presa de Mehemet Alí y que acompañó por un tiempo a Champollion. Bonnefoy conoce todos los secretos de El Cairo. Hace entrar a Mariette en las viejas casas árabes del canal Jalig, en las mezquitas vedadas a los infieles, la de Hussein, nieto del Profeta, la mezquita florida de El Azhar, en el corazón de la universidad coránica, la de Ibn el Touloune, construida en el siglo XI y semiderruida, que encantó a Champollion. Juntos, se instalan en los pequeños cafés árabes donde se fuma el shibuk; saborean el dulce de hachís, visitan los mercados de esclavos, van a escuchar a Sakna, la cantante de moda, asisten a las danzas clandestinas de las almeas. Ha nacido una amistad. Bonnefoy trabajará para Mariette hasta su muerte, que ocurrirá en el valle, en una excavación.

Se suceden las fiestas y las recepciones. Una noche, Mariette acompaña a Lemoyne al Hotel Shepheard's donde la colonia inglesa recibe al nuevo cónsul, sir Charles Murray. El hotel fue abierto diez años antes en el Ezbekieh por el hijo de un granjero escocés, Samuel Shepheard, llegado a Egipto sin un chelín en el bolsillo. Golpe de suerte: poco después de su apertura, Thomas Waghorn creó para los viajeros de las Indias el traslado en caravana a través del desierto, desde Alejandría hasta el mar Rojo. ¡Más de un mes ganado en comparación con la ruta marítima! El único hotel de El Cairo se convierte así en una escala obligatoria. Desde entonces, las grandes habitaciones lujosas del Shepheard's, su sombreado parque, sus bañeras de mármol (y su bar) hacen soñar a los viajeros agobiados por el calor.

Es allí donde se reúnen Mariette, Lemoyne y parte de la colonia francesa para recibir al nuevo cónsul inglés.

(Cuando al finalizar el siglo los ingleses afirmen su autoridad en Egipto, el Shepheard's ampliado será uno de los centros de la vida de El Cairo, y un lugar de elección para el espionaje durante la primera y la segunda guerra mundiales. Su parque, su *grill-room*, su bar, acogerán a todas las personalidades de paso por Egipto. El hotel, símbolo de la presencia británica, será incendiado en 1952, cuando la revolución nacionalista.)

En esa velada en el Shepheard's, Mariette descubre otro aspecto de El Cairo. Desde el tejado en terraza, se distingue en el horizonte del desierto, en el resplandor del poniente, la cima de la gran pirámide de Gizeh. Entre los visitantes circulan grandes vasos de whisky. El ambiente es alegre. Mariette tiene éxito: su práctica del inglés, su prestancia, su gusto por el whisky, el interés que demuestra por las mujeres, son apreciados por la sociedad británica expatriada.

El Cairo tiene múltiples atractivos para un joven sabio proveniente de Europa, pero Mariette no olvida su misión. No se vislumbra ningún progreso. Peor aún, ahora circula el rumor de que el patriarca copto ha amurallado los manuscritos más raros en un sótano secreto de su convento. Mariette comprende que la carta no llegará jamás. Y aunque llegara, no tendría seguridad alguna de descubrir manuscritos interesantes. Sin duda, en los conventos del delta no quedan más que libros de misa y, tal vez, manuscritos olvidados durante siglos en escondites secretos (como los pergaminos del Convento Rojo que Maspero descubrirá por casualidad treinta años más tarde).

¿Entonces? Hay que tomar una decisión. ¿Regresar a Francia en el próximo barco y volver al Louvre donde lo espera un mediocre puesto de supernumerario? ¿Ponerse nuevamente a etiquetar objetos que otros trajeron de Egipto, a pegar de nuevo papiros en los desvanes del museo por un mísero salario? En París no tiene futuro. Aquí el porvenir le pertenece. Después de todo, su orden de misión del Louvre indica también, en anexo, la "localización de emplazamientos de excavaciones susceptibles de enriquecer el museo". Sus nuevos amigos de El Cairo lo incitan a quedarse, a dedicarse al problema de las destrucciones y del pillaje.

Una noche, no puede conciliar el sueño. Piensa en su mujer, en sus hijas. Piensa en sus amigos de París, a quienes les debe todo. ¿Qué ocurrirá si toma la decisión de quedarse en Egipto?

Confía en su estrella. Sabe que es capaz de hacer descubrimientos importantes, de arrancar a la arena del desierto secretos que le ganarán la estima de los hombres de ciencia. Necesita ese país. Y ese país, abandonado a la codicia de los mercaderes y a la despreocupación del poder, lo necesita a él.

Por la mañana sigue sumido en sus pensamientos. Lemoyne se asombra al verlo inmóvil en su habitación. Por la tarde, cuando el cónsul regresa de una visita al palacio del virrey, la habitación está vacía.

Mariette ha subido a la ciudadela. Quiere ver, quizá por última vez, el sol desapareciendo detrás del horizonte de las montañas libias. Desde una terraza contempla la sombra violeta del crepúsculo, que cede lentamente el paso a la oscuridad. La llamada de los almuédanos a la oración es lo único que rompe el silencio.

"La calma era extraordinaria", escribió. "Frente a mí se extendía la ciudad. Una niebla pesada y espesa parecía haber caído sobre ella, sepultando todas las casas hasta por encima de sus tejados. De ese mar profundo emergían trescientos minaretes como los mástiles de alguna flota sumergida. Muy lejos, al sur, se percibían los bosques de palmeras datileras que hunden sus raíces en los muros derruidos de Menfis. Al oeste, ahogadas en el polvo dorado y el fuego del sol poniente, se erguían las pirámides. El espectáculo era grandioso, me conmovía, me absorbía con una violencia casi dolorosa. Ruego excusar estos detalles quizá demasiado personales. Si insisto en ellos, es porque el momento fue decisivo. Tenía ante los ojos Gizeh, Abusir, Sakkara, Dashur, Mit Rahineh. El sueño de toda mi vida tomaba cuerpo. Allí tenía, casi al alcance de mi mano, todo un mundo de tumbas, de estelas, de inscripciones, de estatuas. ¿Qué más puedo decir?"

A la mañana siguiente, su decisión está tomada. Pide a Bonnefoy que compre dos asnos y tres mulas robustas, una tienda, provisiones, municiones para la caza, provisión de agua para una semana, y que contrate a un guía buen conocedor de Gizeh. Se despide de Arnaud Lemoyne y, habiendo limitado su equipaje personal a dos pequeños baúles, se pone a la cabeza de la tropa. Esa noche, acampa al pie de las pirámides.

CAPÍTULO

5

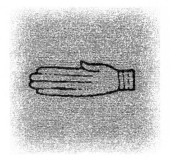

Salida del sol sobre Menfis.

¿En la ruta del Serapeum?

La arena, el viento y el virrey

se alían contra Mariette.

Tentativa de asesinato.

Prohibición de excavaciones.

La entrada del templo perdido.

De Menfis, radiante capital de los faraones del Imperio Antiguo en el tercer milenio antes de nuestra era, y más tarde de los Ramsés, sólo quedan vestigios dispersos y algunos colosos mutilados. Fue sin embargo la ciudad más grande de Egipto. El dios Ptah, que dio al país su nombre griego (Egyptos), tenía allí un templo, inmenso, donde Alejandro Magno y los ptolomeos vinieron a hacerse coronar. La ciudad estuvo habitada sin interrupción durante treinta siglos. Lo estaba todavía hacia el año 650, cuando la fundación de Fustat, primer nombre de El Cairo. En el siglo xii, abandonada en parte, aún era grandiosa. El médico árabe Abd el Latif se deslumbraba: "Estas ruinas confunden la inteligencia y desafían la descripción", escribía.

Luego, las esclusas que protegían a Menfis de las crecidas del río se rompieron, faltas de mantenimiento; el limo del Nilo se esparció, se acumuló la arena; los restos de los templos y de los palacios de Menfis se borraron, con el recuerdo de los dioses. "Pocas ciudades", anota Mariette, "tuvieron un destino tan trágico; Menfis fue la ciudad por excelencia, el orgullo de Egipto. Maravillaba al mundo por el número y la magnificencia de sus edificios. ¡En la actualidad, ya no es siquiera una ruina!"

Pero sus necrópolis resistieron a los siglos. Contrariamente a las ciudades vivientes, estaban hechas para perdurar. En Gizeh, en Sakkara, inmensos cementerios, sesenta pirámides visibles y tumbas subterráneas por millares, conservan las huellas y los testimonios de un mundo desaparecido. En su necesidad patética de eternidad, para la supervivencia del *Ka*, ese doble liberado del tiempo, eterno y presente, los egipcios acumularon en sus tumbas todo lo necesario para la vida. Los tesoros de los muertos narran la vida de los vivos. Pero no se entregan fácilmente.

Por su extensión, su complejidad y los saqueos a que fueron sometidas en todas las épocas, las necrópolis de Menfis plantean innumerables interrogantes. Se extienden sobre más de sesenta kilómetros a lo largo del valle del Nilo, desde el acantilado de Abu Roach al norte, hasta Lisht al sur, en dirección del Alto Egipto. Las zonas de tumbas más densas se encuentran en Gizeh, alrededor de las grandes pirámides, en Sakkara, Abusir y Dashur. Aun cuando la capital de Egipto fue trasladada a Tebas, se siguió sepultando cerca de Menfis a reyes, reinas, príncipes, sacerdotes, notables y animales sagrados. Algunos faraones tuvieron dos sepulturas, una en el valle y otra en Menfis. El culto de Apis, el buey divino, fue celebrado sin interrupción en la necrópolis, hasta la época griega.

Esa inmensa ciudad invisible no dejó de atraer a los saqueadores. Champollion se asombraba de caminar entre las piedras "inscritas", los trozos de sarcófagos, las vendas de momias que el viento solía agitar, en medio de las osamentas humanas. Nada de eso ha cambiado cuando Mariette levanta allí su campamento: restos de toda clase terminan de consumirse al sol. De ese inmenso territorio dedicado a los muertos, donde se acumularon los objetos de la vida, no existe ningún trazado exacto. Si bien las pirámides fueron numeradas por el explorador Perring, ni los sabios de la expedición a Egipto, ni los exploradores que les siguieron, ni los recientes viajeros como Champollion o Lepsius se tomaron el tiempo de trazar el mapa detallado de las necrópolis. A esa tarea decide dedicarse

Mariette. Tal descripción constituiría una herramienta de trabajo fundamental para los investigadores y podría llevar a importantes descubrimientos.

Ya el primer día, Mariette y Bonnefoy se enfrentan a un obstáculo imprevisto. Mariette se ha detenido junto a un pozo funerario, cuando surge un grupo de beduinos armados y amenazantes. ¡Afirman que ese pozo y la tumba a la que conduce son de su propiedad! Se trata de profanadores que carecen de firmán, de autorización. Trabajan para el temible comerciante sirio Harari, que Mariette conoció en El Cairo y que goza de muy mala reputación. Comienzan a discutir. Bonnefoy, que habla árabe, negocia por algunas piastras una especie de derecho de observación. Asombrado, Mariette ve a los beduinos colocar un tronco de palmera atravesado sobre el orificio. Alrededor del tronco una cuerda. En el extremo de la cuerda, un hombre se deja deslizar por la abertura. A cambio de algunas piastras suplementarias, Mariette se hace descender a su vez. La tumba jamás se encuentra en el eje del pozo: Mariette debe arrastrarse por una larga galería poblada de roedores y de murciélagos. Penetra finalmente en la cámara funeraria y tropieza con una cuba de granito. Dos beduinos, iluminados por una vela, ya están trabajando. Abren sin cuidado alguno la cuba, que está vacía. ¡Otros ladrones los han precedido diez años, o veinte siglos antes! Burlados, los beduinos dejan a Mariette tomar nota de las inscripciones a la luz de la vela. El nombre, las virtudes del dignatario, el decorado grabado, los dejan indiferentes. Solamente el oro y las joyas les interesan.

Después de algunos días pasados en Gizeh, alrededor de las grandes pirámides, Mariette decide desplazarse con su pequeño grupo en dirección de Sakkara. El itinerario es complicado: la crecida obliga a numerosos rodeos. En la actualidad, resulta difícil entender que hasta 1936, fecha en que se dio mayor altura a la presa de Asuán, el Nilo cubría en el verano gran parte del desierto, en Gizeh y en Sakkara. (En el mes de julio de 1828, Chateaubriand tuvo que renunciar a acercarse a las pirámides, limitándose a pagar a un guía para que grabara su nombre en ellas, según la desastrosa costumbre de la época.) Durante todo el verano, la llanura se convertía en un inmenso lago de donde emergían diques, que unían las poblaciones. Barcas de remos y falúas de velas pasaban frente a las grandes pirámides.

Desde Gizeh, Mariette y su gente tardan una jornada en llegar a Sakkara. La falúa que los transporta atraca en el pueblo de Bedreshin. Se hallan en la margen izquierda del río. En la época de los faraones, en períodos de crecida, ya se desembarcaba allí: era uno de los muelles de Menfis. Pero la mirada de Mariette no abarca más que paredes de ladrillos crudos, por otra parte muy antiguos y bastante bien conservados; ni el menor bloque de piedra. Sin duda todo ha sido quitado y trasladado a El Cairo. En el camino hacia el pueblo de Sakkara contempla, casi totalmente sumergida, una colosal estatua de Amenofis III.

A medida que se acercan a Sakkara, se agranda la masa impresionante de la pirámide escalonada: están, en cierto modo, en medio del inmenso alineamiento de las pirámides, que se extiende desde Abu Roach hasta El Fayum. La pirámide escalonada domina el lugar. Sus formas imprecisas contrastan con las aristas definidas de las pirámides de Gizeh.

En 1821, hace treinta años, von Minutoli, acompañado por el ingeniero italiano Segato, descubrió su entrada. Contorneando enormes taponamientos de granito de Asuán, avanzaron por galerías estrechas y llegaron a cámaras adornadas con mosaicos azules. En el fondo de un pozo de acceso muy difícil, a treinta metros debajo de la superficie, encontraron una momia abandonada por los saqueadores, con el cráneo cubierto de oro y con sandalias igualmente doradas. ¡Embarcado en una nave con destino a Prusia, el conjunto desapareció en un naufragio!

(Después de Minutoli, el inglés Perring y el alemán Lepsius penetraron a su vez en la pirámide escalonada. Lepsius retiró de ella, para el museo de Berlín, el marco de una puerta grabado con el nombre del faraón Zoser y los bloques de piedra que lo rodeaban, adornados con mosaicos azules. Luego el acceso se perdió y recayó el secreto sobre la pirámide y sus cámaras profundas.)

Mariette, en 1851, ignora los descubrimientos de Lepsius. Para él, la pirámide oculta los despojos de los bueyes sagrados de las primeras dinastías. Defenderá esa teoría varios años, antes de abandonarla. Pero jamás se convencerá de que se trata de la tumba de Zoser.

(Habrá que esperar un siglo para que el arquitecto francés Jean-Philippe Lauer, al encontrar en 1930 un pie olvidado de la momia, establezca que se trata en verdad de la tumba del rey Zoser de la III dinastía, primer edificio de piedras de la historia. Su arquitecto, Imhotep, será luego deificado.)

Desde la cima, la vista es magnífica. Se domina el Nilo, las grandes pirámides; las construcciones de El Cairo se recortan en el horizonte. Pero lo que más asombra a Mariette es ver aparecer, como trazado en la arena, el plano de la necrópolis. ¡Una cuadrícula, que no puede pasar desapercibida a una mirada atenta! En Gizeh no ha observado un fenómeno igual. Piensa que eso simplificará el trabajo. Decide entonces abandonar Gizeh y comenzar por el trazado de Sakkara. Procederá a sondeos, para tratar de establecer las fechas de las tumbas. Se pone de inmediato a trabajar.

Por la noche, bajo la tienda, lleva sus medidas al papel. Está claro que, a ese ritmo, el trazado de la necrópolis llevará meses, y hasta años. Pero su intuición le dice que debe comenzar ese análisis paciente, metódico.

Y los hechos le darán la razón. Dos o tres días después de su instalación en Sakkara, cuando se encuentra entre dos pozos, metro en mano, examinando un fragmento de estela que tiene un graffiti, percibe, a poca distancia, emergiendo de la arena, ¡una cabeza humana! Le recuerda de inmediato las cabezas de las esfinges de piedra calcárea que observó en Alejandría, en la casa de Zizinia, y luego en El Cairo, en la de Linant de Bellefonds, en la Escuela Politécnica y en las reservas de Fernández. Según le dijeron, todas esas estatuas talladas en la piedra calcárea del Mokattam provenían de Sakkara.

En efecto, es una esfinge saíta, semejante a las otras, la que se encuentra frente a él. Una más. Mariette piensa inmediatamente en una avenida de esfinges, semejante a las que la expedición de Bonaparte describió en el valle. ¡Estaría entonces en las proximidades de un templo!

Mariette sondea alrededor de la esfinge y descubre, ese mismo día, a escasa profundidad, una piedra plana, una mesa de libaciones con un jeroglífico grabado, una invocación a Osiris-Apis. Es el primer contacto concreto de Mariette con el dios buey. Entonces le viene a la memoria un pasaje de Estrabón, autor que ha leído y releído:

"Se encuentra en Menfis", escribió Estrabón, "un templo de Serapis, en un lugar tan arenoso que los vientos amontonan montañas de arena. Allí vimos esfinges enterradas, algunas hasta la mitad, otras hasta la cabeza..."

Estrabón escribía aproximadamente treinta años antes de nuestra era. Mariette recuerda también su conclusión: "Bordeada de esfinges, la ruta que lleva al templo nos pareció presentar grandes peligros en caso de un ventarrón...".

Mariette sabe que el gran templo de las reencarnaciones de Apis-Osiris, que los griegos llamaron el Serapeum, se erguía por encima de vastas catacumbas donde, según una tradición, no se habría cesado, en el transcurso de los siglos, de enterrar a los bueyes sagrados momificados y de celebrar su culto. Sabe también que, según ciertos autores, las criptas habrían sido destruidas por los persas o por los cristianos. (Otros afirman que nunca existieron.)

El culto de Apis interesa a Mariette desde hace tiempo. Tres bueyes vivos sagrados eran venerados permanentemente en templos de Menfis, en Heliópolis y, al sur, en la futura Tebas. El origen de ese culto se remonta sin duda a épocas prehistóricas. Desde los montes Taurus, entre Cilicia y Capadocia, la religión del buey se irradió sobre toda el Asia Menor, Asiria, Creta, patria del Minotauro, y mucho más allá. Dio nacimiento al episodio bíblico del Becerro de Oro. Tal vez ese culto sobrevive todavía, en una forma moderna, en las corridas de toros.

En Egipto, en la fiesta de Apis, se celebraban "corridas" con muertes rituales. A la muerte del Apis, se decretaba un duelo de setenta días.

No se ha encontrado ningún lugar de culto de Apis ni ningún Apis momificado, pero es sabido que la fiesta anual de Apis, en quien se reencarnaba Osiris, dios original, daba lugar a verdaderas crisis de histeria colectiva. La presencia de Osiris se hacía casi palpable. Había sacerdotes que entraban en trance. Las ceremonias de embalsamamiento, que tenían lugar sobre amplias mesas de alabastro, duraban setenta días. (Mariette encontrará más tarde, en Sakkara, una de las inmensas mesas de embalsamamiento. Ésta se halla siempre en su lugar.)

Los funerales de Osiris-Apis eran ocasión de ceremonias excepcionales. Llegaban dones desde todos los nomos, provincias de Egipto, y los peregrinos pasaban semanas en oración, junto a los despojos momificados del difunto dios.

(En ocasión de recientes excavaciones realizadas en Hatzor, en Israel, se exhumaron numerosos pequeños bueyes de bronce pertenecientes a la civilización de Canaán, país conquistado por Josué, según la Biblia. Esa civilización era contemporánea de la de Mari, en el Éufrates, 2000 a 1600 a.C. Numerosos objetos egipcios, armas, flechas y hasta una cota de malla, fueron descubiertos en Hatzor, por entonces bajo dominación egipcia. Los bueyes de bronce prueban que el culto de Apis se extendía a los países conquistados por los faraones.)

Mariette no vacila. Abandona por el momento su proyecto de trazar mapas y decide lanzarse a la búsqueda del templo funerario subterráneo cuya orientación él piensa que el azar acaba de indicarle. Esa decisión hace la felicidad de Bonnefoy, que adora las excavaciones: se pone a buscar de inmediato a un reis, jefe de obra, a quien conoce desde hace tiempo y en quien confía: Ahmed Hamzaui. Formar un equipo de unos treinta fellahs no le lleva más de un día.

Y el 1 de noviembre de 1850, "en uno de los más hermosos amaneceres que ha visto desde su llegada", Mariette pasa revista a sus obreros y traza en la arena, más abajo de la pirámide escalonada, a partir de la pequeña esfinge que ha desenterrado, el eje principal de su primera excavación.

Al abandonar la búsqueda de manuscritos antiguos por el estudio del terreno en Menfis, sin pedir la autorización del Louvre, ha tomado una decisión capital. Al decidir ahora excavar sin firmán (autorización), desafía a la autoridad de Abbas Bajá, virrey receloso, hostil a los europeos, de reacciones imprevisibles. Desde luego, Mariette no es el único en proceder así. Al margen de las campañas de excavaciones oficiales negociadas entre soberanos, numerosos aficionados cavan en secreto el suelo de Egipto, así como los mercaderes y los campesinos sagaces. Mariette sabe, por rumores de El Cairo, que muchos europeos trabajan activamente, como el barón von Huber, cónsul de Austria, el reverendo Lieders, pastor holandés, el farmacéutico Jannovich. Ninguno de ellos tiene autorización oficial. Pero cada uno goza en la corte de protecciones eficaces y entrega bakshishs a personajes importantes. Ése no es el caso de Mariette, aunque cuente con la ayuda del cónsul Lemoyne. Nadie lo apoya en Palacio. Tampoco tiene ya suficiente dinero para comprar complicidades. Su entusiasmo es su único verdadero capital.

Y, desde el comienzo, los dioses de Egipto le sonríen. A cinco metros de profundidad, encuentra una segunda esfinge saíta, distante seis metros de la primera.

—Estamos bien en el eje de la avenida que lleva al templo —dice a Bonnefoy—. ¡Sin duda la de Estrabón!

A unos treinta metros ha observado un abultamiento. Cava, pero se pierde en la arena. Al cabo de unos días, vuelve a su punto de partida y decide avanzar, prudentemente, en tramos de seis metros. Desentierran dos nuevas esfinges enfrentadas.

La naturaleza del terreno es desigual. En los huecos la arena se ha acumulado, endurecida, y hay que atacarla con picos. ¡En otras partes es fluida como el agua!

Muy pronto, deben cavar hasta seis metros para encontrar las esfinges del alineamiento. Felizmente, están donde se las espera, sobre su pedestal. Número nueve y diez. El avance es lento. Una vez, en pleno mediodía, una pared se desmorona sepultando a dos fellahs. Momento de angustia. Se salva a los dos hombres, pero, por razones de seguridad, los trabajos se hacen aún más lentos.

En El Cairo, Mariette confía sus inquietudes a sus amigos. Ha desenterrado dieciséis esfinges. Está seguro de hallarse en el camino del Serapeum. Pero las excavaciones se anuncian profundas, difíciles y prolongadas. Ha gastado todo el dinero de su misión, y pronto se encontrará sin recursos. ¿Qué ocurrirá entonces?

En la espera de una respuesta, él continúa. Felizmente, la excavación se hace más fácil. Pronto llegan a la quincuagésima fila de esfinges. ¡Gran emoción: aparece una puerta! Lamentablemente, no es la del templo enterrado como Mariette lo esperaba, pero da acceso a una sepultura de la V dinastía, la que sucedió a los constructores de las grandes pirámides. Es la "morada de eternidad" de un alto dignatario o de un príncipe, llamado Sekken ka. Ha sido saqueada, por supuesto, pero en una galería, bajo restos acumulados, descubren estatuas de piedra calcárea pintada, abandonadas sin duda por los ladrones de joyas. ¡Los colores de las estatuas han resistido más de cuarenta siglos! Una de ellas, de un realismo sobrecogedor, representa a un hombre maduro; sus ojos, incrustados, son de cobre, la córnea es de cuarzo blanco, el iris de cristal de roca, la pupila de ébano. Las arenas de Egipto no han ofrecido jamás todavía una obra de arte comparable. Es el célebre Escriba sentado que se encuentra en el Louvre.

(Más tarde, un sucesor de Mariette en la dirección del departamento de Antigüedades, el abate Drioton, le dará una identidad, la de Kapper, jefe de lectores del príncipe Sekken ka.)

Ya hace más de dos meses que Mariette excava en Sakkara. En diciembre, el equipo saca a la luz... la 134 esfinge. Y súbitamente la avenida se pierde. Sondeos hasta catorce metros de profundidad no revelan nada. Mariette piensa en lo peor: que la avenida haya quedado inconclusa; que no sea más que una trampa como existen en todas las necrópolis para despistar a los ladrones; que el Serapeum haya sido, como muchos lo afirman, devastado, destruido. ¿Toneladas de arena habrían sido desplazadas en vano? ¿Qué hacer? Mariette multiplica los sondeos en los alrededores. Nada. Nada más. Finalmente —¡milagro de Navidad!—, el 24 de diciembre, al caer la noche, localizan una nueva esfinge con su par que la enfrenta —la 135. Surge de la arena, con el uraeus, signo divino, levantado sobre la frente como una recompensa, una promesa. Para sorpresa de Mariette, la avenida dobla hacia el sur, casi en ángulo recto: la 135 esfinge se encuentra, contra todo lo esperado, sobre un eje perpendicular a la primera parte de la avenida.

Alivio de Mariette, alegría en el equipo. El avance puede continuar. Y nueva sorpresa: en el lugar de la 136 esfinge, a siete metros por debajo de la superficie, surge la estatua de un personaje tocando la lira sobre un asiento con respaldo, una piel de pantera sobre los hombros. Mariette no puede creer a sus ojos. ¡Descifra el nombre de Píndaro, poeta griego! Su asombro aumenta al día siguiente, al comprobar que el poeta no está solo. Otros diez personajes de piedra están sentados en una banqueta semicircular, otros poetas y filósofos: Protágoras, Platón. ¡Homero que, en el centro, preside la asamblea!

Las estatuas, mutiladas, son de una hechura que Mariette considera bastante mediocre. En su opinión, no han sido traídas de Grecia, sino realizadas en el terreno en una piedra calcárea egipcia. Mariette piensa que han servido de decoración a fiestas dionisíacas, nacidas de la fusión de las religiones griega y romana.

—Caer sobre un conciliábulo de griegos célebres reunidos en el extremo de una avenida de esfinges —declara—, es bastante desconcertante. ¡Pero el oficio de arqueólogo está lleno de sorpresas!

Linant de Bellefonds, de paso por la excavación, realiza una acuarela del semicírculo.

Poetas y filósofos de la época griega no detienen a Mariette más que unos pocos días. Toma su presencia insólita, inesperada, como una suerte de broma del destino, y reanuda su excavación.

Cree nuevamente llegar a su objetivo al sacar a la luz, no lejos del semicírculo de los filósofos, dos esfinges mucho más grandes, con el cartucho de Nectanebo II, faraón de la XXX dinastía (378 a.C.), período saíta-persa, último faraón egipcio antes de la conquista por los persas. (No es el primer encuentro de Mariette con Nectanebo II. En la ciudadela de El Cairo, poco después de su llegada, descifró su cartucho sobre un capitel integrado a la estructura del palacio de Saladino.)

Dos grandes esfinges custodian una puerta, que se abre sobre una escalera. Pero muy pronto comprende que no es la entrada del templo sepultado, sino solamente la de una capilla dedicada por Nectanebo II a Apis. Sobre una pared figura una efigie del dios-buey, con el disco lunar entre los cuernos.

La capilla tiene un patio embaldosado. Al levantar las baldosas, Mariette encuentra, en medio de otros restos, una pequeña estatua de piedra calcárea de un personaje rechoncho, grotesco, el dios enano Bes. Tiene sus gordas manos apoyadas en las caderas, la boca muy abierta, y lleva un cinturón de serpientes. Es mediodía cuando se lo desentierra, e inmediatamente se esparce el rumor ¡de que el diablo ha aparecido en la excavación! Se ve llegar a los habitantes de las aldeas vecinas, curiosos o inquietos. Algunas mujeres insultan a la estatua, los hombres escupen su asco... Algunos no soportan su vista, comienzan a gritar de terror, y huyen. Extraño espectáculo en el que se mezclan antiguas supersticiones, reacciones espontáneas imprevisibles. (La estatua de Bes está en el Louvre.)

La excavación prosigue. Como la capilla de Nectanebo cierra el camino a la izquierda, Mariette despeja, a la derecha, un camino embaldosado, en pendiente: ¡tal vez sea el dromos —la avenida final— que lleva a la entrada del templo sepultado! Están a fines de marzo. El Nilo se encuentra en el estiaje, su nivel más bajo, como los fondos de Mariette. Ha reducido sus gastos al mínimo. Se acerca el momento en que ya no podrá pagar a los obreros. Sus amigos de El Cairo le han otorgado ya varios préstamos. ¡Deberá recurrir a París!

En cinco meses, si bien no ha encontrado el acceso del templo —que tal vez no exista—, ha enviado bastantes objetos a París y ha hecho suficientes observaciones para poder redactar un informe para el Instituto de Francia. En una noche, bajo la tienda, describe la avenida de las esfinges, el hemiciclo de los filósofos griegos, la capilla de Nectanebo II, la tumba del príncipe Sekkenka, las estatuas y las inscripciones. Añade algunos dibujos, y confía todo al cónsul de Francia en Alejandría, M. Batissier, que parte a Francia de licencia, con cartas para Lenormant y Rougé. Les expone su programa, sus proyectos. Y termina con una demanda urgente de subsidios.

Mientras tanto, en El Cairo, Lemoyne ha logrado reunir nuevamente algunos fondos. Mariette puede pagar a Hamzaui y a su equipo. Nueva sorpresa: al despejar una capilla funeraria rectangular, cuya forma evoca para él el banco ubicado delante de las casas árabes o *mastaba* (él inventa en esa ocasión la designación, que luego se hace corriente), saca a la luz extrañas estatuas de animales en piedra calcárea de Turah, de hechura griega como los filósofos: dos pavos reales con la cola en abanico y una pantera, los tres cabalgados por Dionisio niño. Un león, también llevando a un joven jinete del que sólo subsisten las piernas. Una esfinge hembra erguida sobre sus patas traseras. Un halcón con cabeza humana y barbada, tocado con el *pschent* faraónico. Restos de sirenas de larga cabellera, y un cerbero. Ese zoológico griego surrealista es una prueba más de que los dioses de Atenas se mezclaron con sus predecesores egipcios. Como para los filósofos, Mariette sólo concede poco tiempo a esas estatuas que considera "poco interesantes".

Descubre otras capillas. En una se encuentra una muy bella estatua, en piedra calcárea, de un buey Apis con rastros de pintura en los lugares característicos que lo designan como dios (hoy en el Louvre). Como el del dios Bes, este descubrimiento atrae a los habitantes de la meseta. Algunas mujeres vienen desde muy lejos a montar la estatua del Apis, a la que le atribuyen espontáneamente la virtud de curar la esterilidad, como por otra parte las esfinges de la avenida junto a las cuales mujeres que no pueden tener hijos ¡suelen venir a pasar la noche! Mariette no encuentra explicación a esa superstición.

La noticia de esos descubrimientos ya ha traspuesto los límites de la meseta, y ha llegado a El Cairo. Vienen curiosos a Sakkara. ¡Un turista austríaco, de paso, pretende apoderarse de dos estatuas griegas para su castillo! ¡Excavadores aficionados reivindican también la propiedad de varias esfinges! Llegan mercaderes al acecho de un buen negocio —a veces los obreros logran disimular un hallazgo entre los pliegues de su *gallabieh*—, o merodeadores en busca de una posible ratería. Mariette debe defenderse. Una noche, sorprende a dos beduinos, en la excavación, tratando de llevarse una estela. No vacila en hacerlos azotar. Hamzaui lo pone en guardia:

—Los beduinos siempre se vengan. En tu lugar, vigilaría mis alimentos. ¡Y no bebería café!

En efecto, días más tarde, una taza de café turco le parece sospechosa. Hamzaui, consultado, confirma: ¡el brebaje está envenenado! El servidor culpable huye. Mariette considera inútil acusarlo ante el gobernador: jamás se encuentra a un beduino en el desierto. Poco después, el jeque del pueblo de Sakkara, sin duda por instigación de un mercader frustrado o de un celoso, decide prohibir a los fellahs trabajar en la excavación del Serapeum. Al mismo tiempo, corta toda provisión de agua y de víveres. Víctima de un verdadero bloqueo cuyos instigadores no conoce, Mariette, acompañado por Bonnefoy, Francesco, el carpintero maltés del equipo, y algunos fellahs originarios de aldeas lejanas, decide una expedición punitiva. La pequeña tropa a caballo penetra en la casa del jeque y, como éste pide auxilio, se apoderan de su turbante y huyen al galope. El pobre hombre se pone a girar sobre sí mismo como un trompo, dando a los asistentes un espectáculo que desata la hilaridad. Al día siguiente la cisterna está llena y se reanuda la provisión de pan, habas, verduras y pollos.

Esa clase de incidentes aumenta el nerviosismo en la excavación. Un enviado del virrey aparece un día, sin avisar, con una especie de orden de requisición. Pretende examinar todo lo que se ha sacado del suelo desde el comienzo de las excavaciones. Ignora que Mariette ha depositado las piezas importantes en una tumba vacía y en la tienda del mercader Fernández. El inspector, un hombre viejo, se presenta como coronel. Mariette lo recibe con deferencia y le ofrece grandes vasos de anisado turco, mientras lo hace objeto de un torrente de cumplidos. El coronel es sensible al anisado como a los cumplidos.

—Mi coronel, me siento orgulloso de conocerlo. Que Dios lo guarde y prolongue su bella ancianidad... Debo decirle la verdad: he encontrado oro...

—¿Oro? ¿Dónde está? ¡Muéstremelo!

—Déjeme terminar, mi coronel. ¡He escondido ese oro en un pozo!

—¿Dónde está? Quiero ver ese oro.

—Está a su disposición, mi coronel. Puede descender al pozo si lo desea.

—Ciertamente, ésa es la orden del virrey.

—Voy a atarlo, mi coronel. Mis obreros lo bajarán a una profundidad de treinta codos... Usted puede cambiar de opinión. Es arriesgado a su edad...

—¡Bájenme inmediatamente!

La operación se desarrolla sin problemas. Pero en cuanto llega al fondo, el coronel comprueba que la cuerda ha sido izada nuevamente. Está solo, en la oscuridad. Mariette, sordo a los consejos de Bonnefoy, rehúsa intervenir. Hace llegar al coronel un cesto con vituallas y una botella de ajenjo. A pesar de sus amenazas, luego sus súplicas, no pasa nada... hasta la mañana siguiente. Entonces suben al pobre hombre, pasablemente quebrantado, que no pide más que regresar a El Cairo. En la noche, los últimos objetos han sido encajonados. Para mayor seguridad, Mariette entrega al coronel una suma de dinero y algunas antigüedades a guisa de resarcimiento. ¡No volverá a oír hablar de él!

Poco después, una lluvia violenta se abate sobre el desierto y de nuevo Mariette observa que la arena, al secarse más lentamente cuando cubre las piedras, dibuja en un amarillo más oscuro una cuadrícula regular: ¿las estructuras del Serapeum? Excava, pero sólo saca a la luz hipogeos privados, saqueados desde hace tiempo. Vuelve al eje del dromos y descubre un bello león de piedra calcárea (hoy en el Louvre).

En abril, es víctima de una violenta crisis de oftalmia. Debe ir a hacerse tratar en El Cairo, dejando la excavación bajo la vigilancia de Bonnefoy. Corre el rumor de que el francés está muy enfermo. Alrededor de Abbas Bajá, los cortesanos se felicitan. Sobre todo el reverendo Lieders, a la vez misionero y anticuario, que convierte a los coptos al protestantismo, mientras reúne antigüedades que envía a los Países Bajos. Muy pronto Mariette mejora, pero el médico le aconseja tomar más precauciones. Las noches frías, alternándose con el calor tórrido de la jornada, son la causa de su mal. De regreso en la excavación, Mariette comprueba que su tienda ha desaparecido: ¡el *jamsin*, el viento de arena, se la ha llevado! Decide hacerse construir una casa cerca de la excavación. El lugar no carece de ladrillos crudos secados al sol desde milenios. Bonnefoy y Francesco elevan rápidamente una especie de gran habitación rectangular y un reducto. El techo es de paja posada sobre troncos de palmeras. Todo incluido, el conjunto cuesta setenta francos: "¡Hasta para Egipto, es barato!", escribe Mariette. Pronto, agregará una segunda y una tercera habitación, con un desván de chapa para depositar los objetos, y más tarde, una pequeña terraza, desde donde la vista se extiende hacia El Cairo.

Con anteojos de cristales ahumados, que conservará toda su vida en el exterior, Mariette va a buscar los objetos depositados en la tienda de Fernández para guardarlos en su casa. Por prudencia, los transporta de noche, a lomos de burro.

Y las excavaciones se reanudan en la espera de una respuesta de París. ¿Cómo van a reaccionar? ¿Aceptarán la solicitud de subsidios? El buey sagrado, el Escriba sentado, el pequeño dios Bes, han llegado sanos y salvos al Louvre y han causado sensación. ¿Pero ese envío será suficiente para desarmar las críticas? La espera es penosa. Lo sería todavía más si no se produjera un nuevo gran hallazgo: debajo del revestimiento de piedra de la avenida de las esfinges aparecen estatuillas y amuletos de bronce que representan a Osiris, Apis, Isis, Ptah, Horus, ¡todo el panteón egipcio! ¡Más de quinientas piezas! Ofrendas. La mayor parte se encuentran en mal estado. Circula el rumor de que se trata de un verdadero tesoro. ¡El bronce pasa a ser oro! Se habla de dos mil estatuas. El propio virrey solicita al *mudir* —gobernador— de Gizeh, Safer Bajá, que le envíe un informe y le lleve el botín. Se presentan cuatro cawas a caballo ante la pequeña casa de Mariette. Furioso, éste pregunta a los cawas la razón de esas persecuciones, siendo que muchos otros excavan en Sakkara y en Gizeh sin que se los moleste. Ante la insistencia de los inspectores, que pretenden penetrar en la reserva cerrada con un candado, él se yergue y tras una breve lucha echa a los intrusos a golpes de *curbash*, fusta de cuero de hipopótamo. Los enviados del gobernador no insisten.

Por temor a represalias, y ante la inquietud evidente de Bonnefoy y de Hamzaui, Mariette considera prudente hacer izar la bandera francesa sobre su casa, esperando conferirle así una especie de status de extraterritorialidad. En esa época, en Egipto, los extranjeros sólo son ajusticiables frente a sus respresentantes, los cónsules generales. Es el régimen de las capitulaciones que permanecerá todavía largo tiempo en vigor. Precaución suplementaria: Mariette envía un mensaje a Lemoyne para confiarle su inquietud.

Al día siguiente, un adjunto del mudir de la provincia viene a presentar excusas, ¡pero acompañadas de la orden formal de suspender los trabajos!

—El mudir, Safer Bajá, espera que esta orden sea acatada inmediatamente —concluye el funcionario.

—¿Y si no obedezco? —pregunta Mariette.

—Será responsable de lo que ocurra...

Un deseo irresistible de arrojar afuera, como a los otros, al enviado del mudir se apodera de Mariette. Se yergue cuan alto es y su mirada es suficientemente elocuente como para que el empleado del gobernador se bata prudentemente en retirada. Bonnefoy llega a calmar a su patrón. Aterrorizados, varios obreros huyen. Hamzaui no trata de retenerlos. Él también considera la situación desesperada:

—Los conozco —dice—. Van a regresar con fusiles. ¡Se vengarán! Hay que obedecer.

Es la voz de la prudencia. Mariette interrumpe sus excavaciones. Paga a los obreros aterrorizados con lo que le resta del dinero de Lemoyne, y los cita... ¡para cuando lleguen los fondos de Francia! Ignora todavía qué ocurre en el Louvre con respecto a él. Al día siguiente, confía su desaliento y su cólera a sus amigos de El Cairo:

—Estamos muy cerca de lograrlo —dice—. ¡Y debemos detenernos! ¡Se ha hablado demasiado de nosotros, se han exagerado nuestros descubrimientos! Temo lo peor, es decir que vengan otros a recoger los frutos de un año de trabajo encarnizado...

Sus amigos tratan de calmarlo. El cónsul incluso obtiene un firmán que regulariza momentáneamente su situación en Sakkara. Pero si con dinero se puede eventualmente excavar sin firmán, un firmán solo no sirve de nada si no se tiene dinero. Mariette, desesperado, piensa en regresar a Francia a defender su causa, cuando llega —al fin— una buena noticia. Su informe ha dado sus frutos. No solamente el Louvre acepta la nueva interpretación de su misión, sino que como resultado de un informe muy favorable de Saulcy y de Rougé, ¡el Ministerio del Interior le ha asignado mil quinientos francos y la Cámara de Diputados le ha votado un crédito de treinta mil! ¡Es una especie de triunfo! Será de corta duración. Torpemente, el texto oficial francés habla de "las operaciones de limpieza del templo de Serapis en las ruinas de Menfis, y del traslado a Francia de los objetos de arte que provengan de él". Es un error: ¡el texto no tiene en cuenta la autoridad —y los derechos— del virrey de Egipto! Éste, ofendido y furioso, tomará enseguida medidas aún más rigurosas para con la misión francesa.

Por el momento, Mariette ha reiniciado la actividad de la excavación. La crecida del río es inminente; se está a principios de julio de 1852. Ha vuelto la alegría, aunque nadie se oculta que la situación es precaria.

El firmán acordado y los fondos que acaban de recibir no representan, en efecto, más que un respiro. La cólera de Abbas Bajá se ha acrecentado, y su entorno lo presiona para que tome medidas contra los franceses. Y lo que temían se produce: Abbas convoca a Lemoyne para anunciarle el cierre definitivo de la excavación. Le recuerda, en tono cortante, su derecho de propiedad sobre todos los monumentos que se encuentran en el suelo egipcio, derecho que los diputados franceses han ignorado. Más grave aún, el virrey afirma haber sido advertido de que una parte de los objetos encontrados por M. Mariette en Sakkara ha sido transportada "a depósitos particulares, en El Cairo, en Alejandría, o hasta en París". En tales condiciones, ha tomado una decisión cuyo texto tiende al cónsul: "En presencia de hechos que prueban que M. Mariette no dispone de medios de vigilancia suficientemente activos, deseando prevenir extravíos y mutilaciones tan perjudiciales para los intereses de la ciencia como para la estricta aplicación de los reglamentos, el virrey ordena:

"1º) Que todos los objetos de antigüedad portátiles descubiertos por M. Mariette sean entregados por este último a los agentes de la Administración Egipcia y depositados en una de las salas del Ministerio de Instrucción Pública en la ciudadela de El Cairo.

"2º) Que se instalen oficiales permanentemente en los lugares explorados por M. Mariette para comprobar la interrupción de los trabajos, impedir degradaciones y levantar el inventario de las excavaciones".

Es un desastre. Lemoyne no puede más que inclinarse. Decide sin embargo no comunicar el decreto de Abbas Bajá a Mariette, cuyas reacciones violentas teme. Cajones destinados al Louvre siguen llegándole de noche. Pero, muy pronto, la situación empeora. Al enterarse de que los enviados del mudir están listos para ir a la excavación a hacer respetar la ordenanza, Lemoyne decide anticiparse a ellos. El 15 de septiembre, llega a Sakkara y da cuenta de su entrevista con el soberano. Como lo preveía, la cólera de Mariette se desata:

—¡Estamos llegando al objetivo! Acabamos de desenterrar las bases de los pilones. Nos hallamos en la entrada del templo de Apis. ¡Y se nos impide excavar...!

Su cólera no se ha calmado cuando llegan los dos primeros cawas del gobernador, vanguardia de un destacamento más importante. El jefe está en posesión de una lista bastante exacta de quinientos trece "monumentos" ya extraídos del suelo. ¿Cómo se la ha procurado? Sin duda, por medio de obreros de refuerzo, sobornados. ¡Exige una entrega inmediata! Naturalmente, Mariette se niega. Sólo se desprenderá de esas piezas por orden de su gobierno, que ha pagado los trabajos. Los inspectores no tienen más que dirigirse al cónsul de Francia. Éste, tomado entre dos fuegos, aconseja a Mariette contemporizar y entregar algunos de los objetos reclamados. Mariette acepta a regañadientes. Es en ese momento cuando toma la decisión de continuar las excavaciones secretamente, de noche, en ausencia de los cawas, con un equipo seguro. Está demasiado cerca del objetivo para detenerse.

En El Cairo, el cónsul intenta una última gestión en favor de su joven amigo. Hace ver a Stephan bey, ministro de Relaciones Exteriores del virrey, de origen armenio y casado con una parisina, el enorme interés de los trabajos de Mariette, su valor a los ojos de la comunidad internacional, el efecto desastroso que tendría, entre los europeos cultos y entre los poderosos del mundo, el anuncio de la interrupción autoritaria de las excavaciones. Y se llega a un arreglo.

El 19 de noviembre, Stephan bey obtiene de Abbas Bajá que Egipto ceda al gobierno francés los objetos ya encontrados por Mariette. Pero las excavaciones permanecen prohibidas, en la espera de la firma de un acuerdo que garantice al virrey sus derechos de propiedad.

Entretando, se ha producido el acontecimiento que Mariette esperaba: trabajando de noche, ha llegado a la entrada del subterráneo, ha desenterrado el dintel, luego la puerta, y ha penetrado —al fin— en la tumba de Apis. Ha transcurrido un poco más de un año desde que identificó la primera esfinge de la avenida que llevaba al templo. Ha ganado la partida. El futuro se ilumina, está feliz "como jamás lo ha estado", escribe a su mujer.

No tiene la menor idea de los obstáculos que se acumularán ante él.

CAPÍTULO

6

Un tesoro para la ciencia.

La tumba inviolada

del hijo de Ramsés II.

Observación astronómica.

El templo de la Esfinge.

Regreso a Francia.

Como Mariette lo suponía, la tumba subterránea de los Apis era un verdadero laberinto de galerías y de cámaras funerarias, ampliado constantemente con el correr de los siglos, desarrollado en varios niveles, en diferentes direcciones.

"Jamás pensé", escribe Mariette a su hermano, "encontrar catacumbas tan vastas y tan complejas. Todos los días descubrimos nuevas ramificaciones."

Tendría que haber escrito "todas las noches" pues, siempre sometido a la prohibición de excavar, sólo puede trabajar, con su pequeño equipo de obreros fieles, después de la partida de los inspectores, presentes hasta la puesta del sol. Y debe imperativamente volver a cerrar la obra y esconder su entrada antes del alba.

Se apresura. Alrededor de los enormes sarcófagos de los bueyes sagrados de la gran galería —hay sesenta y cuatro, que Mariette ubica en la XXVI dinastía, en el período ptolemaico— se amontonan millares de objetos, de estelas grabadas, de ofrendas, de estatuas de todas las dimensiones, de ushbetis, estatuillas votivas, traídas por fieles y peregrinos venidos de todas las provincias. Una mina de informaciones para los historiadores, y un tesoro en obras de arte.

Para depositarlos y sustraerlos a la codicia de las autoridades, Mariette utilizó primeramente la capilla del faraón

Nectanebo, descubierta en el avance hacia la entrada del subterráneo. Pero pronto la capilla resulta demasiado exigua, y Mariette hace acondicionar unas cámaras de momias vacías, a poca distancia, a las que da acceso un pozo de unos doce metros. El descenso se efectúa, según la costumbre, mediante una cuerda enrollada alrededor de un tronco de palmera. Los hombres de Hamzaui transportan allí, al resplandor de las antorchas, los objetos extraídos de la tumba de Apis.

En cuanto al acceso al Serapeum, fue equipado por Francesco de una "bajada" de tablones guarnecidos de escalones. Durante el día, se cierra esa especie de cajón y se lo esconde debajo de una capa de arena.

La riqueza de los subterráneos supera todas las previsiones. En la gran galería, los epitafios de los sesenta y cuatro Apis proporcionan valiosas fechas sobre más de diez siglos. Trozos enteros de la historia del antiguo Egipto salen del olvido; aparecerán nuevas dinastías, cuya existencia se sospechaba apenas; acontecimientos coyunturales van a convertirse en realidad:

—¡Nada puede ser más excitante para un investigador! —dice Mariette a Lemoyne, único allegado admitido de noche en la excavación clandestina con Linant de Bellefonds.

Este último acaba de calcular el peso de un sarcófago: diecisiete mil kilos.

(Desde el descubrimiento de Mariette, ningún sarcófago de Apis fue extraído del Serapeum. Varios proyectos fueron abandonados por razones técnicas. La estimación de Linant de Bellefonds fue confirmada por especialistas modernos.)

Por temor a una traición, siempre posible, o a una "filtración", Mariette trabaja casi sin interrupción, olvidándose a veces de dormir. Examina cada objeto rápidamente, clasificándolo según su interés.

"En ese juego", escribirá Maspero, "Mariette adquirió una capacidad absolutamente excepcional para juzgar un objeto al primer golpe de vista, pues estaba obligado a dejar para más tarde un estudio más atento. Esa capacidad lo ayudará a lo largo de toda su carrera, y rara vez será sorprendido en error."

Al mismo tiempo, después de explorar las "grandes galerías" horadadas en la roca, que se extienden sobre más de cuatrocientos metros, y las cámaras funerarias construidas a ambos lados, busca hacia el norte otras cámaras funerarias más antiguas. El descubrimiento de las galerías que contienen tumbas de los reinados de Amenofis III y de los Ramsés confirmará esa intuición.

Mariette escribe a Emmanuel de Rougé para comunicarle las esperanzas que pone en una exploración completa de las tumbas de Apis. Rougé lo alienta a proseguir sus investigaciones y le asegura su ayuda.

Durante tres meses el trabajo prosigue febril y secretamente. Luego, de pronto, las precauciones resultan superfluas. Los esfuerzos de Lemoyne, que no ha cesado de negociar en El Cairo con Stephan bey, dan al fin sus frutos: Abbas Bajá anula su prohibición. Pero el firmán que concede, sin entusiasmo, va acompañado de una doble condición: Los objetos ya encontrados en Sakkara le serán restituidos, y todo lo que se extraiga en el futuro del suelo deberá serle entregado. No es cuestión de reparto.

Se adjunta al firmán la famosa lista de quinientas trece piezas y una cláusula suplementaria: a partir del día de la firma, la excavación quedará bajo el control permanente de una comisión franco-egipcia, la que podrá así verificar todos los objetos ya inventariados.

Esta última exigencia no preocupa a Mariette. Los objetos más interesantes ya han sido expedidos a París o están a punto de serlo. Se los transporta de noche, en bolsas reservadas al sorgo y a otros cereales. En Alejandría, se los embarca en naves francesas. Las fragatas *Albatros* y *Labrador* de la Armada Real transportarán decenas de cajones, con la complicidad del cónsul.

(Esta manera de proceder resulta hoy en día por lo menos criticable. En el contexto de la época, Mariette protegía, junto con el del Louvre, el interés de la ciencia. Los "monumentos"

115

entregados al virrey no eran estudiados, y tenían un destino aleatorio. Depositados en la ciudadela de El Cairo, eran distribuidos a visitantes, vendidos o robados por funcionarios sin escrúpulos. Uno de ellos, al carecer de materiales para su casa, hizo desbastar y pulir espléndidas estelas antiguas grabadas provenientes de Sakkara.)

Como primera consecuencia del firmán obtenido por Lemoyne, Mariette puede trabajar de día, suprimir el acceso secreto del subterráneo y abrir otras salidas que ha descubierto en el interior. Pero no ha previsto lo que va a suceder. Al despejar la entrada norte del subterráneo, los fellahs son arrojados al suelo por un chorro de vapor azulino que emerge de las profundidades del subterráneo y sube silbando hacia el cielo. Ni Bonnefoy, ni Hamzaui han asistido jamás a tal erupción al abrirse una tumba. Y el chorro continúa. Durante casi cuatro horas, el templo de Apis deja escapar un aire viciado almacenado desde hace más de dos mil años. Venidos de los alrededores, los fellahs se frotan los ojos y en la meseta circula el rumor de que los dioses de los antiguos egipcios, molestados en su sueño, han expresado por lo menos su descontento.

La autorización de excavar simplifica el trabajo en la obra y facilita el estudio del subterráneo. Es también fuente de nuevas dificultades, de nuevos ataques. El entorno del virrey no baja los brazos.

Mariette continúa el inventario y, al sondear el recinto del Serapeum, alrededor de la entrada, descubre, al norte, galerías más antiguas, que él llama los pequeños subterráneos. Una de esas tumbas de Apis, de la XIX dinastía, la de Ramsés II, parece haber escapado de los ladrones. Cuando se desliza en ella, Mariette ve, impresa en la delgada capa de arena que recubre el suelo, la marca de pies descalzos de los obreros que llevaron al dios buey a su morada de eternidad; sobre el cemento del muro, atravesada sobre la puerta, distingue ¡la huella de los dedos del sacerdote que hace más de tres mil años selló la tumba! Nadie penetró en ella después de la ceremonia fúnebre.

(Las condiciones de este descubrimiento inspirarán a Théophile Gautier su *Novela de la Momia*, publicada en 1858. En el prólogo, el joven y riquísimo lord Evandale y el extraño egiptólogo Rumphius descubren una tumba subterránea inviolada, bajo la conducción del mercader griego Argyropoulos. La escena se desarrolla no en Sakkara sino en el valle de Biban el Muluk, cerca de Tebas: "Sobre el fino polvo gris que enarenaba el suelo", escribe Gautier, "se dibujaba muy claramente, con la huella del dedo mayor, de los otros cuatro dedos y del calcáneo, la forma de un pie humano, el pie del último sacerdote o del último amigo que se había retirado, mil quinientos años antes de Cristo, después de rendir al muerto los honores supremos. El polvo, tan eterno en Egipto como el granito, había moldeado ese paso y lo conservaba desde hacía más de treinta siglos, como los lodos diluvianos endurecidos conservan la huella de las patas de los animales que los pisaron".

Las inscripciones no dejan duda alguna: el Apis cuya tumba acaba de encontrar Mariette murió en el año 23 del reinado de Ramsés II. Descifra por primera vez en Sakkara el nombre del príncipe real Kha em Uas o Khamuaset, cuarto hijo de Ramsés II, gran sacerdote de Ptah, quien le ofrecerá dentro de pocos días una emoción aún más fuerte.

En el transcurso de las excavaciones del recinto, Mariette ha observado, no lejos de la entrada de las grandes galerías, un pozo obstruido por enormes bloques de granito. Se ha propuesto forzar su acceso. Eso es posible ahora, que excava abiertamente. Sólo hay una solución: hacer saltar con pólvora los enormes bloques, procedimiento que hace temblar a los arqueólogos modernos, pero frecuentemente utilizado en esa época.

Se necesitan no menos de cien "petardos" para liberar el acceso de la cripta. Mariette se hace bajar y penetra dificultosamente en una cámara funeraria demasiado pequeña para un Apis. Al resplandor de su vela, distingue un sarcófago de madera de sicomoro de tamaño humano. Está dañado. Los ladrones, sin duda. Un examen más atento le permite comprobar, con emoción, que lo que ha causado el daño es un hundimiento de la bóveda. La tumba está inviolada.

El sarcófago contiene una momia de rostro cubierto por una máscara de oro: un rey o un príncipe. En el cuello, sujetas a una cadena de oro, una columnita de feldespato verde y una bola de jaspe rojo. En otra cadena de oro, dos amuletos de jaspe. Un maravilloso gavilán de oro despliega sus alas sobre el pecho del difunto. Alrededor, ushbetis, estatuas protectoras de porcelana, de Osiris-Apis, amo de la Eternidad.

Encontrar una momia inviolada, con sus joyas y sus amuletos, es el sueño que acaricia Mariette desde que se instaló en la necrópolis de Menfis. ¿Esperó alguna vez descubrir una momia real en el santuario de los Apis? Es poco probable. Al examinarla, descubre el nombre del príncipe Khamuaset, nacido de la esposa real Isisnefret, uno de los hijos preferidos de Ramsés II (tuvo además cincuenta), corregente del reino, mago y gran sacerdote de Ptah. En este último carácter, estaba encargado del mantenimiento y la vigilancia de la sepultura de los Apis. En el año 30 del reinado de su padre, que duró sesenta y siete años, organizó funerales de Apis que fueron ocasión de fiestas excepcionales. Hizo colocar los dos colosos que representan a su padre en la entrada del templo de Ptah y se dedicó a restaurar en Sakkara algunos monumentos antiguos amenazados de ruina, como la pirámide escalonada y la de Unas, rey de la V dinastía. (Por eso hoy en día se descifra el nombre de Ramsés II, el salvador, en algunos monumentos muy anteriores a su reinado.)

Heredero designado, Khamuaset murió antes que su padre en el año 55 del reinado de Ramsés II (éste, de ochenta años, debía reinar todavía doce años más).

Khamuaset fue enterrado con gran pompa por el clero de Ptah junto a los Apis, por los cuales había velado toda su vida, en la capilla descubierta por Mariette. Es un verdadero milagro que su sepultura se haya salvado de los saqueadores. Contiene cuatro vasos canopes de alabastro (para las vísceras), una estatua de Osiris de pie, de tamaño natural, en madera dorada, dos estatuas del príncipe en cerámica, pintadas de rojo y azul, y una estatua de Anubis, el chacal que reina en las tinieblas del más allá (actualmente en el museo de El Cairo).

En una de las paredes, Mariette descifra la fecha de la muerte del príncipe: "año 55", y una escena que representa a Ramsés II y a su hijo ofreciendo un sacrificio a Apis. La momia con máscara de oro es la del hijo de Ramsés. Mariette envía a París las suntuosas joyas, que causan sensación (siguen estando expuestas en el Louvre).

Más tarde, se encontrará un papiro que narra la vida legendaria de Khamuaset, el gran mago: se enamoró locamente de una cortesana consagrada a Bastit, diosa del erotismo, con cabeza de gato. La cortesana exigió al príncipe una serie de sacrificios, ¡incluso el asesinato de sus hijos! Él cumplió y ella se entregó por fin a él; pero, en el momento en que el príncipe iba a conocer el éxtasis, ella desapareció. No era más que una ilusión, o una alma muerta; los hijos del príncipe fueron salvados. Según otro papiro, fue el propio príncipe quien, por arte de magia, logró devolver a la que amaba al reino de los muertos.

(Se ha discutido la atribución de la momia descubierta por Mariette en el Serapeum. Un príncipe de ese rango, afirmaron algunos, no pudo ser inhumado en tan modesta cripta. Según ellos, no se trataba más que de una capilla de ofrendas y de una momia simbólica. Para Jean-Philippe Lauer, la momia encontrada por Mariette es la del príncipe. La discusión no ha terminado. En 1995, obras destinadas a un área de estacionamiento cerca de la tumba de Tutankamón, en el Valle de los Reyes, sacaron a la luz la sepultura común de cincuenta de los hijos de Ramsés II, hermanos y medio hermanos de Khamuaset. Las excavaciones que proseguirán durante varios años pueden aportar elementos complementarios al "expediente" Khamuaset.)

A poca distancia de la cripta del príncipe, Mariette descubre también, en las pequeñas galerías, capillas y sepulturas de Apis de la época de los Ramsés, llenas de ofrendas. Jamás había imaginado que Sakkara libraría tal cantidad de objetos, y de tal calidad...

Ahora sabe, por Rougé, que en París sus descubrimientos inspiran un vivo interés. Él piensa que se le concederá el suplemento de crédito que reclama. Se equivoca: los esfuerzos de Rougé, los de M. de Nieuwerkerke, íntimo del emperador, encargado de las Bellas Artes en el Ministerio del Interior, no tienen eco. Administrador de los créditos, el ministro hace oídos sordos. Ahora bien, la excavación está lejos de haber terminado; Mariette ha entregado los objetos reclamados por el virrey (más tarde circulará el rumor de que él mismo grabó ciertas estelas que carecían de inscripciones). Ha podido expedir a París cuarenta y un cajones en total legalidad. Uno de ellos contiene las joyas del príncipe.

"El tiempo transcurre lentamente", escribe él. "Hace un calor sofocante, pero el desierto no pierde nada de su encanto. En él se respira el mismo soplo de libertad que asigna el marinero al mar. Este suelo que yo excavo no tiene límites, más aún, yo soy su amo, y le estoy reconocido por todos los servicios que ya me ha prestado y hasta por las preocupaciones que me ha causado. Así explico la especie de fascinación que ejerce sobre mí cuando, a la tarde, contemplo el sol poniéndose en el polvo empurpurado del horizonte."

Mariette quiere ir rápido. Está lejos de haber extraído todos los objetos de los subterráneos, y los fondos se agotan. ¡Las palabras de aliento, los consejos de paciencia de Rougé o de Lenormant no son de ninguna utilidad en el desierto! Un obrero al que no se le paga, no trabaja. De nuevo, aparece el riesgo de cierre de la obra.

En las tumbas de dos Apis del tiempo de Ramsés II, en los pequeños subterráneos, Mariette ha recogido laminillas de oro, esparcidas en el suelo. Carecen de interés arqueológico, y representan unos dos kilos de oro fino, de muy buena ley. Después de consultarlo con Lemoyne, Mariette decide venderlas a los orfebres de Khan Khallili, uno de los mercados de El Cairo.

Obtiene con qué pagar a sus obreros durante dos meses. Dos meses de respiro.

Entre tanto, se ha producido en la excavación un acontecimiento que no tiene nada de arqueológico pero que no contribuye a aligerar los gastos. Cansada de esperar en París el regreso, constantemente postergado, de un marido al que no ha visto desde hace más de dos años, ¡Éléonore Mariette se ha embarcado a su vez con sus tres hijas pequeñas, en Marsella, con destino a Alejandría! Mariette sólo se entera cuando llegan a Egipto y, con una mezcla de emoción, de alegría y de inquietud, ve arribar su familia a Sakkara e instalarse en la pequeña casa de las arenas:

"Éléonore", escribirá él a un amigo, "había tomado su decisión. De todas maneras, yo no habría conseguido hacerle cambiar de idea."

La llegada de Éléonore modifica el ambiente de la obra. Con el carpintero Francesco, ella consolida los techos, las paredes, construye una habitación para las niñas y una especie de cuarto de duchas. Fija un alero por encima de la terraza que se abre sobre el desierto ocre. Crea para su marido un pequeño gabinete, al norte, al lado de la terraza. Desde el marco de su ventana sin vidrios, Mariette percibe a lo lejos las aguas brillantes del río y, destacándose sobre la cima rocosa del Mokkatam, la imagen lejana del palacio y de la mezquita de Mehemet Alí. Detrás, sobrepasando las ondulaciones del desierto, aparece la cúspide de la gran pirámide de Gizeh. Todo ese mundillo parece feliz, aun cuando el momento no haya sido particularmente bien elegido. Además de las dificultades financieras, Mariette se enfrenta a una nueva campaña de desprestigio y celos. Y Arnaud Lemoyne, su apoyo más eficaz, acaba de anunciarle su próximo nombramiento como ministro plenipotenciario en Lima, en el Perú. Si Abbas Bajá parece mostrarse un poco más comprensivo, los enemigos del francés intensifican sus ataques. En particular el comerciante Fernández, que sin embargo mantenía buenas relaciones con Mariette. Súbitamente ha cambiado de bando. Proclama que, por haber mostrado al francés esfinges provenientes de Sakkara, ¡él es el verdadero descubridor del Serapeum! Afirma igualmente, con el apoyo del cónsul austríaco von Huber, ¡haber vendido el Escriba sentado a Mariette!

(En París, Prisse d'Avennes, celoso de Mariette, defenderá por un momento esa tesis caprichosa. Maxime Du Camp, por su parte, afirmará haber localizado el Serapeum antes que Mariette.)

A su vez, el comerciante Harari reivindica la paternidad del descubrimiento de los subterráneos. Con sus tres mujeres, barrigudo y voluble, aparece un día en la excavación, tocado con un enorme fez, reclamando "su parte". Mariette lo echa sin miramientos. Para no quedar mal ante sus mujeres, Harari promete vengarse. Mariette no oirá hablar más de él.

(La calumnia es de larga vida. En su libro *Sauvez les Pyramides*, Robert Laffont, 1981, el cineasta alemán Peter Ehlebracht escribe: "El mercader Salomón Fernández fue el verdadero 'inventor' del Escriba sentado, que cedió a Mariette por ciento veinte francos".)

Se reanuda la intriga en el entorno de Abbas Bajá. Mariette, como de costumbre, rechaza a los que le aconsejan prudencia. Se equivoca: una tarde, mientras pasea solo por la obra, dos hombres a caballo, mercenarios albaneses, surgen del desierto, le apuntan y descargan sus fusiles en su dirección. Él oye silbar las balas cerca de sus oídos. No es alcanzado por milagro.

—¡Siempre pensé que los arnautas (albaneses) eran muy malos tiradores! —declara a su mujer al regresar a su pequeña casa.

Él jamás sabrá quién pagó a los asesinos. Y no cambia en nada la rutina de las excavaciones. Ahora sondea el recinto del templo de Apis por encima de los subterráneos. Pero está preocupado. París hace oídos sordos a sus requerimientos. ¿Se verá obligado a interrumpir los trabajos? Confía su inquietud a Rougé. Éste, carente de mecenas, le propone entonces, para ganar tiempo, una operación concebida por el astrónomo Jean-Baptiste Biot, celebridad de la época. Biot desea confirmar una hipótesis que ha formulado varios años antes: la gran pirámide de Keops sería también un gigantesco gnomón o cuadrante solar, ancestro de todos los relojes. Por la aparición y la desaparición de la luz solar sobre sus caras, la pirámide marcaría en particular los equinoccios y los solsticios anuales con un ínfimo margen de error.

Mariette conoce esa teoría, evocada ya por los viajeros del siglo XVI, el conde de Chazelles y el abate de La Caille. Hacia 1700, Paul Lucas, enviado de Luis XIV y autor de un tratado sobre Egipto que obtuvo, ya entonces, un resonante éxito, escribía: "Los reyes construyeron tumbas que son también gnomones o cuadrantes solares para señalar con sombras las conversiones del Sol en los solsticios".

En un capítulo de la célebre *Descripción*, Jomard retoma esas teorías. Según él, la gran pirámide estaba también destinada a conservar el codo egipcio, unidad de medida nacional descubierta en el nilómetro de Elefantina. A Jomard le había sorprendido la precisión de la orientación al norte de la gran pirámide. Para él, la gran galería interior que conduce a la cámara funeraria era un inmenso telescopio con una inclinación de 25 a 26°. Desde su punto inferior, se observaban las estrellas de la eclíptica, como Sirio, que se reflejaba en un espejo de agua. Jomard, al medir la gran pirámide, encontró valores como el radio del globo terrestre o la distancia de la Tierra al Sol, nociones como la de la invariabilidad del polo. Dedujo de ello que los sacerdotes-arquitectos poseían considerables conocimientos en matemáticas, geografía y astronomía.

Para Jomard, como para Biot, la gran pirámide es pues un gnomón que indica con la proyección de su sombra las estaciones, el solsticio de invierno, el equinoccio de primavera, el solsticio de verano, el equinoccio de otoño. El año astronómico está definido allí con precisión: la cara norte permanece en la sombra la mitad del año. "Cuando la sombra de mediodía aparecía en la cara norte", escribe Jomard, "los habitantes del delta sabían que era el 14 de octubre, y que la siembra podía comenzar."

Una tradición, narrada por Casiodoro, Solin y otros autores antiguos, afirma que la gran pirámide devora su sombra. Al mediodía, en el momento de los grandes equinoccios, a un espectador ubicado en el centro de la base norte le parece que el disco solar está posado en la cima. Toda sombra desaparece entonces de esa cara.

Mariette sabe también que Piaza Smith, astrónomo real británico, acaba de establecer que las diagonales prolongadas de la gran pirámide encierran exactamente el delta formado por el Nilo en su desembocadura, y que su meridiano (línea norte-sur que pasa por la cima) divide al delta en dos sectores rigurosamente iguales. ¿Es posible pensar que se trate de una coincidencia?

Pero hay también todo un fárrago de leyendas y de elucubraciones nacidas de los relatos de los cuentistas árabes, en particular el del califa Al Mamun que fue, al parecer, el primero que penetró en la gran pirámide en el siglo XII: habría encontrado la estatua de un hombre con coraza de oro, una espada de rubíes y una enorme esmeralda deslumbrante. El propio Jomard, en la *Descripción*, se manifiesta persuadido de que se celebraban misterios e iniciaciones en sus salas inferiores...

La gran pirámide de Gizeh siempre hará soñar. Pero para Biot, la teoría del gnomón no pertenece al dominio del sueño. Pide a Mariette que observe el equinoccio de la primavera de 1853 sobre el alineamiento de las caras de la gran pirámide, y que mida la sombra notada. Mariette nunca ha hecho observaciones de esa clase. Acepta por consejo de Rougé. Muy pronto, se le revela la dificultad de la tarea. Están en marzo. El tiempo es malo. La desaparición del revestimiento de la pirámide complica las mediciones. Mariette se ve obligado a alejarse. Logra sin embargo realizar la observación, concebida por Biot en la calma de su gabinete. Se confirma la hipótesis del astrónomo: la gran pirámide era efectivamente un gnomón; los datos que proporcionaba eran de una precisión casi increíble; los sacerdotes de Menfis debían de utilizarlos para otros cálculos. Biot rinde homenaje a Mariette: "El trabajo que me ha remitido es notable en todos sus puntos, y testimonia una excepcional maestría en la utilización de los instrumentos de medición. Un astrónomo de profesión no habría actuado de otro modo".

Aun antes de que esos resultados sean conocidos en París, Mariette experimenta un gran alivio: los esfuerzos de Rougé y de Nieuwerkerke han dado, una vez más, sus frutos; le ha sido votado un "último" crédito de cincuenta mil francos. ¡La excavación está salvada! En la casa de las arenas se brinda alegremente. Las comodidades han mejorado un poco más. Hay un pequeño jardín donde Marguerite-Louise, Joséphine y Sophie, de seis, cuatro y tres años respectivamente, juegan con perros, mansas gacelas, monos, y hasta un jabalí domesticado. Hay también, desde hace poco, un pequeño cuarto llamado pomposamente habitación de huéspedes, equipado con una somera cama hecha con tres tablas, un colchón de paja, un banquillo y una jofaina con su jarra. Visitantes venidos de El Cairo suelen ocuparla. Desde hace poco, se aloja en ella un joven egiptólogo de Berlín, Heinrich Brugsch.

Mariette lo conocía por sus trabajos sobre el demótico, escritura cursiva utilizada por la administración egipcia a partir de fines del siglo VIII a.C., de la que no se han descubierto todos los secretos. Brugsch recibió una beca de mil quinientos táleros del rey de Prusia, enamorado de la egiptología (él financió la expedición de Karl Richard Lepsius, que enriqueció el museo de Berlín) y desembarcó en Alejandría, proveniente de Trieste, en un vapor del Lloyd austríaco. Abbas Bajá, sumido en sus sueños de hachís y en su depravación homosexual, no consideró bueno recibirlo. El cónsul von Huber, enemigo declarado de Mariette, le ha reservado, en cambio, una calurosa acogida. Sin embargo, ¡es con su colega francés con quien el joven investigador alemán traba una verdadera amistad! Llegó al Serapeum de Sakkara y ya no se marchó. Entre los dos hombres, apasionados por la investigación, enamorados del antiguo

Egipto, ha nacido una inmediata simpatía. Aunque Brugsch sea seis años menor que Mariette, se parecen físicamente: ambos son fuerzas de la naturaleza, encarnizados en el estudio pero amantes de la buena vida, inclinados a las bromas, capaces de pasar la noche discutiendo... y bebiendo vino o cerveza. Brugsch, seducido, aceptó sin vacilar la invitación de Mariette y depositó su equipaje en la "habitación de huéspedes". Al principio está un poco sorprendido:

"Serpientes reptaban sobre el suelo", escribirá en sus *Memorias*, "las hendiduras del muro rebosaban de tarántulas o escorpiones, grandes telas de araña colgaban del techo a guisa de estandartes. En cuanto caía la noche, los murciélagos, atraídos por la luz, se introducían en mi celda por los batientes de la puerta y terminaban por perturbar mi descanso con su vuelo espectral. Antes de dormirme, ponía los extremos de mi mosquitero debajo del colchón, luego me encomendaba a la gracia de Dios y de todos los santos, mientras chacales, hienas y lobos aullaban alrededor de la casa."

Brugsch, aunque filólogo, se apasiona por las excavaciones alrededor del Serapeum. Fue a pasar el día a Sakkara; ¡se quedará ocho meses! Participa en los trabajos echando una mano a Mariette y a Bonnefoy, mientras recoge elementos para su gramática demótica. Hasta brinda su ayuda en las operaciones de embalaje.

Los curiosos se suceden ahora por el lugar. Mariette tiene la sorpresa de ver una de las estelas del Serapeum reproducida en una revista alemana, ¡con un comentario del ilustre Karl Richard Lepsius!

"Ignoro cómo se procuró esa pieza", escribe Mariette a Rougé. "Mucha gente penetra en el gran subterráneo. ¡Quedan objetos alrededor en la arena! ¿Quizá también hayan sobornado a uno de nuestros obreros?"

Deduce que debe ponerse "cuanto antes" a trabajar y a hacer público el resultado de sus descubrimientos antes de que otros se encarguen de ello. Resolución que en parte quedará incumplida, pues no logrará publicar completamente los descubrimientos del Serapeum. El trabajo será terminado sólo después de su muerte, por Gaston Maspero.

Sabios, amantes de las antigüedades o simples curiosos venidos de toda Europa y hasta de América, afluyen al Serapeum. Algunos franquean sin miramientos la puerta de la casa de las arenas, con gran indignación de Éléonore:

"Parecen creerse en su casa", escribe ella a una amiga. "Algunos se quejan de que nuestro recibimiento carece de cordialidad. Beben nuestra agua, comen nuestras provisiones, ¡pensando sin duda que las encontramos gratuitamente en el desierto!"

Mariette y Brugsch suelen verse obligados a ocultarse para escapar de los indiscretos o de los importunos. A pesar de la ayuda que le brindan el reis Hamzaui y su hijo, el gentil Rubi, Éléonore comienza a soñar con el regreso a Francia. Como los fondos se han agotado nuevamente —ahora es ella quien administra la caja de la misión—, piensa que se acerca el momento de la partida. Es no tener en cuenta el carácter voluntarioso de su marido. La excavación del Serapeum ha terminado, pero él tiene otros proyectos. No piensa abandonar tan pronto Egipto. Recurre, como de costumbre, a Rougé. Es entonces cuando éste le consigue de su amigo, el duque de Luynes, la subvención de seis mil francos para el estudio de la Esfinge. Para Rougé, eso es un respiro, algo de tiempo ganado antes de un nuevo intento ante el Ministerio.

Mariette cumple con brío esa misión dando la clave del enigma de la estructura de la Esfinge y despejando el templo de granito rosado que la flanquea. Esa misión lo lleva también más lejos de lo previsto: en la vertical de la Esfinge, las excavaciones se eternizan. Él se siente cerca de un gran descubrimiento: ¿su intuición le ha traicionado alguna vez?

Falto de dinero, reduce una vez más su equipo. Como de costumbre, pide préstamos al nuevo cónsul de Francia, Sabatier, y a sus amigos de El Cairo. Al mismo tiempo, suplica a Rougé que intervenga:

"Hervimos", escribe.

Brugsch cuenta que da pena ver su impaciencia, su inquietud. Tras un último informe de Rougé, se le anuncia el envío de diez mil francos. Los últimos. Apenas bastan para pagar los salarios atrasados y las deudas de la casa de las arenas. Pero no alcanzan para devolver los préstamos a los amigos.

Hay que interrumpir la obra del templo de la Esfinge, cuando la excavación se encuentra a un metro solamente del antiguo suelo y de eventuales hallazgos. Mariette despide a sus obreros:

"Diez o doce días suplementarios", escribirá él, "algunos miles de francos más, y hubiéramos accedido a las magníficas estatuas de Kefrén, constructor de la segunda pirámide, obra maestra de la estatuaria antigua, que se cuenta entre los testimonios más conmovedores de la historia humana."

El plazo no le es acordado; tampoco la modesta suma que reclama. Abandona Gizeh. En Sakkara, el inventario de las galerías y de las tumbas del Serapeum está terminado. Los últimos cajones han sido embarcados a Alejandría, a bordo del *Labrador*. Cierra la obra y decide regresar a Francia, con gran satisfacción de su mujer. Están en septiembre de 1854. Sólo debería haber permanecido unos meses en Egipto. Permaneció cuatro años. El próximo barco correo con destino a Marsella zarpa dentro de quince días.

CAPÍTULO

7

Una obra

que huele a azufre.

La creación del mundo.

Gira triunfal en Europa.

Regreso a Egipto

en el séquito

de un príncipe.

—Desventurado el que causa escándalo, señor Mariette. Usted conoce las Sagradas Escrituras, ¿verdad? La *Memoria* que acaba de publicar ha provocado una gran conmoción...

Monseñor Dumas, eminente miembro del Instituto, guardián del dogma católico romano, fija sobre el joven arqueólogo una mirada severa. Auguste Mariette, por consejo de Rougé, católico ferviente, ha decidido adoptar una actitud contrita, si no arrepentida:

—Me declaro inocente, Monseñor. Mi buena fe es total. He sido educado en el respeto de nuestra religión. Si mi *Memoria* sobre el Serapeum ha ofendido a ciertas sensibilidades, no ha sido ésa mi intención. Lo lamento profundamente y le presento mis excusas...

Monseñor Dumas no parece convencido. En efecto, Mariette sólo expresa un arrepentimiento de circunstancia.

¿De qué se trata? A principios del año 1856, los editores Gide et J. Baudry, 5 rue Bonaparte, París, han puesto en venta un opúsculo de unas treinta páginas, firmado "Aug. Mariette". El pequeño libro ha sido un éxito.

En la tapa hay un dibujo. Representa a una divinidad sentada junto a una vaca moteada que lleva un disco solar. Un adorador arrodillado completa el grupo. El título es: *Memoria sobre esta representación grabada en el encabezamiento de algunos procinemos del Serapeum.* (El procinemo es un texto de adoración dedicado a una divinidad.) Como subtítulo se lee: "donde se establece: 1. Que la vaca asociada al culto de Apis no es una Hator. 2. Que no es una vaca mística. 3. Que tampoco es una compañía favorita de ese dios. 4. Que es una madre de Apis. Una madre virgen fecundada sin contacto con el macho".

Esta última conclusión es la que desató la tormenta. Auguste Mariette desarrolla la idea de que Apis, encarnación de Osiris, hijo del dios Ptah, fue concebido sin otra intervención que la palabra divina, Verbo o Logos. Imposible no descubrir en ello una prefiguración del dogma de la concepción de Cristo, de la Encarnación.

Ahora bien, en 1855 arrecia el combate religioso. Renan se apresta a publicar la *Historia de los orígenes del cristianismo* (más tarde la *Vida de Jesús* le valdrá la condena de la Iglesia). Mariette ha conocido a Renan y le ha expuesto su concepción del monoteísmo egipcio. Entre ellos nació una amistad a veces tormentosa que se consolidará más tarde, durante un viaje de Renan a Egipto. La idea según la cual la religión egipcia, poblada de dioses y de diosas innumerables y multiformes, es, en sus orígenes, fundamentalmente monoteísta, es compartida por numerosos sabios. (Renan escribe que la idea del Dios Único sólo pudo nacer en el desierto.) Hasta Rougé acepta esa teoría, guardándose muy bien, como cristiano conformista, de buscar asociaciones más precisas. François-Joseph Chabas, de Chalon-sur-Saône, filólogo de gran nombradía, con quien Mariette debatirá más tarde sobre otros temas, ha escrito también que los dioses del antiguo Egipto ¡no eran más que diversos aspectos del Dios Único! Pero afirmar que la más antigua religión del mundo se basa en el concepto de una sola potencia divina, increada y omnipresente es una cosa; ver en esa religión la fuente lejana, a través de la madre de Apis, del dogma de la Virgen y del Verbo, es otra.

De buen grado o no, Mariette, por consejo de Rougé, presenta a Monseñor Dumas el rostro de la contrición. Pero es demasiado tarde. Ha levantado contra él al partido de los "ultramontanos" (hoy se los llamaría "integristas") cuya influencia es grande en el entorno del emperador. Mientras que honores y recompensas, provenientes del extranjero, van a llover sobre él, ¡deberá esperar veinte años para que el Instituto de Francia le conceda el título de miembro de pleno derecho!

"Poseía un fondo religioso y hasta místico", anota su hermano Édouard. "Pero no encontraba encanto en el cristianismo, tal como se había desarrollado e ilustrado en nuestras iglesias."

Algunos hasta afirmaron que demostraba cierta desconfianza hacia el catolicismo romano. Se señaló una inclinación volteriana y su gusto indiscutible por el espiritismo, la telepatía, los fenómenos de magnetismo. Le gustaba hacer girar las mesas en compañía de médiums célebres e invocar a los espíritus. En 1870, bloqueado en París durante el sitio por los prusianos, ése llegará a ser uno de sus pasatiempos favoritos. Nunca se expresó de manera precisa sobre el problema de la fe, como tampoco sobre sus opiniones políticas. Se alejó de la religión, sin combatirla jamás. Del mismo modo que siguió siendo republicano mientras servía al Imperio.

(En 1869, catorce años más tarde, su idea sobre el monoteísmo egipcio habrá evolucionado. Escribirá en *El Itinerario del Alto Egipto*, redactado para los invitados a la inauguración del canal de Suez: "Si Amón es en Tebas el 'primero del primero', si Ptah es en Menfis 'el padre de los seres', sin comienzo ni fin, es porque todos los dioses egipcios son revestidos separadamente de los atributos del Ser. En otros términos, se encontrará en todas partes dioses inmortales e increados; pero en ninguna parte el Dios Único, invisible, sin nombre y sin forma, que planea en la cima más alta del panteón egipcio [...]". Escribirá también que sólo Osiris era universal y reinaba igualmente sobre todas las partes del Egipto.)

De todos modos, ante la conmoción provocada por su *Memoria*, no escribirá nada más sobre la madre virgen de Apis. Se concentrará en el gran proyecto que no logrará llevar a término: una serie de veinte volúmenes de gran formato sobre el Serapeum, con numerosas ilustraciones. Luego decide alejarse. Solicita al Louvre una misión para ir a examinar las colecciones egipcias de los grandes museos de Europa. Elige Berlín en primer lugar. El rey de Prusia, Federico Guillermo IV, le ha cursado una invitación oficial; su amigo Heinrich Brugsch lo incita a aceptar y le ofrece alojamiento en su casa.

Mariette reencuentra con emoción a su huésped de la casa de las arenas, el testigo de la aventura del Serapeum, el compañero de los momentos difíciles. Su notoriedad —Brugsch goza de la protección del rey y de la amistad del gran Lepsius— no ha alterado su buen humor. Desde la primera noche en Berlín, lleva a su amigo a su taberna favorita. Beben, ríen, se divierten: ¡los dos amigos no regresan hasta el alba! El museo de antigüedades egipcias está instalado, desde hace cinco años, en un palacio nuevo, en la punta de la isla llamada de los museos. Dirigido por Lepsius, no cesa de enriquecerse. Ya en 1820, el rey de Prusia había enviado a Egipto al barón Minutoli, en busca de objetos antiguos. Él fue quien descubrió, con Segato, la entrada de la pirámide escalonada de Sakkara. Lamentablemente, la casi totalidad de los objetos obtenidos se hundió con el gran velero *Gottlieb* en la desembocadura del Elba.

(Allí se encuentran todavía. Habida cuenta de los progresos realizados en arqueología submarina, y pensando en los trabajos efectuados recientemente con éxito en el emplazamiento del faro de Alejandría, no parece imposible su reflotamiento. Señalemos también que el sarcófago de Micerino, extraído más tarde de la pirámide del rey por el coronel inglés Vyse ayudado por Perring, se hundirá igualmente en alta mar, frente a las costas de Portugal. Su reflotamiento parece mucho más aleatorio. Del sumergido sarcófago de Micerino no tenemos más que un dibujo realizado por Perring.)

La base del museo egipcio de Berlín es la colección del arqueólogo aficionado italiano Giuseppe Passalaqua. Esa colección en la que había colaborado el infatigable cónsul de Francia, Drovetti, fue subastada en 1826 y rechazada por el Louvre y por el Museo Británico, en razón de su precio demasiado elevado.

(Otra razón de ese doble rechazo fue sugerida más tarde: el rey de Francia, Carlos X, habría cedido a las presiones de la Iglesia. En efecto, algunas de esas antigüedades evocaban una civilización que se remontaba más allá del año 4004 antes de nuestra era, por entonces fecha "oficial" de la creación del mundo. Es posible que el mismo escrúpulo hiciera vacilar, en esa época, a los compradores del Museo Británico. ¿Acaso no fue un inglés, el arzobispo James Ussher, quien determinó en el siglo XVII la fecha de la creación del mundo?)

La expedición de Karl Richard Lepsius, de 1842 a 1845, procuró al museo de Berlín más de mil quinientas piezas de gran calidad, entre las cuales se cuentan numerosos dones de Mehemet Alí. Lepsius gozó de enormes créditos (cien mil táleros). Logró rodearse de un equipo de especialistas y avanzó hasta Sudán. En Menfis, localizó cincuenta pirámides y esbozó una teoría según la cual el volumen de cada una era proporcional a la longevidad del rey que la hacía edificar. Reunió numerosos papiros. Transportó, desmontadas, tres sepulturas de Gizeh y de Sakkara. Y si se le escapó la famosa cámara de los reyes de Tutmosis III, estudiada por Mariette antes de su partida, fue merced a un engaño de Prisse d'Avennes.

Para alojar ese tesoro, el rey de Prusia decidió hacer construir el nuevo museo de Berlín. Mariette descubre en él asombrosas reconstituciones cuya decoración apenas está seca. En particular, un patio de templo comprendiendo veinte columnas, enteramente recubierto de pinturas (esta concepción museográfica pronto habría de ser objeto de vivas críticas). A Mariette le conmueve más la mastaba, con estatua, de Meten, administrador de los dominios de la IV dinastía, descubierta por Lepsius en Sakkara, desmontada y reconstruida en forma idéntica (anastilosis). Mariette se interesa igualmente por una pequeña estatua de madera de Montuhotep, descubierta por Passalaqua en una tumba de la XII dinastía. Hecha de varias piezas de maderas diferentes, esa estatuilla pasaba por ser, hasta el descubrimiento del Escriba, el primer retrato esculpido de la historia del arte. De la misma tumba, Passalaqua extrajo notables maquetas de barcos, con personajes.

Mariette se inclina también sobre un espléndido cofre pintado encontrado en Karnak por Minutoli, que escapó milagrosamente del naufragio del *Gottlieb*. El cofre formaba parte del mobiliario funerario de un sacerdote de Amón. Por fin, y un poco curiosamente, Mariette concentra su atención en un sarcófago fenicio. Escribirá un informe sobre él para la revista *Atheneum*. Nos vemos obligados a pensar que consagró su estancia en Berlín más a la vida mundana, a las fiestas y a los paseos con Brugsch que a un profundo estudio del museo.

Invitado al palacio de Charlottenburg, residencia de verano de los soberanos, Mariette conoce al fin a Karl Richard Lepsius, que corrige las pruebas de un gran libro sobre su expedición. Tiene frases agradables para su joven colega francés que trae consigo láminas del Serapeum. Después de la cena, Federico Guillermo IV las examina con mucha atención. El rey ha leído todo lo publicado en las revistas, y la precisión de sus observaciones y de sus preguntas impresiona a Mariette:

"Una gran sorpresa apareció en el rostro de mi amigo", contó Brugsch en sus recuerdos. "¡Detrás del soberano, Mariette discernía a un verdadero egiptólogo!"

Antes de despedirse, el anciano rey —que pronto confiará la regencia a su hermano menor— anuncia a Mariette su nominación en la Orden del Águila Roja. Sensible a los honores, el ex profesor de Boulogne-sur-Mer experimenta una viva satisfacción.

De regreso en París, redacta artículos sobre sus trabajos, una descripción exacta de los subterráneos de Sakkara, y el catálogo de las sesenta y cuatro sepulturas de Apis. Otros artículos sobre el Serapeum se publican en el *Atheneum*, hasta que el editor Franck, en dificultades, decide interrumpir la publicación de la revista.

Por fin aparece el primero de los veinte tomos de *Monumentos y dibujos descubiertos en el Serapeum*. Consta de láminas y comentarios. Entre esos documentos hay una reproducción del plano esbozado en Sakkara por Lepsius en 1842 —ocho años antes de Mariette— que muestra maliciosamente que la comisión prusiana, provista de medios considerables, había pasado, sin localizarla, muy cerca de la entrada de los subterráneos sagrados. Otras láminas se refieren a la gran galería, a los enormes sarcófagos, a las estatuas griegas del hemiciclo, etc.

Ese trabajo de escritorio, como su actividad en el museo, están lejos de agotar la energía de Mariette. Poco después de su regreso de Berlín, en septiembre de 1855, su mujer ha dado a luz un cuarto hijo, otra niña, Marie-Émilie. Se inaugura la gran Exposición parisina, inspirada en la que acaba de cerrarse en Londres, que celebra cuarenta años de paz, después de Waterloo. El mismo tema principal es el triunfo de la industria. El príncipe Luis Napoleón, primo del emperador, el famoso Plon Plon, es su presidente. Dentro de poco tiempo desempeñará un papel esencial en la continuación de la carrera de Mariette.

Ese año, París es el punto de cita de Europa. Ausente durante la visita histórica de la reina Victoria (ningún soberano británico había ido a Francia en visita oficial desde la guerra de los Cien Años), Mariette conoce a numerosas personalidades atraídas por la Exposición, como el legendario padre Enfantin, apóstol del saint-simonismo, que defiende desde hace veinte años en Egipto la idea del canal de los dos mares. Se cruza igualmente con el duque de Morny, medio hermano y hombre de confianza del emperador, sumido, con los Rothschild y los Pereire, en tenebrosas combinaciones financieras y a sueldo de los ingleses. En el pabellón de las Bellas Artes, Mariette participa del triunfo del escultor Rude, de los pintores Ingres y Delacroix. Ve también iniciarse una nueva forma de expresión, a través de las primeras telas de Courbet. En noviembre, asiste al concierto dirigido por Berlioz (novecientos músicos y coreutas). Flaubert publica *Madame Bovary*. Acaba de inaugurarse el servicio del ferrocarril París-Marsella. El trayecto se efectúa en veinticuatro horas. La guerra de Crimea ha terminado. Es una época excitante, rica, prometedora. Pero él, Mariette, piensa en Egipto. ¿Qué puede esperar de París? El puesto de conservador de las Antigüedades Egipcias en el Louvre pertenece a Rougé, que sólo tiene diez años más que él. Por otra parte, Mariette sabe que él no es para esa clase de funciones. Él desea aventuras, espacio... el desierto. Desea excavar en busca de testimonios, de vestigios de un pasado que le apasiona. Ya no soporta estarse quieto.

Champollion escribió *La ruta de Menfis y de Tebas pasa por Turín*. A comienzos de 1857, Mariette consigue una nueva misión del Louvre y unos días después del nacimiento de su quinto hijo, su primer varón, Alphonse-Paulin, al que apodará Tady, parte hacia la capital del Piamonte, por entonces la ciudad más importante de Italia desde el punto de vista político y cultural.

Su museo egipcio fue creado en 1824 en un palacio barroco del siglo XVI, primeramente reservado al colegio de los nobles, convertido luego en Academia de Ciencias. Desde 1760, Turín posee una célebre estatua de Ramsés II, encontrada en Karnak por Vitaliano Donati, y la estatua no menos célebre de la reina Teie, bajo el aspecto de Isis. El rey Carlos Félix del Piamonte adquirió la primera colección, rechazada por el Louvre, del piamontés Bernardo Drovetti, luego cónsul de Francia, en cuatrocientas mil liras (la mitad del presupuesto anual del Estado para la educación). Cinco mil trescientas piezas, entre ellas algunas estatuas monumentales de más de cinco metros. El transporte de la colección, desde el puerto de Livorno a Turín, ¡se efectuó mediante carretas tiradas por bueyes! Entre los tesoros llegados al Piamonte, se encuentran numerosos papiros que representan una suma desigual de informaciones. La mayoría son copias del Libro de los Muertos, lista ilustrada de fórmulas rituales que se depositaba junto a la momia para ayudar al difunto a afrontar las experiencias desconocidas del más allá y a triunfar en su vida después de la vida. Uno de esos papiros mide ¡diecinueve metros! Otro, conocido con el nombre de *Papiro de Turín*, proporciona, con cierto desorden, los nombres de los soberanos de Egipto desde los orígenes hasta el año 1600 antes de nuestra era. Otro cuenta un proceso por traición a Ramsés III y termina con la condena a muerte del acusado. Hay también papiros poéticos como *El canto del sicomoro*. Champollion estudió detalladamente la colección Drovetti, mientras se la instalaba en el museo. Cuando Mariette llega a Turín, Drovetti acaba de morir, loco, en un asilo de la ciudad.

En el palacio de la Academia, Mariette experimenta un verdadero impacto ante las obras del Imperio Medio tebano, que conoce poco. La estatua de Tutmosis II, la de Amenotés II arrodillado, el Harnais de pie junto a su padre Amón, obras de la XVIII dinastía, le parecen cargados de un significado singular. Ese encuentro modifica toda su visión del arte egipcio.

Como en Berlín, Mariette es invitado a la mesa del soberano, que le dirige las felicitaciones acostumbradas y le entrega las insignias de la Orden de San Mauricio y Lazard. La Academia de Ciencias de Turín lo nombra miembro corresponsal. Descubre el sabio tratado del padre Ungarelli sobre los obeliscos de Roma, y regresa a París.

Estamos a comienzos de 1857. Francia se lanza a una serie de grandes obras. Said Bajá, el nuevo virrey, ha acordado finalmente a su amigo Ferdinand de Lesseps, primo de la emperatriz Eugenia, ex cónsul de Francia en Egipto, la concesión del canal de los dos mares (todavía no se llama canal de Suez). Tiempo atrás, Lesseps había recibido de Mehemet Alí el encargo de completar la educación de su hijo Said ¡y de hacerlo adelgazar! Lesseps había cumplido esa misión respetando los gustos y la glotonería de su alumno. Éste no lo ha olvidado. Al entregar a Lesseps el firmán fechado el tercer día de ramadán de 1271, verdadera acta de nacimiento del canal, ha indicado:

—Es mi manera de darle las gracias, señor de Lesseps, por los suculentos macarrones que su cocinero me servía entre dos sesiones de equitación.

(Al recibir más tarde a Lesseps en la Academia Francesa, Anatole France evocará ese plato de macarrones que, según él, "pesó en la historia de la humanidad como cierto plato de lentejas".)

Lesseps, después de haber estudiado todos los trabajos realizados desde años atrás sobre el proyecto del canal por el padre Enfantin, Linant de Bellefonds, Negrelli, Talabot y otros, de consultar los sondeos de Stephenson en el mar Rojo, estimó en cinco años la duración de las obras (durarán catorce). Creó una sociedad de accionistas, apoyada por una nueva legislación que acababa de ser votada en Francia. Indirectamente, Auguste Mariette se encontrará asociado a ese inmenso proyecto.

La historia del regreso de Mariette a Egipto se parece a una novela de Alejandro Dumas. El personaje clave es desconcertante. Es Plon Plon, el príncipe Luis Napoleón, sobrino de Napoleón I, primo de Napoleón III y heredero del trono hasta el reciente nacimiento del príncipe imperial.

Hijo del viejo rey Jerónimo, hermano de Napoleón I, hermano de la princesa Matilde, apodada "Nuestra Señora de las Artes", Luis Napoleón jamás ha aceptado el triunfo de su primo. ¡Piensa que es a él a quien debería haberle correspondido la corona! Ese sentimiento de ser víctima de una injusticia no ha alterado su vitalidad ni su patriotismo, pero se le reprochan algunas licencias de lenguaje y las críticas dirigidas constantemente a la corte. Amante de la buena vida, enamorado de la actriz Rachel, no vacila en asociarse a intrigas, aunque vive en las Tullerías, muy cerca del emperador. Detesta particularmente a Eugenia, la joven y bella emperatriz. Al privarle de su derecho de primer sucesor, el nacimiento del príncipe imperial ha acrecentado su resentimiento. Al pedírsele firmar el acta, ¡se las arregló para derramar, como por descuido, el contenido del tintero! Es turbulento, molesto, pero, según la opinión general, inteligente, culto e inofensivo.

También le gusta el arte, y particularmente la egiptología. A comienzos del año 1857, manifiesta el deseo de visitar los monumentos del valle del Nilo. Cabe interrogarse sobre las verdaderas razones de ese deseo. ¿Se trata, como él lo pretende, de una iniciativa personal dictada por la curiosidad? ¿O bien ha recibido de su primo el emperador —al que por otra parte no le disgusta alejarlo— una misión de diplomacia secreta justificada por su talento real de negociador? En París se sabe que la Inglaterra de lord Palmerston multiplica los emisarios a Egipto en la esperanza de combatir la influencia francesa y hacer interrumpir los trabajos del canal. Es posible también que el príncipe Napoleón, amigo de los grandes financistas Pereire y Rothschild, también interesados en el proyecto de Lesseps en el que vislumbran importantes posibilidades de ganancia, haya recibido una misión secreta de información. Este punto nunca ha sido esclarecido.

Mariette, por su parte, va a encontrarse asociado al viaje del príncipe, sea cual fuere su verdadero objetivo. En efecto, ¿quién es más apto que él para conducir al príncipe a Menfis, a Sakkara y, por qué no, al valle? Rougé y Lenormant mantienen buenas relaciones con el secretario de Lesseps, el joven y brillante Jules Barthélemy Saint-Hilaire. Traductor de Aristóteles, amante de las antigüedades, goza de los favores de la Universidad (será, por otra parte, miembro del Instituto y hasta ministro de Relaciones Exteriores en 1881). Saint-Hilaire arregla una entrevista entre Lesseps y Mariette. La entrevista es cordial: los dos hombres no pueden dejar de comprenderse, y de entenderse. Lesseps tiene la pasión y la experiencia del Oriente, un gusto muy seguro por las antigüedades. Escucha atentamente las palabras de Mariette: un patrimonio artístico y cultural único está amenazado por la destrucción si no se toman muy pronto medidas de protección.

—¡En cuatro años —le dice Mariette— he visto desaparecer centenares de tumbas! No le doy más que un ejemplo: la tumba de Horemheb en Menfis fue destruida casi ante mis ojos por los ladrones. Sus pedazos se hallan dispersos en museos y colecciones privadas. ¡Hasta su emplazamiento se ha perdido!

Mariette le participa su impaciencia. Lesseps habla del próximo viaje arqueológico del príncipe Napoleón, de las intrigas que se tejen constantemente alrededor del virrey, su amigo.

—Estoy dispuesto a ayudarlo —dice a Mariette—. Pero hay que actuar con prudencia. Su plan no será del gusto de todos. Por el momento, sería un error hablar de la proteción de los monumentos o de la construcción de un museo. Eso chocaría con muchos intereses. ¡Déjeme hacer!

En Agosto, Lesseps va a El Cairo. Ese mismo mes de agosto está señalado por las ceremonias de inauguración del nuevo Louvre, en presencia del emperador y de la emperatriz.

Vivant Denon, ex componente de la expedición a Egipto, autor del famoso *Viaje*, es quien creó el museo Napoleón y el gabinete de egiptología, cincuenta años antes. Durante años, se acumuló el botín de guerra reunido por los ejércitos de Napoleón I en Alemania, en los Países Bajos, en Italia, pero en 1815 los Aliados reuperaron la casi totalidad de las obras de arte. ¡Cinco mil piezas regresaron de nuevo, cargadas en carros, a sus lugares de origen! Y el Louvre se durmió.

El rey Carlos X lo despierta nombrando a Champollion conservador del gabinete de Egiptología; éste compra, a pesar de las oposiciones, la segunda colección Drovetti. Champollion enriquece todavía más el Louvre incorporándole la Venus de Milo, descubierta por el teniente de navío Dumont d'Urville. Luis Felipe, por su parte, no se interesa por el museo real. En 1848, después de las sangrientas jornadas, la República lo bautiza Palacio del Pueblo. Cuatro años más tarde, Luis Napoleón decide ampliarlo. En 1852, el arquitecto Visconti demuele las casuchas del barrio de Saint-Eustache, refugio de artistas y de bohemios, donde Vivant Denon ha descubierto, expuesto a la lluvia, el famoso *Gilles* de Watteau. El 14 de agosto de 1857, el príncipe presidente, convertido en el emperador Napoleón III, inaugura con gran pompa los nuevos pabellones del Louvre. Uno de ellos lleva el nombre de Vivant Denon. Allí se reúnen los conservadores y los empleados del museo —Mariette entre ellos— a escuchar el discurso de Achille Fould, responsable de las obras. Los nuevos edificios, unidos a las Tullerías, son impresionantes. Un gran baile cierra la jornada. Mariette asiste a él pero, en su pensamiento, ya se encuentra en Egipto, donde espera que Ferdinand de Lesseps prepare su regreso.

En efecto, como lo prometió, Lesseps habla de Mariette a Said, limitándose a sugerir, de acuerdo con la estrategia elegida, que se le confíe la misión de preparar el próximo viaje a Egipto del primo del emperador. Said Bajá asigna mucha importancia a ese viaje. Lesseps da a entender que el príncipe, como antaño el archiduque Maximiliano de Austria, desea formar una colección personal de monumentos o de objetos faraónicos. ¿No es Mariette, el hombre del Serapeum, el más indicado para acompañar al príncipe a los sitios del pasado y ayudarlo a formar una colección, practicando eventualmente nuevas excavaciones?

El virrey no puede hacer otra cosa que aceptar esa propuesta. Le interesa que el primo del poderoso emperador de los franceses regrese a París satisfecho y feliz. Said encarga pues a su amigo Lesseps obtener el consentimiento de Mariette (lo que no será difícil) y entregarle un buen crédito a cobrar en su banco parisino.

En la espera, Mariette ve todo negro. Sin noticias de Lesseps, cuya estancia en Egipto se prolonga, piensa que el proyecto ha fracasado. Tendrá que buscar otro medio de partir a Egipto y de intentar poner término al pillaje. ¿Pero cuál? Los consejos de paciencia de sus amigos del Louvre no hacen más que aumentar su impaciencia:

"Esperar... esperar...", escribe. "Los ladrones de antigüedades no esperan, y cada pérdida es irreparable."

Y finalmente la situación se aclara. Desde su propiedad de la Chesnaie, donde descansa después de cada viaje, Lesseps le hace llegar una carta: "Mi querido amigo, todo está arreglado, o casi. El principio de su instalación próxima en El Cairo ha sido aceptado con entusiasmo por Su Majestad. Le diré de viva voz cómo presenté las cosas...".

En un artículo publicado por *Le Figaro*, en enero de 1881, en ocasión de la muerte de Mariette, convertido en Mariette Bajá, Lesseps dará una versión condensada de su intervención ante Said Bajá: "Hablé de Mariette al virrey", escribirá Lesseps. "Le dije que ese antiguo Egipto, del que cada turista se llevaba un trozo en su maleta, exigía una protección severa; más aún, una represión del pillaje artístico. Said Bajá me dio plenos poderes y, con Barthélemy Saint-Hilaire, mi secretario entonces, confeccionamos los papeles. Mariette tendría veinticinco mil francos al año... y sería nombrado conservador del museo de Bulaq, su sueño, con el Instituto."

En realidad, la cosa no fue tan fácil. Lesseps organizó un encuentro en las Tullerías entre Mariette y el príncipe Napoleón. El príncipe, apasionado por las excavaciones del Serapeum y de la Esfinge, manifiesta un gran placer ante la idea de visitar Egipto con Mariette. Lesseps explica entonces al príncipe cómo obtuvo el acuerdo del virrey y de su entorno, evitando hablar en la corte de Egipto de las verdaderas intenciones de Mariette, la operación de salvamento a la que piensa dedicarse. Luis Napoleón encuentra la situación interesante, divertida, y acepta confirmar oficialmente que M. Mariette irá a Egipto a preparar su propio viaje.

Mantiene su palabra, y en octubre Mariette obtiene del Louvre una licencia de ocho meses, sin sueldo, pero acompañada de un crédito. Loco de alegría, escribe a Brugsch, en Berlín, quien le responde:

"Lo que deseabas se realiza; estoy feliz por ti, y espero encontrar la manera de reunirme contigo."

El 15 de octubre de 1857, dos meses después de la inauguración del nuevo Louvre, Auguste Mariette se despide una vez más de su mujer, de sus cuatro hijas y de su pequeño hijo. Como antes, promete a Éléonore que la separación será corta. Sube al tren que ahora une París con Marsella en veinte horas. Siete años antes, ¡necesitó cuatro días para recorrer el mismo trayecto en diligencia, ferrocarril y barco!

En Marsella, Mariette se embarca en el *Semíramis*. La hélice ha reemplazado a las ruedas con paletas. Lesseps ha solicitado al cónsul Sabatier, por vía diplomática, prestar su apoyo al arqueólogo, que va a preparar el viaje del príncipe.

Nada recuerda la llegada casi clandestina de Mariette a Egipto hace siete años. Célebre, amigo de los soberanos de Europa, es recibido en el palacio de Alejandría con los miramientos que el virrey Said reserva a sus huéspedes notables. Pero, sin embargo, el Mariette de hoy se asemeja más de lo que podría creerse al de 1850. Como el principiante sediento de descubrimientos, el sabio se ha fijado un objetivo cuya gravedad y urgencia es el único en calcular. Oficialmente, es el guía encargado de mostrar las antigüedades al primo del emperador. Detrás de esa misión que le permite regresar a Egipto, se ocultan una impaciencia y un proyecto de muy distinta magnitud.

CAPÍTULO

8

Encargado de la protección

de las Antigüedades

por el nuevo virrey.

¡Un ejército de

dos mil excavadores!

Proyecto de museo.

Descubrimientos en Karnak

y en Abydos.

Auguste Mariette sabe que el nuevo soberano tiene tendencia a engordar, pero no puede reprimir un gesto de sorpresa. Es como para preguntarse si el virrey podrá levantarse sin ayuda de los cojines sobre los que se ha dejado caer. Said Bajá, habituado a esa clase de reacciones, sonríe:

—¡Pues sí, señor Mariette, ya lo ve: no consigo adelgazar! O más bien, no consigo dejar de engordar. ¡Soy, sin duda, el soberano más gordo que haya reinado jamás en Egipto!

Said Bajá ríe a carcajadas. Su francés no tiene acento. Su madre es francesa. Sus preceptores venían de París, como Ferdinand de Lesseps. El hijo menor del gran Mehemet Alí tiene los cabellos rubio-rojizos, los ojos azules, una mirada vivaz, inteligente, gestos amistosos. Hace señas a su visitante para que se acerque y le tiende un tubo de su narguilé, recubierto de cuero negro. Signo de amistad y de confianza. Mariette aspira algunas bocanadas; aparecen burbujas en el vaso:

—Me ha hecho muy feliz saber de su regreso a Egipto, señor Mariette. Usted ama a nuestro país. M. de Lesseps me ha hablado de la visita del príncipe Napoleón, y espero reservarle la mejor acogida posible. Su ayuda me es muy valiosa. He hecho preparar por Koenig bey un firmán que le permitirá excavar en todo el país y formar una bella colección para el príncipe.

—¡Sus palabras me conmueven profundamente, sire!

—Eso no es todo... Para facilitar sus desplazamientos en el Alto Egipto, he hecho poner a su disposición uno de mis vapores, el *Samannud* y su tripulación. ¡Se ha convertido usted en capitán!

Said se incorpora con la agilidad sorprendente de los obesos, y se acerca a Mariette:

—¡Usted sabe que no puedo negarle nada a Lesseps! ¡Yo le debo todo! Y él lo admira mucho, señor Mariette...

Familiarmente, el virrey pasa su brazo sobre los hombros de su visitante. Su mirada está impregnada de tanta benevolencia que Mariette, dejando de lado los consejos y la puesta en guardia del propio Lesseps, decide explotar la situación:

—No sé cómo expresarle mi gratitud, sire... Esta autorización de excavar me colma de satisfacción. Las riquezas enterradas en Egipto son inmensas y de un interés sin igual para la ciencia. Pero otro problema me preocupa. Hay que preservar absolutamente el patrimonio de su país, poner fin al pillaje de antigüedades... Hay que actuar rápidamente. ¡Enseguida, si es posible!

—Estoy de acuerdo con usted —lo interrumpe Said—. He pensado en el problema. Usted se ocupará de que cese ese pillaje. ¡Contará con los medios necesarios! Mientras tanto, compartamos estas pastas de miel griega... ¡Y hablemos de París!

Al abandonar el palacio real de Ras el Tine, construido por Mehemet Alí sobre el cabo Pharos, no lejos del fuerte mameluco de Quaitbey donde están sumergidos los vestigios del gran faro, Mariette sabe que ha ganado la partida. Se felicita por haber planteado el tema del pillaje y de la protección de las antigüedades. Said Bajá ha reaccionado como él esperaba: si bien está encargado prioritariamente de preparar el viaje del príncipe y de formarle una colección, ha obtenido también, oficialmente, la misión que le resulta primordial: el salvamento y la protección de los monumentos amenazados. No sabe todavía que el firmán de Said le concederá plenos poderes y hasta una renta por su función. El virrey le dará mucho más de lo que él se ha atrevido a solicitarle.

Cuando Koenig bey, secretario de Requerimientos, le entrega el decreto unos días más tarde, el cónsul Sabatier se frota los ojos. Lee: "Monsieur Mariette velará por la salvación de los monumentos; dirá a los mudirs de las provincias que el rey les prohíbe tocar toda piedra antigua. Podrá recurrir a la *corvée*, el trabajo personal obligatorio. Tendrá derecho a enviar a prisión a todo fellah que, sin autorización, penetrara en una ruina. El secretario de Requerimientos entregará a Mariette el dinero necesario para sus obras".

Mariette tiene más poder del esperado. El decreto de Said le permite poner fin a toda excavación ilegal y recurrir a las fuerzas armadas en caso de desobediencia. Los gobernadores no pueden discutir sus órdenes. ¡Y él no debe dar cuentas más que al propio virrey!

Mariette conoce bastante las costumbres de la corte para adivinar los celos y la hostilidad que van a atraerle esos favores del soberano. Por eso decide actuar lo más rápidamente posible.

"Pienso que lograré satisfacer al virrey", escribe a Lesseps, "y procurar al príncipe Napoleón algunos buenos monumentos que llevarse. He tomado este asunto en serio, y tengo motivos para esperar que el viaje del príncipe esté marcado por algunos descubrimientos científicos de interés real. Si, a su regreso a Francia, el príncipe desea hacer una exposición pública de los objetos que lleve de su viaje, podrá hacerlo. Si desea hacer una publicación que sirva a los estudios egipcios, también lo podrá hacer."

Al mismo tiempo, Mariette y Bonnefoy reconstituyen apresuradamente el equipo del Serapeum y del templo de la Esfinge: el reis Hamzaui, su hijo Rubi, su amigo Alí Safe, unos veinte veteranos y el mismo número de recién llegados. La idea de Mariette es reanudar, en beneficio del príncipe, las excavaciones alrededor de la entrada del subterráneo, donde su intuición le dice que están enterrados monumentos importantes del Antiguo Imperio, como el santuario de Anubis. Champollion no se entretuvo en

149

los vestigios de esa época demasiado lejana, y la comisión prusiana de Lepsius los descuidó en provecho de períodos más espectaculares.

Apenas quince días después del comienzo de las nuevas excavaciones de Sakkara, aparece una bella estela de la VI dinastía, llamada estela de Asa. El príncipe Napoleón, destinatario de esa estela, la donará más tarde al Louvre.

Eso no es todo. En Gizeh se encuentra una loma de arena curiosamente trapezoidal que ha llamado la atención de Mariette desde la primera vez que pasó por allí. Los beduinos la llaman la "Mastaba Faraun" —la banqueta del faraón—, pero nadie ha conseguido forzar su acceso. Mariette pone a trabajar a unos veinte hombres. Algunos sondeos le permiten definir los contornos del monumento, que despeja en quince días: se trata, en efecto, de una enorme tumba rectangular del Antiguo Imperio. Contiene un espléndido sarcófago, saqueado pero en buen estado (actualmente en el museo de El Cairo). Mariette lo atribuye al rey Unas, de la V dinastía.

(En 1928, el egiptólogo francés G. Jéquier establecerá que se trata de la sepultura del faraón Shepsekaf, hijo de Micerino, último soberano de la IV dinastía.)

Poco después, en Gizeh, Mariette descubre en otra mastaba un magnífico sarcófago de granito rosado con la marca del faraón Kufuanku (en el museo de El Cairo). Esos resultados son espectaculares. Pero Mariette está impaciente por partir al Alto Egipto, adonde no pudo ir en ocasión de su primera estancia. Ha enviado allá a Bonnefoy, con la misión de estudiar los emplazamientos arqueológicos de Abydos, de Tebas, y de reunir el máximo de elementos sobre las excavaciones clandestinas que piensa hacer prohibir. Y de pronto, no pudiendo esperar más, decide reunirse con él.

Estamos en pleno invierno de 1857. Hace encender las calderas del *Samannud*. Deja al equipo de Hamzaui en Sakkara y da la orden de partida. Justo antes de levar anclas, ¡sorpresa! Ve aparecer a su amigo Brugsch, a quien ha advertido su nueva dirección. Brugsch no ha resistido. Dejó Berlín, pese a la cólera de

Lepsius, y se embarcó en Trieste. ¡Naturalmente, Mariette lo invita a subir a bordo!

Los principales episodios de ese viaje nos son conocidos gracias al diario de Brugsch, publicado mucho más tarde, con el título de *Mein Leben und mein Wandern* ("Mis amores y mis vagabundeos").

El vapor real es mucho más confortable que las *dahabiehs* (o cangas) a vela contra las cuales echaron pestes Flaubert y Maxime Du Camp, que deben ser remolcadas desde la orilla cuando decae el viento, con ayuda de cuerdas o de largas pértigas.

Al ritmo lento pero regular de la máquina de vapor, el *Samannud* remonta el río. Egipto devela sus encantos. Mariette ve Menfis alejarse al norte. El *Samannud* pasa frente a la extraña pirámide romboidal de Dashur (dentro de veinticinco años, uno de los sucesores de Mariette, Jacques de Morgan, encontrará en ella un extraordinario tesoro). Luego aparece en el horizonte otra pirámide de forma extraña, la de Meidum, semiderruida, cuya entrada no ha sido descubierta aún. Lepsius descifró en una piedra de la base una inscripción que data del reinado de Snefrú, predecesor de Keops: probablemente es su tumba.

(A poca distancia, en el oasis de El Fayum, Mariette sacará a la luz, más tarde, estatuas y el famoso fresco de las ocas. Es también el emplazamiento de Cocodrilópolis, donde Estrabón afirma haber visto un cocodrilo amaestrado con pendientes de oro en las orejas.)

Cerca del pueblo de Beni Suef, que dejan atrás poco después, se dice que se encontraba el famoso laberinto de iniciación que Lepsius buscó en vano, limitándose a exhumar un cartucho de Amenemhat III, de la XII dinastía, época en la cual, según Manethon, fue edificado el laberinto. En los alrededores se encontraba el mítico lago Moeris, descrito por Herodoto, Diodoro, Estrabón: todos afirman que el lago, cavado por la mano del hombre, estaba unido al Nilo por un canal. Linant de Bellefonds piensa haber localizado los vestigios de diques que pudieron ser el origen del lago artificial, de los que no resta huella alguna.

La navegación es apacible. Desfilan los pueblos dormidos, rodeados de palmeras, de cocoteros, de plantas de añil, de alheña, separados por inmensos campos verdes de caña de azúcar, de maíz, de trigo, de tabaco, de tréboles. Alrededor de lagunas dejadas por la inundación, crecen grandes sicomoros, ricinos silvestres, gomeros, tamarindos, granados, nopales, groselleros de flores amarillas como las mimosas. Una sinfonía de colores vivos, cambiantes, que el sol poniente transforma en un camafeo irisado de azafrán, de rojo oscuro, de azul pálido. Los pájaros rubrican el cielo. Mariette y Brugsch están deslumbrados. "Se podría contemplar este espectáculo durante meses enteros sin cansarse", escribe Brugsch.

Desde la orilla, los fellahs dirigen a los viajeros amistosos saludos. Algunos manipulan *shalufs*, máquinas para extraer el agua, compuestas de una palanca y de un recipiente de cuero, que ya existían en los tiempos de los faraones. Una noche, el vapor anclado es rodeado por monjes nadadores que reclaman una limosna en nombre de Cristo. Cada vez que pasa un barco, descienden del convento de Deir el Bakara en la cima de la montaña de los Pájaros.

Mujeres desnudas transportan cántaros de agua; su cortejo parece provenir del fondo de los tiempos. Tropillas de búfalos, de gamos, permanecen inmóviles en las laderas de la orilla; a veces, hundidos en el barro, solamente un ojo y el orificio de un ollar señalan su presencia.

A partir de Minieh, remontar el Nilo en un vapor no está exento de peligros: hay que sortear arrecifes, bancos de arena. A veces, el río se estrecha entre abruptos acantilados blancos, o se ensancha hasta el horizonte. Durante la noche, hay que amarrar. Pero el enemigo más temible es el jamsin, el viento del desierto, huracán de polvo de arena contra el cual es imposible protegerse. Mariette encuentra arena en el interior de su reloj, ¡protegido por varias capas de tela! Hay que limpiar de arriba abajo regularmente la caldera del barco.

En Tell el Amarna, Mariette procede a una inspección rápida y llega hasta las grutas de Amenofis IV. Luego es Siut (hoy Asiut, feudo de los islamistas, prohibido a los turistas) donde ve por primera vez cocodrilos adormilados bajo los tamarindos. Le comentan que ya no descienden más allá, ¡molestos —ya en esa época— por los desechos industriales! Bonnefoy ha venido a esperarlos. Juntos, se dirigen a Abydos, la ciudad santa, donde Mariette sueña desde siempre realizar excavaciones, y que ya figuraba en su primera orden de misión del Louvre. Desde el desembarcadero, hace falta una hora a caballo para llegar al recinto sagrado de Osiris. A Mariette le sorprende su aspecto lúgubre: los árabes lo llaman el *Madfuna*, el enterrado. Allí nació el gran sueño egipcio de la inmortalidad. Osiris, dios fundamental que enseñó a los hombres las ciencias, las artes y la agricultura, fue asesinado por su hermano Seth, celoso. Seth despedazó el cadáver en catorce trozos, que arrojó al Nilo. Esposa enamorada de Osiris, la diosa Isis no pudo aceptar su desaparición. Partió, ayudada por Thot, dios de la magia y de la escritura, en busca de los pedazos del cuerpo de Osiris, que encontró, con excepción del sexo, tragado por un pez. Los reunió con vendas de tela. Fue la primera momia, inhumada en Abydos. Thot, gracias a su magia y a sus fórmulas secretas, logró resucitar a Osiris. La nueva vida del dios se cumplió en un mundo diferente pero muy comparable con el de la primera vida. Hacia ese otro destino de Osiris, a la vez semejante y diferente, se dirigían, en vida, los egipcios.

Durante siglos y siglos, los faraones y los fieles celebraron en Abydos el culto de Osiris. Edificaron suntuosos templos. Centenares de monumentos se alineaban a lo largo de kilómetros. De ello resta poca cosa: Mariette examina las ruinas del templo de Seti, padre de Ramsés II, y las del templo de Ramsés II. La necrópolis, abandonada al pillaje desde hace siglos, se presenta como un inmenso campo de desechos. Pronto Mariette delimitará allí varios perímetros de excavaciones.

Tras una escala en Denderah, donde el templo ptolemaico está todavía en gran parte cubierto por la arena, el *Samannud* ancla a la vista de las ruinas de Tebas. Con Brugsch, tan emocionado como él, Mariette pasa una primera noche recorriendo Luxor a la luz de la luna. Y la segunda en Karnak. Se han instalado en la Casa de Francia, edificada en el recinto sagrado hacia 1815, por el cónsul británico Salt. El aventurero Belzoni, que expidió a Londres la enorme estatua de Memnón del Museo Británico, vivió allí. En 1829, Champollion se instaló en ella, con Rossellini y Nestor L'Hote. Convertida en propiedad del gobierno francés, albergó a los marinos que en 1831 recibieron el obelisco ofrecido a Francia por Mehemet Alí. Poco después del paso de Mariette y Brugsch, la frágil lady Lucy Duff Gordon que de niña se había cruzado con Mariette en Boulogne, se instalará allí, encantada de sus "paredes de tierra seca, su pequeño balcón y su veranda medio derruida desde donde se observaban los barcos del Nilo y, a lo lejos, las montañas malva de la cadena libia". Apasionada por las antigüedades, enviará a su marido, en Londres, un león de piedra: "Lo robé de un templo", escribirá ella, "donde servía de escalón para subir a lomo de burro. Me obsequiaron también un bello anillo de plata, producto de excavaciones. El fellah me dijo: '¡Más vale que sea suyo y no del señor Mariette!'" (*Cartas de Egipto*).

En la Casa de Francia, establecen con Bonnefoy un programa de excavaciones, desde Abydos hasta Asuán. Bonnefoy recibe la misión de reclutar seis equipos de obreros —más de quinientos fellahs obligados a la *corvée* (el impuesto), trabajo forzado para los campesinos— y de ponerse a trabajar sin demora.

Mariette se apresta a levar anclas hacia Asuán, cuando le llega una carta de El Cairo. El cónsul Sabatier cree su deber señalarle una confabulación de la que será víctima. Sus enemigos, el cónsul de Austria, los mercaderes conducidos por Fernández, algunos íntimos de Said ganados a la causa de Inglaterra, se han reunido nada más conocer el contenido del firmán. Han logrado sembrar dudas en la mente del virrey. Mariette no sería un sabio desinteresado, dedicado a la protección de los monumentos, sino un emisario de Lesseps, de los banqueros parisinos Pereire y Rothschild y del rico negociante en seda de Lyon Arlès-Dufour, todos los cuales cuentan obtener grandes ganancias a expensas de Egipto gracias al futuro canal de Suez. El viaje del príncipe no sería más que un pretexto. ¡Mariette habría recibido la misión de facilitar la acción de hombres de negocios de su país! Sus adversarios lo acusan también de no querer proteger los monumentos en beneficio de Egipto, como él lo afirma, sino enriquecer al Louvre como ya lo hizo en el Serapeum. ¡Abusando de la buena voluntad del soberano, estaría absorbiendo en esa empresa considerables sumas de dinero, sacadas del Tesoro de Egipto! Ante la tormenta que se avecina, el cónsul Sabatier aconseja a Mariette acortar su permanencia en el Alto Egipto y regresar a defender su causa y su buena fe ante el soberano.

Mariette no vacila. Deja a Bonnefoy la responsabilidad de las grandes excavaciones que acaba de comenzar y decide volver a El Cairo. Hace calentar las calderas al máximo y en pocos días, con Brugsch, llega a Bulaq.

Descubre una situación casi desesperada. Los ataques se han intensificado. Landry bey, tesorero real de origen suizo, un hombre alto de enmarañadas cejas, le reclama cuentas, justificantes de las menores compras de corderos y pollos. Se han pasado sus gastos personales por el cedazo. Desde luego, como de costumbre, sólo puede presentar cuentas imprecisas.

"El dinero le preocupaba tan poco que nunca anotaba nada ni guardaba recibo alguno. Lo vi desconcertado...", escribió Brugsch en sus recuerdos.

En efecto, Mariette está desconcertado. Solicita una audiencia al virrey. Ninguna respuesta. ¡Hasta Koenig bey lo evita! Landry lo persigue. La dirección del viento ha cambiado. Escribe a Lesseps: "Le han calentado la cabeza al virrey contra mí. Adivino detrás de esta confabulación la mano de Inglaterra, celosa de los privilegios que se me habían concedido y dispuesta a actuar de cualquier modo para hacer fracasar nuestra influencia y su empresa. Esta es también la opinión de Sabatier y de mis amigos de El Cairo. No sé qué hacer".

Si conserva la esperanza de convencer al virrey, una noticia aumenta su desaliento: Sabatier le anuncia que el príncipe Napoleón ha postergado su viaje *sine die*. Se ignoran las razones de esa decisión. ¿Consecuencia del fallido atentado del italiano Orsini contra el emperador? Algunos, en París, pretenden que Plon Plon nunca tuvo realmente la intención de hacer el viaje anunciado. "¡No estaba más decidido a ir a Egipto que el obelisco de la plaza de la Concorde!", escribe irónicamente Longpérier.

En todo caso, esa mala noticia es un toque de difuntos para la misión de Mariette, basada en la preparación de ese viaje. No le queda más que llamar a Bonnefoy, detener las obras de Sakkara y de Gizeh, y preparar su regreso a Francia. El inevitable Nieuwerkerke, ministro del emperador, encargado de los museos nacionales de Francia, lo compromete además, por carta, a regresar cuanto antes "a reanudar sus trabajos en el Louvre".

Como hace siete años, Mariette ve cerrarse ante él el camino real en el que esperaba descubrir monumentos, inscripciones, valiosos vestigios. El pillaje del antiguo Egipto continuará. Una parte de la historia lejana de nuestra civilización se habrá perdido para siempre.

Su carácter lo impulsa al combate, pero sus enemigos son numerosos y huidizos. Dirige carta tras carta a sus amigos. Lamentablemente, Rougé, Barthélemy, Saint-Hilaire, Ferri-Pisani, secretario del príncipe Napoleón, y hasta Lesseps, parecen incapaces de arreglar la situación. En París, casi no hay nadie más que Éléonore y sus cinco hijos que se felicitan por su próximo regreso. El gran calor ha vuelto a El Cairo. El virrey ha partido a su palacio del cabo Pharos en Alejandría. Después de agotar todos los recursos, no sabiendo ya a quién recurrir, Mariette se decide a volver a París. Reserva una cabina en el *Osiris* de la compañía de las Messageries. Entonces le llega una carta de Ferri-Pisani. Contiene una frase que, a sus ojos, constituye una última y frágil posibilidad de salvar su misión en el valle. La esperanza es tenue, pero al menos lo habrá ensayado todo. Decide postergar su partida.

Esa frase habla del deseo del príncipe imperial, al parecer "muy afectado" por la postergación de su viaje, de formar, como lo había previsto, una colección personal de antigüedades. El primo del emperador incluso ha dirigido una petición oficial en tal sentido al virrey Said y ha sugerido que M. Mariette se encargue de la elección, las negociaciones y el transporte de los objetos de esa colección. Sobre todo, el príncipe desearía adquirir estatuillas y joyas.

Para Mariette, tal solicitud oficial proveniente de un primo del emperador puede modificar la posición del virrey hacia él. Es sabido que Said desea no disgustar al entorno del emperador de los franceses.

Es Lesseps quien, buscando un medio de ayudar a Mariette, ha sugerido esa carta al príncipe. Mariette es convocado a Palacio. Said, sin hacer la menor alusión a los rumores y las acusaciones, lo recibe con familiaridad. Ahora ve en él al consejero del príncipe Napoleón, y le asegura, contra toda verosimilitud, que nunca ha cesado de testimoniarle amistad y admiración. Mariette está estupefacto, pero no deja transparentar sus sentimientos: "Yo aprendía una lección de diplomacia", escribirá.

El virrey le encarga reunir una colección de objetos antiguos destinados al príncipe, sin tener en cuenta su valor comercial:

—Los gastos en que usted incurra para formar esa colección —aclara el virrey— correrán de mi cuenta.

Agrega, casi enseguida, como si eso fuese obvio:

—Desde luego, señor Mariette, su misión en Egipto continúa. Si necesita dinero, ¡vaya a ver a Koenig!

Así, en pocos días, cuando consideraba la situación desesperada, Mariette ha recobrado todas sus prerrogativas. Para festejar esa inesperada recuperación de la gracia del virrey, sus amigos de El Cairo organizan una fiesta en la casa de Linant de Bellefonds. Mariette está feliz, pero preocupado. Ha recuperado la gracia, pero ¿cómo estar seguro de que no será víctima de una nueva confabulación?

Sus amigos lo tranquilizan. Tienen razón. Dentro de poco tiempo, habiendo recibido el príncipe Napoleón, como obsequio de Said, una notable colección de objetos (la mayoría de ellos se encuentran actualmente en el Louvre), encarga a Mariette entregar personalmente al virrey una carta de agradecimiento. En ella, el príncipe sugiere que Mariette quede al servicio de Egipto: "Si Vuestra Alteza real pidiera a Francia la colaboración de un sabio para proteger su patrimonio y crear un museo, el gobierno no designaría a otro hombre que él", escribe.

¿Hay que ver, una vez más, la influencia de Lesseps en esa propuesta? Sin duda. El virrey escucha el mensaje. Sus consejeros más cercanos, Nubar Bajá, Koenig bey, favorables a Francia y al proyecto del canal, están de acuerdo. Sordo a los clamores de los partidarios de Inglaterra a quienes los planes de Lesseps inquietan más y más, el virrey emite una ordenanza jedival, el 23 zilkadal 1274 (4 de julio de 1858). Auguste François Mariette es nombrado *mamur* (director) de las obras de antigüedades en Egipto, dependiendo directamente del virrey. Como tal, se le asigna una renta fija de dieciocho mil francos anuales, aparte de los gastos de excavación. Bonnefoy, nombrado director de las excavaciones en el Alto Egipto, recibirá dos mil piastras al mes. El nuevo director recupera la autoridad sobre los gobernadores, el derecho a utilizar la *corvée*, de recurrir a la fuerza armada y el uso del *Samannud*.

La situación de Mariette se ha invertido totalmente. Ahora es funcionario de la corte del virrey, es decir de la Sublime Puerta, con todas las prerrogativas de la función, provisto de todas las ventajas concedidas a los consejeros personales del soberano, entre ellas el acceso directo a los palacios reales.

El porvenir, rico en promesas, le sonríe de nuevo.

Koenig bey, secretario de Requerimientos, primer ministro del virrey Said, levanta lentamente la cabeza y posa sobre Auguste Mariette una mirada en la que se lee el asombro. El programa de excavaciones que el mamur acaba de presentarle ¡tiene nada menos que treinta y cinco emplazamientos! Por otra parte, algunos ya están en actividad en Sakkara, en Gizeh, y en los alrededores de Tebas. Otros están previstos desde Tanis, en el delta, hasta Elefantina, y también hasta más allá de Asuán, en dirección a Sudán.

—Hermoso programa, señor Mariette —declara Koenig, en su francés fuertemente impregnado de acento germánico—, pero... ¡treinta y cinco obras es algo colosal!

—Todo ha sido previsto, Excelencia —lo interrumpe Mariette—. Provincia por provincia, el número de fellahs de cada obra, los reis, los inspectores... ¡se han establecido los presupuestos!

Koenig hojea el informe de Mariette (ese informe fue descubierto recientemente por la egiptóloga Elizabeth David, en los archivos de Pierre Lacau, uno de los sucesores de Mariette en la dirección de Antigüedades).

—Usted levanta un verdadero ejército, señor director... Cerca de mil hombres...

—Sin duda necesitaré más, Excelencia. Tengo también algunas importantes peticiones suplementarias que presentar. Desearía hacer instalar tabiques en el *Samannud*. Me hacen falta una gran *dahabieh* (barco de vela) y varias barcas para el material que debo transportar al Alto Egipto. También necesito, cuanto antes, depósitos para los monumentos que recojamos, en espera de que se construya el gran museo...

—¿El gran museo?

—No he determinado todavía su emplazamiento, Excelencia. Pero es indispensable. Su Majestad está de acuerdo. Luego, hablaremos de dinero.

Koenig, resignado, estupefacto ante el torrente de proyectos que llueven sobre su escritorio, no puede menos que inclinarse ante el entusiasmo y la vehemencia del mamur. Firma lo que Mariette le pide.

Todo está en orden. Mariette ha organizado depósitos provisionales en Sakkara y en Tebas, a la espera de agruparlos en Bulaq, en los antiguos hangares de la Compañía de los vapores Alejandría-El Cairo (en quiebra desde la puesta en servicio del ferrocarril). Esos pabellones bajos y largos, semiderruidos, construidos a lo largo del Nilo frente al zoológico real, sobre una especie de playa arenosa dura, regularmente corroída por la corriente, fueron utilizados durante años como estación fluvial para los vapores, como depósitos para las mercancías. Se componen de unos diez edificios y hasta de una mezquita abandonada. Pronto, remodelados, albergarán los servicios de la conservación de antigüedades, la reserva de piezas arqueológicas, la residencia personal de Mariette ¡y las primeras salas del museo!

Para realizar ese ambicioso plan, Mariette ha contratado a un corso, llamado Floris, que se dice poeta pero que es más bien, según Brugsch, un genial *bricoleur*. Está en negociaciones con un lionés, bastante culto, Charles Gabet, que ha trabajado en Alejandría para el financista francés Bravay.

(Este aventurero de Pont-Saint-Esprit hizo fortuna en pocos años en los negocios más variados. Servirá de modelo a Alphonse Daudet para su novela *El Nabab*.) Mariette ha contratado como responsable del personal a un circasiano llamado Kurshid. Y para su propio servicio, a un criado tuerto, nacido en el delta, Hasán Noer, que le será fiel toda la vida.

Privado de Bonnefoy, afectado a las futuras obras del valle, recurre a sus amigos de El Cairo para seleccionar entre los oficiales de la guardia real una docena de supervisores que serán los cawas de las antigüedades. Los fellahs han comenzado a trabajar en Sakkara, en Gizeh, en Tell el Yaudiya, la colina de los judíos, en el delta oriental. Envía a Gabet a Abydos, y reclama un informe detallado a Bonnefoy. Éste le anuncia haber descubierto en Karnak estatuas de las dinastías XII y XVIII.

Auguste Mariette, enviado del Louvre, acaba de abrir la primera gran obra de excavación en Egipto. No tiene una función oficial, pero ya lleva el *tarbush* de los notables.
(*Foto D.R.*)

Diez años más tarde es director del servicio de Antigüedades que ha fundado.
(*Foto D.R.*)

Su última foto (por Nadar). El hombre ha envejecido. Ha perdido familia, salud, y la esperanza de ver publicada su obra completa. Pero su sueño se ha realizado: los monumentos de Egipto se han salvado.
(*Félix Nadar / Arch. fot. París / S.P.A.D.E.M.*)

Acuarela ejecutada en la obra del Serapeum, primer gran descubrimiento
de Mariette. En ella se ven las estatuas griegas, en particular la de Píndaro.
En segundo plano la "Casa de las arenas" donde habitaba Mariette.
A lo lejos, hacia la izquierda, la célebre pirámide escalonada de Zoser,
alrededor de la cual trabaja actualmente Jean-Philippe Lauer.
(*Biblioteca Nacional de Francia*)

El subterráneo sagrado de los Apis (Serapeum) según un grabado de 1865.
Mariette está a la derecha, su asistente Devéria en el centro.
Las bóvedas han sido sobredimensionadas por el dibujante.
(*Aguafuerte publicada por Arthur Rhoné*)

Un Apis en piedra calcárea con el disco solar entre los cuernos. Ciertos restos de pintura, muy visibles en 1854, casi han desaparecido.
(*Foto Hubert Josse*)

Las dos principales piezas extraídas del Serapeum de Sakkara por Mariette y enviadas inmediatamente al Louvre sin conocimiento del virrey.

El célebre *Escriba sentado* en piedra calcárea pintada de la V dinastía, descubierto por Mariette en su búsqueda del Serapeum. Su enigmática sonrisa no ha revelado su secreto.
(*Foto Hubert Josse*)

La estatua en diorita del rey Kefrén, encontrada por Mariette cerca de la Esfinge, una de las más antiguas representaciones humanas conocidas. (Si Mariette hubiese obtenido de París el suplemento de crédito reclamado, la estatua se encontraría ahora en el Louvre, y no en El Cairo.)
(*Museo de El Cairo*)

Las Moscas de Oro (recompensa militar) de la reina Ah Hotep. Mariette se las negó a la emperatriz Eugenia, esposa de Napoleón III, lo que irritó a la corte imperial.
(*Museo de El Cairo*)

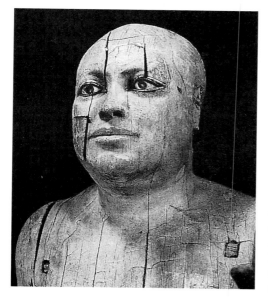

Estatua en madera de Kaaper, notable de la IV dinastía: cuando Mariette la descubrió, sus obreros quedaron sorprendidos por su semejanza con el jefe de su aldea, el jeque el Beled. La estatua se presenta con ese nombre en el museo de El Cairo.
(*Museo de El Cairo*)

El templo de las primeras dinastías despejado por Mariette en la vertical
de las patas de la Esfinge, tal como aparece hoy (*foto del autor*).
Mariette veía en él el templo de la Esfinge. Más tarde se descubrió que
se trataba del templo votivo de la segunda pirámide, la de Kefrén.

Foto de la casa de las arenas hacia 1852 antes de los arreglos de Mme Mariette.
Se la visitaba todavía en 1950. El objetivo acerca anormalmente
la vecina pirámide escalonada.
(*Fondos H. Bonini departamento de Antigüedades Egipcias del Louvre*)

Convertido en director de Antigüedades, Auguste Mariette vuelve en 1875 a la excavación de sus comienzos en Sakkara. Se lo percibe a la izquierda, posando delante de un conjunto de sus últimos descubrimientos.
(*Foto Edimédia*)

Mariette fotografiado hacia 1872 ante el pórtico del templo de Edfú que él desenterró de la arena.
(*Foto Edimédia*)

Karnak: Mariette abrió en 1860 la primera obra de excavaciones del templo de Amón cuyas columnas amenazaban derrumbarse. Consolidó la sala hipóstila y despejó el gran patio. Él aparece en el centro de esta foto.
(*Foto Edimédia*)

Descubiertas en Meidum por el equipo de Mariette, estas dos estatuas
de piedra calcárea, de Rahotep (gran sacerdote de Heliópolis y sin duda hijo
de Snefru, padre de Keops) y de su esposa Nefret, nos han llegado intactas.
Son de un realismo extraordinario.
(*Museo de El Cairo, foto Hubert Josse*)

El autor en 1953: con el abate Etienne Drioton, último sucesor de Mariette
en la dirección de las Antigüedades egipcias.
(*Foto G. Dudognon*)

La excitación de Mariette es intensa. Se le señalan excavaciones clandestinas alrededor de Asiut. Envía "inspectores" que expulsan a los clandestinos y recuperan los objetos desenterrados. Un primer éxito alentador.

Sólo le falta su familia. Así pues, decide ir a buscarla a París. Debe redefinir su misión, ahora que ha aceptado un puesto de alto funcionario egipcio. El recibimiento que se le brinda en el Louvre carece de entusiasmo. El nuevo ministro, M. Rouland, no ve con buenos ojos la creación de un museo de antigüedades en El Cairo, ni la partida de un conservador adjunto. Prolonga la licencia de Mariette, pero muy secamente. En cuanto a su solicitud de un adjunto egiptólogo que estaría, como él, asignado a la conservación para ayudarlo en sus trabajos, es rechazada de plano, en nombre de la eterna política de ahorro.

Mariette se embarca en Marsella para El Cairo con Éléonore y sus hijos. Está algo decepcionado, pero su entusiasmo no ha mermado. Al contrario. Está convencido de que la aventura que comienza para él en Egipto mantendrá sus promesas.

Es su tercera estancia en Egipto.

Instalada con sus cuatro hijas y su hijo Tady en los pabellones de la Compañia de Tránsito, Éléonore casi echaría de menos la casita de las arenas de Sakkara de sus comienzos. Aquí, a orillas del Nilo, proliferan ratas y serpientes en la humedad, con gran variedad de insectos. Sin hablar de los mosquitos que, con la oscuridad, surgen en compactos vuelos. Su marido casi no presta atención a esos problemas. Se preocupa solamente por su plan de excavaciones y por las incursiones que lanza contra los excavadores clandestinos. Extraña inversión de situación: hace seis años, en Sakkara, él trabajaba en secreto por la noche bajo las barbas de los cawas del virrey. Ahora, es él quien comanda a los cawas que ha formado, y no vacila en enviarlos en misiones punitivas cuando se le señala alguna excavación nocturna o simplemente no autorizada.

Pero, sobre todo, da los últimos toques al programa que piensa someter al virrey. Programa ambicioso, que supera de manera espectacular, por su amplitud, el que ya hizo aprobar por Koenig bey. *Mudirieh* (provincia) por *mudirieh*, las obras que ha decidido abrir ¡movilizarán pronto a cerca de dos mil quinientos obreros! Alrededor de las grandes pirámides, en Menfis y en Sakkara, trescientos fellahs. En Tebas, de trescientos a quinientos. Cerca de quinientos en los emplazamientos de Deir el Bahari, de Esneh, de Edfú, de Medinet-Habu, de Denderah. Un centenar en Abydos, en Tanis (Sais) y en otros lugares de excavaciones en el delta. La lista aumenta regularmente. Bonnefoy en Tebas, Gabet en Abydos, están al pie de la obra, y envían a los depósitos de Bulaq estatuas, estelas, monumentos.

"Se remueve la arena a lo largo de todo el valle y alrededor de El Cairo; es un verdadero ejército de excavadores dedicados al trabajo", escribe, asombrado, el joven egiptólogo Théodule Devéria, al llegar a El Cairo.

Porque Mariette, finalmente, ha obtenido lo que deseaba: un adjunto egiptólogo, tan apasionado como él mismo. Lo conoció durante su breve estancia en París. Asignado al departamento de egiptología del Louvre desde hacía tres años, hijo del pintor grabador Achille Devéria, el joven se sintió seducido por Mariette desde su primera entrevista. Es un excelente copista, iniciado en las nuevas técnicas de la fotografía, capaz de descifrar y de juzgar los monumentos. Mariette le propuso inmediatamente reunirse con él, pero le previno:

—Como he sobrepasado los créditos del virrey, sería incapaz de pagarle el menor salario.

Lo que no impidió a Devéria solicitar y obtener del Louvre, con el apoyo benevolente de Rougé, una licencia sin goce de sueldo de ocho meses. ¡Pagó de su bolsillo su pasaje de segunda clase! Llega a El Cairo a comienzos del año 1859, para comprobar que los depósitos de Bulaq ya están saturados. Para recibirlo de noche en el Serapeum, Mariette ha imaginado una asombrosa escenografía: doscientos niños reclutados en los pueblos vecinos, inmóviles, con una antorcha en la mano, lo aguardan en la gran galería. "El efecto es sobrecogedor", anota Devéria. "El subterráneo parece continuarse hasta el infinito. La mirada se pierde en la profundidad de las bóvedas, en la sombra de las cámaras laterales." Sus sorpresas no han terminado: se sirve una cena en el interior de uno de los sarcófagos gigantes. Se penetra en él por una escala. La mesa está servida, los *sufraguis*, servidores de mesa, traen platos refinados, champán. Fuegos artificiales en el desierto —Mariette será toda su vida un enamorado de la pirotecnia— cierran esa velada extraordinaria.

Mariette ha previsto una gira de inspección por el valle. Se embarca con Théodule Devéria en el *Samannud*. En Abydos, Gabet está trabajando en el templo de Seti I. Ha descubierto el trazado teórico del recinto. Al recorrer con él el lugar, Mariette, guiado por su intuición, señala un punto algo apartado. Desde los primeros golpes de piqueta, aparece una muralla adornada con bajorrelieves. Un anciano que observa el trabajo exclama:

—Hace años y años que vivo en este pueblo, y nadie me dijo nunca que había un muro en este lugar...

Pregunta luego a Mariette:

—¿Qué edad tienes entonces tú, para conocer la existencia de este muro?

—Tengo tres mil años —responde Mariette con la mayor seriedad.

—Por ser tan viejo y parecer tan joven, debes de ser un santo muy grande. ¿Me autorizas a mirarte?

Théodule Devéria, que narra esta historia en un libro de recuerdos, agrega que el anciano los siguió paso a paso hasta la partida del *Samannud* hacia Tebas. A Mariette, que da las órdenes y a veces hasta fustazos cuando el ardor de los obreros le parece insuficiente, no le molesta en absoluto pasar ahora, en la región, por una especie de morabito, dotado de poderes sobrenaturales.

CAPÍTULO

9

Captura a mano armada

de las joyas

de la reina Ah Hotep.

Problema con

la "faraona" Hatshepsut.

El Kefrén de diorita,

Ranofir y el Jeque el Beled.

La tumba decorada de Ti.

Tanis. Agente secreto

de Napoleón III.

El *Samannud,* que remonta el río a la potencia máxima de su máquina, se inmoviliza en el límite extremo de las aguas navegables. Es invierno, el Nilo está en su nivel más bajo. De lejos se ha visto un penacho de humo que anuncia la llegada inminente en sentido inverso de un vapor, de menor calado. Sin duda alguna, es el barco de Farid Bajá, mudir de la provincia de Quena, que trae a bordo un tesoro descubierto recientemente por Bonnefoy en Dra Abul Naga, cerca de Tebas, del que se ha apoderado el gobernador de la provincia.

Indignado por ese abuso de autoridad del gobernador, Mariette está de humor asesino. Se ha encerrado en la única cabina del *Samannud* y ni siquiera Hasán, su criado tuerto, se ha atrevido a molestarlo. Al disminuir la velocidad de la máquina, el mamur surge sobre la cubierta. Théodule Devéria observa que está armado: enarbola un fusil y, ¡oh, estupor!, un sable pende de su cintura.

El *Samannud* se ha inmovilizado borda a borda con el pequeño vapor del gobernador. Con voz sonora, Mariette interpela al capitán y le ordena, en nombre de Su Alteza el virrey, entregarle las antigüedades que transporta.

—Tengo aquí el firmán que me da derecho a apoderarme de toda mercancía proveniente de las excavaciones —grita.

El capitán, que seguramente ha recibido instrucciones, se hace el tonto. No sabe de qué se trata. Afirma no transportar más que el correo del mudir, destinado, como todos los meses, al virrey.

Mariette no lo deja terminar. Erguido cuan alto es, apunta con su fusil al capitán aterrorizado, y dice, cortante:

—¡Entrégueme los objetos de inmediato!

Devéria se pregunta si va a asistir a un asalto como en la época de los corsarios.

En el barco del mudir, los hombres atemorizados se han agrupado alrededor de su capitán. Hace lustros que navegan por el Nilo entre Asuán y Bulaq; están acostumbrados a los peligros y a los caprichos del río. ¡Pero todavía nunca han sido amenazados con intercepción del barco!

De pronto Mariette salta a la cubierta, seguido por dos hombres. Devéria lo ve apoderarse con violencia de la gallabieh del representante del mudir, que ha subido a la cubierta. El capitán trata de interponerse. Se intercambian golpes.

Mariette, que domina con la cabeza y los hombros lo que de un instante a otro puede convertirse en una pelea general, lanza un verdadero alarido:

—¡Tiene dos minutos para entregarme el cargamento!

De un violento empellón ha arrojado al representante del mudir a la bodega. Un marinero, que se interpone, recibe un violento puntapié en el trasero. A bordo del *Samannud*, Devéria, que no está dotado para la pelea —sufre de una enfermedad respiratoria—, ve a Mariette desembarazarse, de un empujón, de un hombre que se aferra a él, apartando a otro de un revés del brazo, y desaparecer a su vez en la bodega.

"Mariette", escribirá Devéria, "recurrió al único medio reconocido por todos aquí como eficaz, a la *ultima ratio regum* distribuyó buenos puñetazos, amenazó a uno con arrojarlo al agua, a otro con levantarle la tapa de los sesos, a un tercero con enviarlo a las galeras, a un cuarto con hacerlo colgar, y así a los otros. En fin, y gracias a ello, se decidieron a trasladar a bordo de nuestro barco las antigüedades."

La operación ha tenido éxito. Mariette se ha apoderado de un gran cofre de madera, con los sellos del mudir. Mejor aún: ha "arrestado", en virtud de su poder de policía, al representante del gobernador, al que acusa de secuestro de objetos. Anonadado, "muy maltratado", según Devéria, suben al pobre hombre, atado, a bordo del *Samannud*. Magnánimo, Mariette entrega al comandante un recibo firmado por él. La operación no ha durado más de media hora.

Ya se encaminan hacia Bulaq. Mariette y Devéria hacen saltar los sellos del gobernador y, estupefactos, contemplan un tesoro en joyas, insignias reales, objetos de orfebrería, en total unas cuarenta piezas notables por su finura, su diversidad, que superan todo lo que imaginaban.

El sarcófago y la momia de la reina Ah Hotep de las dinastías XVII o XVIII (hacia 1550 antes de nuestra era) se hallaban escondidos en un profundo pozo, de muy difícil acceso, de la necrópolis de Dra Abul Naga, no lejos de Luxor, en la desembocadura de un *ued* cavado en dirección del Valle de los Reyes. Mariette había incluido ese lugar exacto en su plan de excavaciones sin imaginar que esa necrópolis, conocida por los saqueadores y explorada por los habitantes desde siglos, contenía una tumba real intacta.

El sarcófago de madera de sicomoro extraído por Bonnefoy llevaba la mención: "Ah Hotep, gran esposa real, la que ciñe la corona blanca, viva por siempre jamás". Advertido, Mariette ordenó inmediatamente, en virtud de sus recientes poderes, que no se tocara el sarcófago, y que se lo enviara, en el estado en que se hallaba, a Bulaq. Pero Farid Bajá, mudir de Quena, región de la cual depende Tebas, se había negado. Según la tradición, se consideraba el legítimo beneficiario de toda excavación ejecutada en su territorio, y se había apoderado del sarcófago de forma humana, de rostro incrustado de oro y piedras de color. De acuerdo con la costumbre, lo forzó brutalmente y extrajo la momia real. Sabía que el sarcófago contenía objetos, y que la momia, entre sus vendas, ocultaba algunas joyas.

Farid Bajá se desembarazó de las vendas y de los restos reales con desprecio de todo interés científico, y juntó joyas y objetos —no sin tomar probablemente de ellos su impuesto personal—, a fin de enviarlos al virrey, esperando sin duda ganarse su agradecimiento.

Pero el mudir había subestimado la energía de Mariette. Éste, fortalecido con sus nuevas prerrogativas, decidió de inmediato la intercepción que acaba de llevar a cabo. Si bien no pudo impedir que el gran sarcófago de madera dorada (hoy en el museo de El Cairo) fuese abierto sin ningún cuidado, y si bien es demasiado tarde para encontrar las vendas y sin duda los restos momificados de la reina, le pareció importante recuperar el tesoro, a fin de poder estudiarlo en buenas condiciones.

Mariette es consciente de haber corrido un riesgo, aun cuando la ley esté de su lado:

—Hemos ido demasiado lejos —confía a Devéria—. Violar los sellos de un gobernador puede causar problemas... los mudirs son poderosos, tienen gran apoyo de la corte... Espero que Said comprenda...

El tesoro de la reina Ah Hotep, más de dos kilos de oro, es el más rico y el más interesante jamás arrancado al suelo de Egipto. Comprende una diadema de oro mezclada todavía con los cabellos de la reina, que lleva un cartucho con el nombre del rey Ahmosis; un pectoral calado en oro y piedras preciosas que representa a Amón y a Horus vertiendo agua sobre el rey (no se conocía entonces ningún trabajo de orfebrería de ese género); tres collares, el más importante compuesto de catorce hileras de pequeños animales de oro, leones, antílopes, sostenidos entre dos cabezas de halcón; una cadena de oro de dos metros, de cuatro milímetros de grosor, a la que está sujeto un espléndido escarabajo de oro y lápislázuli, de una calidad notable; una cadena más corta, con tres moscas de oro estilizadas, recompensa militar nunca encontrada todavía en una momia femenina; anillos y brazaletes, uno de ellos con bisagras y la imagen del rey Ahmosis y del dios Geb.

A esas joyas se suman numerosos objetos: un hacha recubierta de oro, sobre una de cuyas caras figura el rey Ahmosis golpeando a un enemigo, y del otro lado un grifo; un espejo de bronce dorado, un abanico, un puñal real cuyo mango de madera está adornado con cuatro cabezas de mujer y cuya hoja presenta la imagen en hilo de oro de animales lanzados al galope. El tesoro de la reina comprende además dos barcas de oro y de plata; la primera, de cuarenta y tres centímetros de largo, presenta una tripulación de doce remeros en acción. Con el nombre de Ahmosis, se descifra el de Kames, hijo de la reina y del faraón Taa. Mariette piensa enseguida que el collar de moscas prueba que la reina ha desempeñado un papel en la guerra contra los invasores hicsos, venidos de Siria; las dinastías XVII y XVIII (hacia 1600 antes de nuestra era) corresponden en efecto a la derrota de los invasores y a la reconquista de Egipto.

Después de advertir al virrey su regreso, el mamur entrega el tesoro al Instituto Egipcio fundado por Bonaparte en El Cairo, y al que él acaba de devolver su actividad reuniendo a amantes de las antigüedades y a artistas. Luego lo transporta a Palacio, un poco inquieto por las reacciones que pueda tener el soberano. Éste, en un buen día, escucha riendo el relato del abordaje. No hace alusión siquiera a las protestas indignadas de su gobernador. También él deslumbrado por la belleza de las piezas de orfebrería que Mariette le muestra, se limita a tomar la gran cadena de oro para una de sus esposas y, para él, el bello escarabajo de oro y lapislázuli. (Más adelante restituirá esas piezas al museo de El Cairo.)

(La historia del tesoro de Ah Hotep y de las obras maestras de orfebrería que contiene no termina en el palacio de Said. Presentado poco después en París, en la exposición de 1867, ese conjunto suscitará la codicia de la emperatriz Eugenia. Actualmente las joyas de la reina Ah Hotep están expuestas en vitrinas del museo de El Cairo, habiendo sido uno de sus atractivos mayores hasta el descubrimiento del tesoro de Tutankamón.)

Si el puesto de mamur de Antigüedades es fuente de aventuras, puede ser también motivo de situaciones delicadas, y esconder celadas diplomáticas. Mariette lo experimenta rápidamente en carne propia.

Poco después de la arriesgada "recuperación" de las joyas de la reina Ah Hotep, le advierten un nuevo descubrimiento de Bonnefoy en el valle. Al despejar el templo de Deir el Bahari, el "Sublime de los Sublimes", edificado por la reina Hatshepsut para su favorito, el arquitecto Semnut, Bonnefoy puso al descubierto un conjunto de relieves esculpidos que le parecen de un interés particular. Entre los personajes, señala la extraña representación de una mujer deformada, de carnes colgantes, a la que llama la Venus Hotentote.

Mariette sabe que Hatshepsut, quien, como Cleopatra, reinó en Egipto, lanzó expediciones más allá de las fronteras, en particular hacia el misterioso país de Punt. (Se iba allí a buscar ébano, marfil, incienso, pieles de animales y polvo de oro. Punt se encontraba probablemente en la costa africana, en Eritrea o en Etiopía.)

Intrigado, Mariette se apresta a ir al lugar, cuando Bonnefoy le hace llegar un segundo mensaje: en la noche, han penetrado ladrones en el perímetro de las excavaciones y se han apoderado, con picos y sierras, de una parte de los bajorrelieves. En particular, ha desaparecido la Venus Hotentote. No sería más que un robo entre muchos otros, si una indicación de Bonnefoy no complicara el problema. Unos campesinos han identificado a los saqueadores. Son ingleses, instalados en Luxor y conducidos por un joven aristócrata muy rico y muy conocido en el valle, lord Dufferin (futuro explorador del extremo norte).

Mariette imagina las consecuencias de una expedición punitiva, de una recuperación más o menos violenta de los objetos sustraídos: la intervención del cónsul británico, el incidente diplomático. Y, ¿por qué no? la cólera y la desautorización del virrey. Se impone la prudencia. Mariette se contiene. No intentará una acción por la fuerza. Pide a Bonnefoy que espere sus instrucciones. Por una vez, se disfraza de negociador y toma contacto discretamente con los cónsules británicos; entre ellos se encuentra Birch, vicecónsul que trabaja para el Museo Británico. Mariette y Birch se detestan cordialmente. Se encuentran en el Shepheard's y firman un acuerdo. Lord Dufferin conservará una pequeña parte de los bajorrelieves y restituirá, para el museo de Mariette, la mayoría de los objetos retirados ilegalmente. El virrey no será siquiera advertido del incidente.

El museo de Bulaq se halla tan sólo en la etapa de los cimientos; las primeras piezas de fundición y de hierro, ejecutadas en París, acaban de llegar a Alejandría, y los equipos de obreros se encuentran en el lugar:

"Dentro de un año", escribe Mariette, "una bella fachada morisca se reflejará en el Nilo. Y los seis mil quinientos monumentos catalogados, amontonados en cajones, serán expuestos a la vista de todos."

En esa espera, multiplica las inspecciones en las excavaciones —él las llama sus talleres— del delta, de Tebas, de Edfú, de Abydos. La fatiga no parece hacerle mella. Suele llevar consigo a su hijo Tady, de dos años, ¡y del que espera hacer más tarde un egiptólogo! Para Mariette, el ritmo de trabajo es siempre demasiado lento. Por más que Bonnefoy le afirma que sus obreros trabajan a pleno rendimiento, él no está satisfecho. Quiere otras excavaciones. En Karnak, acaban de descubrir una lista de las conquistas de Tutmosis III y una estela de granito negro, con dedicatoria del mismo faraón a Amón Ra, texto magnífico traducido de inmediato por Devéria. En Karnak ha aparecido la reina de alabastro (en realidad esculpida en una calcita), estatua de la divina adoratriz Amehindis, que se hará célebre. En Edfú, han derribado las habitaciones construidas sobre la plataforma del templo, con gran cólera de sus habitantes; el magnífico edificio está despejado, tal como lo descubrían los griegos de las épocas tardías al venir a adorar al trío místico del antiguo Egipto, y tal como se lo ve en nuestros días...

Es un período de intensa actividad. Mariette llega hasta la segunda catarata, y exige los mismos esfuerzos de sus colaboradores. Devéria se agota. Bonnefoy no resiste más: ha trabajado intensamente todo el invierno en Deir el Bahari. Para respetar el calendario impuesto por Mariette, decide continuar las excavaciones en pleno verano. Insolado en Farshut, el pobre Bonnefoy, sin duda ya minado por la malaria, ve debilitarse sus fuerzas y muere. Mariette experimenta una gran pena: desde su llegada a Egipto, Bonnefoy ha sido su más valioso colaborador y un amigo fiel. Sin él, no habría habido Serapeum, la Esfinge no habría sido despejada y la carrera de Mariette habría sido diferente. La noticia de la muerte de Bonnefoy le llega cuando está a punto de partir con Devéria en un viaje de estudio al Sinaí. Cancela el viaje, regresa a El Cairo y, muy afectado, decide pedir una licencia al virrey. En verdad, aunque se niega a admitirlo, él también está agotado. Todas las noches, un pico de fiebre lo deja abatido; sufre de los intestinos. Deja a su familia en Egipto y se embarca a Francia con Devéria, en abril de 1861.

En París, el Instituto lo recibe calurosamente, como después del descubrimiento del Serapeum, aunque la anunciada creación de un museo de antigüedades en Egipto preocupa a algunos. Ciertos funcionarios no ven esa iniciativa con muy buenos ojos. ¿No fue Francia, después de todo, la que subvencionó las primeras campañas de excavación de Mariette, permitió el descubrimiento del Serapeum, del templo de la Esfinge, y dio impulso a las excavaciones del valle? Ya no existe la ley del reparto y, al pasar al servicio del virrey y de Egipto, el conservador adjunto del Louvre ¿no sacrifica los intereses de su país? Mariette conoce a Mme Cornu, mujer del pintor Sébastien Cornu y hermana de leche de Napoleón III. Ella le confirma que el emperador no está resentido con él y que, por el contrario, sigue sus investigaciones con mucho interés. Le propone una entrevista. Poco después, Mariette es recibido en las Tullerías, pero el emperador, preocupado, sólo le dirige algunas frases corteses. Mariette está decepcionado. Su decepción será de corta duración. Pronto tendrá una conversación mucho más íntima y rica en consecuencias con Napoleón III.

Sin prestar atención a las críticas, va a Boulogne, donde consulta al médico de la familia. Se queja de trastornos digestivos y de la vejiga.

Gaston Maspero encontró las recetas que prueban que Mariette ya estaba afectado de una enfermedad mal conocida en ese entonces, y que no se sabía curar: la diabetes (la insulina no será descubierta hasta 1922).

Apenas recuperado, regresa a Egipto, desbordante de proyectos. Para reemplazar al pobre Bonnefoy, contrata a un pintor italiano con el que ha simpatizado al comienzo de las excavaciones del Serapeum, Luigi Vassalli, de su misma edad. Es un aventurero. Formó parte de los "Mil", los partisanos sacrificados de Garibaldi. Participó, en Milán, en la conspiración del general Radetsky contra los austríacos. Al haber fracasado el golpe, Vassalli fue torturado y condenado a muerte. Escapó por milagro de la ejecución: la víspera de la fecha señalada, el emperador de Austria, coronado rey de Italia, dio amnistía a todos los condenados. Refugiado en Suiza, luego en Francia, Vassalli vivió difícilmente de su pintura: es un retratista de gran talento. Regresa a Milán, pero pronto es obligado a exiliarse de nuevo. Esta vez decide probar fortuna en Oriente. En Esmirna, se casa con una joven griega de la buena sociedad, luego la abandona y desembarca en Egipto. Consigue relacionarse con Abbas Bajá, que le encarga su retrato y los retratos de sus favoritos. Pero muy pronto abandona la pintura y se apasiona por las antigüedades. Es entonces cuando Mariette lo conoce, aprecia su cultura y su vitalidad. Vassilli acepta entusiasmado la propuesta de reemplazar a Bonnefoy. El trabajo no falta.

Privado de Devéria, que se ha quedado en París, ¡Mariette abre nuevas excavaciones! Vassilli parte a Tebas donde Gabet ya se encuentra trabajando. Mariette, por su parte, decide dedicarse en Sakkara a la búsqueda del santurario de Anubis (que no ha sido encontrado hasta ese día). Y también le interesa reiniciar, en Gizeh, las excavaciones del templo de la Esfinge que debió interrumpir ocho años antes por falta de dinero, cuando trabajaba para el Louvre.

Esa determinación es admirable, pues va a hacer, muy cerca de la Esfinge cuyo misterio arquitectural él ha desvelado, el descubrimiento espectacular que ha presentido. Con un equipo de cincuenta obreros, alcanza en quince días el fondo embaldosado del templo, en la galería del oeste y, en una suerte de pozo, saca a la luz ocho estatuas del soberano. Sin duda fueron arrojadas allí tras una revolución. La mayoría están dañadas. Una, en diorita, ha resistido mejor. Es la célebre estatua verde del faraón Kefrén, en majestad. Un halcón envuelve con sus alas la cabeza real. (Hoy se sabe que la diorita provenía de las canteras de Abu Simbel que luego fueron abandonadas por encontrarse muy lejos. La estatua de Kefrén sigue fascinando a los visitantes del museo de El Cairo.)

Desde hace poco, Mariette ha comprobado que la casi totalidad de las tumbas del Imperio Antiguo contienen un escondite —*serdab* en árabe—, disimulado generalmente detrás de una puerta falsa, y que contiene una estatua semejante al difunto. Esa estatua, visible a través de una minúscula abertura, personifica el *ka* del muerto —su doble, la prolongación de su estado terrenal— diferente del *ba*, el alma, que ha levantado vuelo. El ka sigue viviendo después de la muerte de su propietario: ¡requiere ofrendas, alimento y plegarias! El ka desempeña un papel muy importante en la religión egipcia, y todavía en nuestros días a las mentes cartesianas les cuesta comprender su naturaleza. Él habita en la momia como habitaba en el cuerpo vivo; pero puede abandonar la momia, remontar hasta la mastaba atravesando la falsa puerta, e instalarse temporalmente en la efigie del difunto. Allí, se alimenta de la sustancia de las ofrendas, sobre todo de los alimentos, extrae energía de las oraciones de los fieles y de las purificaciones y otras intervenciones del sacerdote. Si por desgracia la tumba es destruida o violada, el ka comienza a errar, se convierte en un espectro, un fantasma, y solamente la magia puede entonces devolverle la paz. Numerosos relatos egipcios hablan de seres inmateriales, de espectros errantes como el de Khamuaset, hijo de Ramsés II, inquilino del Serapeum. En Mariette influirán toda la vida esas leyendas que acentuarán su gusto por el espiritismo, la búsqueda del contacto con los errantes del más allá.

Al despejar algunos serdabs, Mariette saca a la luz varias magníficas estatuas pintadas del Imperio Antiguo. Éstas surgen, después de cinco a seis mil años de sueño, ¡con los colores deslumbrantes de la vida! Said Bajá, muy satisfecho, concede nuevos créditos. Las efigies espectaculares de Ranofir, de Usirkaf y de otros provienen de esa campaña (en el museo de El Cairo).

En la misma época, Mariette descubre la estatua de madera de un hombre barrigudo en posición de marcha, de cráneo calvo y mirada bondadosa. Los fellahs reconocen en él, más allá de cuatro mil años, al jefe de su aldea:

—¡Es el jeque el Beled! —declaran, estupefactos. (*Beled* significa aldea.)

Le quedará ese nombre. Se le reemplazó una pierna desaparecida y el bastón en el que se apoyaba. En la actualidad es una de las obras maestras del museo de El Cairo.

El mismo año, cerca de la entrada del Serapeum, Mariette localiza y despeja la tumba de Ti, rico personaje de la V dinastía, 2400 aproximadamente antes de nuestra era. Su estatua del serdab es de extraordinario realismo (en el museo de El Cairo). Otras estatuas del escondite están en muy mal estado. Una de ellas, la del padre de Ti, Demey, se encuentra en el Metropolitan Museum de Nueva York.

Los muros y las pilastras de la tumba están cubiertos de coloridos bajorrelieves. Representan al noble Ti recibiendo el homenaje de sus parientes o el tributo de sus vasallos. Es un verdadero documento sobre la vida egipcia del Imperio Antiguo: siembras, cosechas, paso de tropillas de ganado, pesca, caza, actividades artísticas. Muy vivos en el momento del descubrimiento, los colores de los frescos (ocre, azul, amarillo, etc.) perdieron rápidamente su brillo. Gaston Maspero, unos años más tade, acusará a un médico alemán residente en El Cairo, el doctor Reil, de haber tomado estampas apresuradamente, sin ninguna precaución.

(Mariette nunca encontrará tiempo para publicar un libro sobre la tumba de Ti. El primer trabajo serio saldrá años más tarde, con las firmas de Pierre Montet y de François Daumas. Hoy, especialistas como Pierre Wild estudian todavía los detalles de las pinturas.)

Mariette pasa días enteros en la tumba de Ti, que le narra el Egipto del Imperio Antiguo con un lujo inesperado de detalles. Sólo sale de ella al caer la noche. Una tarde, sus ojos habituados a la oscuridad distinguen, entre desechos esparcidos por el suelo, una piedra triangular con el cartucho de un rey de las primeras dinastías. Hallazgo emocionante que, para él, es el anuncio de otros. Se encuentra entre la tumba de Ti y la entrada principal del Serapeum. A la mañana temprano, Mariette pone a trabajar un equipo. Pronto sacan del suelo polvoriento otros fragmentos con cartuchos... ¡de reyes desconocidos de las primeras dinastías! El trabajo prosigue durante varios días. Juntando los fragmentos grabados, Mariette llega a reconstruir una estela con una lista de faraones antiguos, establecida por un escriba de Ramsés II llamado Tumaroi: es la célebre Mesa de Sakkara, que completará la cronología faraónica.

"¡Se diría que está en todas partes!" escribe Vassalli. Mariette corre de Sakkara a San (Tanis), a Abydos, a Tebas, sigue hasta Asuán. En Tanis, donde levanta su campamento, hace limpiar las estatuas colosales de los faraones Amenemhat I y Usirtasen, de Merenptah, Ramsés II, Psuseno. Encuentra un protocolo grabado del rey pastor (hicso) Apopi, y varias esfinges de granito negro de ese período, de rostros "bárbaros".

Su estilo asombra a Mariette. Los hicsos parecían tener un tipo particular, muy semita, que vuelve a encontrar en los habitantes actuales de esa región del noreste del delta. Los hicsos eran invasores venidos del Cercano Oriente, que dominaron Egipto durante varios siglos. Fueron rechazados en la época de las dinastías XVII y XVIII, la de Ah Hotep, la reina de las joyas y de las "moscas" de guerra. ¿Eran los invasores hicsos los ancestros de los hebreos? Mariette está persuadido de ello.

(Ahora se sabe que hicsos y hebreos constituían dos poblaciones semitas diferentes que mantenían buenas relaciones. Después de la derrota de los hicsos y de la reconquista, sus amigos, los hebreos, habrían resultado sospechosos a los ojos de los faraones de la XVIII dinastía. Ramsés II se habría propuesto entonces debilitarlos, decidiendo la muerte de todos los recién nacidos. Es el comienzo de la historia de Moisés, que termina con el éxodo. Sin embargo, habrá que esperar hasta las excavaciones de Maspero, en 1895, para que el nombre de Israel aparezca por vez primera en un texto egipcio sobre la estela de Merenptah, sucesor de Ramsés II. El texto se limita a señalar, contra toda evidencia, que Israel ha sido aniquilado.)

En Tanis, Mariette describe un "arte hicso". Se equivoca. Más tarde se establecerá que el arte hicso no existe, que ese estilo particular observado por Mariette se remonta de hecho a la XII dinastía; el faraón hicso Apopi se había limitado a usurpar los monumentos de reyes anteriores.

Otras excavaciones de Mariette tienen a los eruditos en suspenso. Ha instalado un importante equipo en Abydos. Abydos fue durante siglos el principal centro religioso de Egipto, pues allí se encontraba la tumba de Osiris. Seti I y Ramsés II hicieron construir allí templos de dimensiones desconocidas hasta entonces. Estrabón habla de un corredor que une uno de esos templos a la tumba secreta del dios. ¿Espera Mariette descubrir el pasaje sepultado? Podemos suponerlo.

No obstante, son Tebas y las necrópolis vecinas las que revelan los objetos más interesantes. Excavando en Karnak, Mariette desentierra los tambores de las columnas del kiosco de Tarqua y saca a la luz valiosísimos fragmentos de los anales de Tutmosis III. Busca la tumba de Amenofis I, que no encuentra; desentierra magníficas estatuas.

Al mismo tiempo, hace despejar Medinet Habu, Denderah, Edfú. Tiene equipos trabajando en quince emplazamientos, lo que no le impide supervisar y acelerar la construcción del museo de Bulaq.

En agosto, cuando la corte del virrey y la casi totalidad de los dignatarios han ido a sus cuarteles de verano en Alejandría o en Europa, Mariette está en Karnak con su hijo Tady para estimular a sus obreros. Entonces es nuevamente víctima de una crisis de oftalmia.

"Me dicen que puedo quedar ciego", escribe. "Que Dios me libre de ese castigo..."

Ferdinand de Lesseps acaba de dar los primeros golpes de piqueta del canal en presencia de Said. Mariette se hace tratar en El Cairo. Casi una tras otra se entera de dos noticias desagradables. Vassalli ha decidido regresar a Italia, donde se reanuda la revolución. Y el director del Louvre, en un rapto de mal humor, ha nombrado a Théodule Devéria conservador y ha inscrito a Mariette, que no es más que adjunto, con carácter honorario, cerrándole definitivamente las puertas del museo.

Estamos en 1861. Éléonore, inquieta, incita a su marido a regresar a Francia para consultar a un oftalmólogo. Él afirma que está curado pero, sin embargo, tras una violenta cólera en Bulaq contra los obreros de la obra del museo que avanza demasiado lentamente para su gusto, toma la decisión de volver a Francia con su familia.

Llega a Boulogne en muy malas condiciones físicas. Por consejo de su médico, decide hacer una cura en Pougues-les-Eaux, pero encuentra poco alivio. Piensa hacerse tratar con electricidad —una gran novedad— cuando le llega una carta de Mme Cornu: el emperador desea conversar con él en el más corto plazo.

La entrevista tiene lugar en Versalles. Napoleón III, de excelente humor, recibe a Mariette calurosamente. Un poco asombrado, Mariette lo escucha hablar de su gran proyecto literario, una *Vida de César*, y de la búsqueda de fuentes inéditas a la que dedica mucho tiempo:

—Tengo la convicción, señor Mariette, de que numerosos manuscritos se salvaron durante el incendio de la biblioteca de Alejandría. Algunos debían de contener indicaciones valiosas sobre César, sobre Cleopatra, sobre los que los rodeaban. ¿Qué piensa usted?

—Es muy posible, sire.

—Me dicen que documentos de Alejandría fueron recogidos en monasterios coptos de Egipto y de las orillas del mar Rojo. No ignoro, señor Mariette, que usted ha hecho búsquedas infructuosas. Circula el rumor de que el patriarca habría reunido en El Cairo los más valiosos de esos manuscritos. ¡Y hasta que los habría acumulado en una habitación amurallada!

—Corre ese rumor, en efecto.

—¡Necesito esos documentos! Y Said Bajá debe brindarnos su ayuda. El califa Omar los ha quemado o dispersado, Said los encuentra y los dona a la ciencia. ¿Imagina cuánto se beneficiaría con ello?

—¡Mucho!

—Por otra parte, M. de Lesseps me ha participado ciertas inquietudes. Sabemos que Inglaterra sigue con mucho interés el trabajo de usted en Egipto. Las colecciones que reúne para el museo del bajá interesan a los dirigentes del Museo Británico, ¿usted no lo ignora, verdad?

—¡No, por cierto!

—Los ingleses esperan recuperarlas, si usted, señor Mariette, dejara un día de gozar de los favores del bajá. Debe estar advertido. Y, en fin, voy a hablarle de la misión que deseo encargarle. Por numerosas razones, me gustaría que el virrey de Egipto viniese a París en viaje oficial. Según Mme Cornu, nadie es más calificado que usted para hacer de ese viaje un éxito.

—¡Haré todo lo posible, sire!

Cuando Auguste Mariette abandona Versalles, ya no es solamente un sabio protegido por su soberano; se ha convertido en una especie de agente secreto del Imperio, con poderes más amplios que los del nuevo cónsul de Francia en El Cairo, M. de Beauval.

Va a cumplir concienzudamente su misión. No le costará obtener el acuerdo del virrey para un viaje oficial. En cambio tiene menos éxito en cuanto a los manuscritos perdidos destinados a enriquecer la *Vida de César*. Se envía a los conventos, con el acuerdo del virrey, a un copto muy culto, M. Kabis, ex secretario del patriarca. Parte munido de un tesoro de guerra, pero su requerimiento será infructuoso.

En verdad, Said Bajá espera desde hace mucho tiempo la invitación del emperador. Su situación no es muy brillante. Como su predecesor Abbas, gasta sin fijarse, y no presta atención alguna a su tesorero, Landry bey, que lo pone en guardia. En Oriente, preocuparse por problemas de esa índole es, para un príncipe, una suerte de decadencia.

—Lanzaremos empréstitos —responde a Landry bey, que le presenta un balance catastrófico y le anuncia una próxima quiebra.

La concesión del canal, otorgada a su amigo Lesseps, lo impulsa a volverse hacia los banqueros de París. Algunos de sus consejeros le hacen ver que le conviene no ligarse demasiado estrechamente a los franceses, mantener el equilibrio entre las dos potencias más grandes de Europa, recurrir más bien a la Corona y a los banqueros de Inglaterra. Antes de decidirse, Said ha partido a Constantinopla, invitado por el sultán. "Ha regresado", escribe Mariette a Mme Cornu en un informe secreto, "deslumbrado por la enorme influencia que allí posee Inglaterra [...]." "Hace apenas dos meses", prosigue Mariette, "el virrey creía ciertamente a Francia la nación más grande del mundo. Desde su regreso de Constantinopla, una duda se ha deslizado en su mente y he creído adivinar que, en ciertas circunstancias, el hijo de Mehemet Alí actuaría como príncipe turco, es decir que, creyendo ponerse del lado del más fuerte, estaría menos dispuesto que antes a adoptar el partido de Francia... Pienso que si el virrey nos ve de cerca, y si nos juzga por sí mismo, su opinión cambiará..."

Más lejos, evocando el préstamo indispensable, Mariette añade: "Quien conceda el préstamo al virrey le pondrá la soga al cuello; en otros términos, será el amo de Egipto. Su Majestad recibe numerosas propuestas".

Una carta del virrey de Egipto a Napoleón III precipitará las cosas. La firma de Said va precedida de la mención: ¡"vuestro humilde y devoto servidor"! En una nota a Mme Cornu, Mariette señala, no sin orgullo, que él ha inspirado esa carta. "Esta vez, Inglaterra ve escapársele su presa", concluye. "Said sólo aguarda la invitación imperial. Mentalmente, ya está en Francia."

Cumplida la misión diplomática confiada por el emperador, Mariette puede dedicarse de nuevo a sus excavaciones. De una nueva inspección en el Alto Egipto, trae un grupo de dos portadores de ofrendas, que se ha hecho célebre. Al presentárselo al virrey, se entera de una nueva preocupación de éste. El conde de Chambord, pretendiente al trono de Francia con el nombre de Enrique V, acaba de desembarcar en Alejandría con un séquito importante de duques, de condes y de periodistas legitimistas. Esos adversarios activos de Napoleón han decidido remontar el Nilo, y el conde ha solicitado una audiencia real. Said, no sabiendo qué actitud tomar, consulta a Mariette, que se declara favorable a la audiencia. Poco después, Mme Cornu lo aprobará.

Otra situación embarazosa: el virrey desea participar en una campaña de excavaciones. La que se prepara tiene por objetivo las grutas de Maabda, cerca de Asiut, donde se han descubierto numerosas momias de hombres y de cocodrilos. El virrey trepa hasta la entrada de la gruta, pero no puede penetrar en ella: es demasiado corpulento. Mariette y el pequeño Tady se deslizan por el estrecho conducto de acceso. El subterráneo está lleno de detritus, de esqueletos de animales. El recorrido es penoso, bastante decepcionante y peligroso. Las antorchas amenazan inflamar las momias resinosas, muy secas. Por otra parte, pronto un incendio destruirá esa reserva de momias.

Mariette aprovecha ese viaje para obtener del virrey créditos suplementarios para su museo. Unos días más tarde, recibe en Bulaq a Eduardo, príncipe de Gales, futuro Eduardo VII (bisabuelo de la actual reina Isabel). De veinte años, en camino a las Indias, ha elegido el itinerario de Waghorn, y se aloja en El Cairo en el hotel Shepheard's. Con un grupo de amigos, irrumpe en Bulaq. Después de recorrer, muy rápidamente, las antigüedades amontonadas en los patios, los jóvenes se dispersan por el jardín que desciende hacia el Nilo. El *Samannud* está en el muelle, cerca de una chalana cargada de antigüedades, recientemente llegada del Alto Egipto. Una especie de grúa, llamada cabria, se levanta en la chalana para permitir su descarga. Desde la cima de la grúa parten dos obenques sólidos, enroscados en la orilla alrededor de dos robustas acacias. Sorprendido, Mariette ve al príncipe de Gales trepar al obenque y, como sobre una cuerda rígida, ¡avanzar en equilibrio en dirección a la chalana! Rápidamente, el príncipe se encuentra más alto que las cabezas que lo observan, pero un paso en falso pone término al ascenso y cae al suelo. Sus compañeros siguen su ejemplo e intentan a su vez mantenerse el mayor tiempo posible sobre el obenque. Ninguno llega hasta la chalana, y las caídas provocan las carcajadas. Mariette prueba suerte a su vez. Habituado a mantenerse en equilibrio en los andamios o en las cornisas, llega a la embarcación, mereciendo las felicitaciones del príncipe de Gales:

—No tengo ningún mérito, monseñor —responde él en inglés—. ¡Hago esto todos los días!

Mariette hace servir cerveza, y un ambiente de franca alegría reina hasta la caída de la noche.

Poco después, Said Bajá va a su vez a Bulaq para comprobar los progresos de los trabajos del museo. Será su única visita. Satisfecho, decide poner a disposición del mamur un vapor más nuevo que el *Samannud*. En adelante, Mariette navegará por el Nilo en el *Menschieh*. La máquina más potente —y más ruidosa— le permite ahorrar mucho tiempo. Se apresta a partir de nuevo hacia Luxor cuando aparece Théodule Devéria, el nuevo conservador del Louvre. Advertido del descubrimiento de la tumba de Ti y de sus extraordinarias pinturas, no pudo resistir la curiosidad. Mariette lo lleva a Sakkara.

Entonces le llega una carta de Mme Cornu. Contiene un sobre sellado para el virrey, ¡una invitación de puño y letra del emperador! Mariette se apresura en ir a ver a Said, que se encuentra en su palacio de la presa del delta, con su guardia circasiana. Cuando toma conocimiento de la invitación, Said estalla de alegría. Se vuelve hacia Mariette:

—Hoy, si usted me pidiera un millón de táleros como bakshish, ¡se lo daría! (El tálero de oro, moneda austríaca, es de curso legal en Egipto.)

Mariette sólo pide unos créditos suplementarios para comprar la colección de antigüedades de su enemigo declarado, el cónsul de Austria, von Huber. Ésta comprende más de mil piezas. El virrey acepta. En la confusión, Mariette obtiene igualmente una subvención para la publicación, en Francia, de su serie sobre el Serapeum. Poco después, Éléonore da a luz su octavo hijo, una niña, Louise-Hortense.

La estancia en Francia de Said va a coincidir con la Exposición universal de 1862 en Londres. Mariette recibe el encargo de velar por que Egipto esté bien representado en ella.

El viaje oficial del virrey, sus entrevistas con el emperador, serán un éxito. Mariette, que ha precedido al virrey, se reúne con él en Tolón, donde desembarca al son del cañón. Lo acompaña hasta París y lo presenta en la corte. El ambiente es excelente. Mariette se aloja en las Tullerías, como Said Bajá. Todo encanta al virrey; va al teatro, pasea por los bulevares; es el invitado de la emperatriz en Versalles. Mantiene largas conversaciones con Lesseps y conoce a banqueros que calman sus temores y le aseguran su apoyo: su préstamo será cubierto. Luego el virrey se embarca a Inglaterra con Mariette. Visitan la Exposición de Londres, en la cual Mariette y Gabet han hecho levantar un pabellón de Egipto, espectacular. Comprende una serie de armarios y vitrinas de madera incrustada que Mariette recuperará para su museo. Deja a Said en Londres y va a encontrarse con su familia en Boulogne. Éléonore se ha instalado en una casa alquilada a un amigo, en la rue du Puits-d'Amour. Le cuesta consolarse de la muerte súbita de su hija de cuatro años, Éléonore-Fanny. Por su parte, el pequeño Tady se recupera de una fiebre tifoidea contraída en El Cairo.

Mariette sólo puede dedicarles unos días. Said, de regreso de Inglaterra, ha elegido Boulogne como puerto de desembarco.

Sus habitantes lo reciben con entusiasmo. El alcalde le entrega las llaves de la ciudad. Said está encantado. Llevado por la emoción, anuncia que convierte a su amigo Mariette en "bey" de primera clase, es decir en un dignatario de la corte, y que toma a su cargo la educación de sus hijos:

—Tenemos que hacer muchas cosas juntos —dice a Mariette al abandonar Boulogne—. Venga pronto a hablar de nuestros proyectos.

Mariette se apresura a regresar a Egipto con su familia. Parte de Trieste en el *Vulcain* y desembarca en Alejandría antes del final del año 1862. Pero el destino no permitirá a Said Bajá cumplir sus promesas.

CAPÍTULO

10

El museo de sus sueños.

Desgracia.

Abydos y la capital

de Ramsés II.

Disputa con Renan.

"Los más viejos

de entre los muertos."

Intervención del nabab.

El cólera.

Ese museo con el que Mariette sueña desde hace años —el primer museo jamás creado en Egipto— toma forma ante sus ojos. En su ausencia, las obras han continuado. Es una agradable sorpresa. Los armarios y las vitrinas de la exposición de Londres ya están embarcados. Puede pensar seriamente en instalar las colecciones en Bulaq hacia mediados del año.

Esa perspectiva lo excita en el más alto grado, si prestamos crédito a su amigo, el periodista Ernest Desjardins, de paso por El Cairo. Mariette, haciéndole recorrer los depósitos donde trabajan obreros indolentes, describe el museo que tiene en la cabeza. Ante el aire sorprendido de su amigo, aclara:

—Lo sé, lo sé. Por el momento, estas salas inconclusas parecen muy pobres. ¡Pero imagínelas repletas de nuestros tesoros!

Ernest Desjardins, enviado por la *Revue des Deux Mondes*, se asombra del número de excavaciones abiertas por Mariette: ¡una docena, donde trabajan mil fellahs! El entusiasmo de Mariette es comunicativo. Los descubrimientos se suceden: en Sakkara, esfinges del Imperio Medio; en el fondo de pozos muy obstruidos, no lejos de la pirámide escalonada, bellos sarcófagos del Imperio Antiguo, con los nombres de los príncipes Hirbaiuf, Sajemka y Eijerti. En Gurnah, estatuas del Imperio Medio. Las operaciones de limpieza de Edfú están casi terminadas, las de

Denderah avanzan. Desjardins descubre en el patio de Bulaq magníficos relieves, inscripciones, pinturas, en excelente estado. Después de Desjardins, cuyo informe para la *Revue des Deux Mondes* es admirativo, Mariette hace los honores del futuro museo al duque de Brabante, futuro Leopoldo II de Bélgica. El duque desea visitar el Alto Egipto y ha pedido a Said, como un favor, tener a Mariette bey como guía. Aceptado. Édouard, hermanastro de Mariette, participa del viaje. Se ha convertido en uno de los arquitectos de la compañía del canal, y trabaja en Timsah, futura Ismailía, "capital" del canal. El duque de Brabante está encantado con su estancia, y lo hará saber.

En Bulaq, las cosas se desarrollan según los deseos de Mariette. Los muebles de la exposición han llegado de Londres en buen estado. Se comienza a pintar "a la egipcia" el interior de los salones, cuando súbitamente, todo queda nuevamente sometido a discusión. En la noche del 18 de enero de 1863, Said Bajá muere en el palacio de Montazah.

Mariette está muy afectado. Una verdadera amistad lo une al virrey. Si bien no estaba exento de defectos, Said era de naturaleza noble y generosa. Sensible a los halagos, influenciable, jamás había retirado, a pesar de sus cambios de humor, su apoyo al mamur, por el que sentía desde su primera infancia una admiración y un afecto sinceros. A la pena que siente, se agrega para Mariette un sentimiento de inquietud. Ha sido hecho bey, pero su posición de director de las Antigüedades, sus prerrogativas, sus privilegios y su presupuesto, dependen totalmente de la voluntad del soberano. ¿Cuál será la actitud del próximo virrey? Puede suprimir de un plumazo todos los créditos, detener las excavaciones, los trabajos del museo, reducir a la nada años de esfuerzos.

El anuncio de que asumirá la sucesión de Said su joven sobrino Ismail Bajá, nieto de Mehemet Alí, lo tranquiliza sólo a medias. Mariette ha conocido al príncipe Ismail, y nunca ha adivinado en él el menor interés por las antigüedades. Circulan los rumores más diversos acerca del nuevo virrey. A los treinta y tres años, ese hombre de baja estatura y mirada viva, que ha estudiado en Francia y sale de Saint-Cyr, es seductor y amante de las mujeres bellas. Tuvo gran éxito en los salones parisinos. Luego, realizó para su tío varias misiones diplomáticas en Europa. Valiente, adquirió notoriedad hace dos años al reprimir, a la cabeza de sus hombres, una rebelión en Sudán. Pero se lo considera también cínico, más preocupado por su comodidad y sus aventuras que por los grandes proyectos y el porvenir de su país.

En la compañía del canal están todavía más inquietos. Lesseps pierde con Said a un amigo cercano, un ardiente defensor de su empresa. Se teme que Ismail sea más sensible que su tío a las presiones de Inglaterra.

Sus primeras decisiones tranquilizarán a los unos y a los otros. Ismail Bajá será el soberano del canal de Suez (que él inaugurará), y no retirará a Mariette bey ninguna de las prerrogativas concedidas por su tío Said.

(Ismail será también el primero en obtener del sultán de Turquía el título de jedive, superior al de virrey, casi igual al de sultán, al que se le asigna el derecho de transmisión de la corona por primogenitura [al hijo mayor] que no existía en Egipto.)

Desde su primera audiencia en el palacio de Montazah, Mariette se oye confirmar en todas sus funciones. Su presupuesto no será modificado, como tampoco la subvención para la publicación, en Francia, del libro sobre el Serapeum.

—A decir verdad, señor Mariette —aclara el nuevo soberano—, no siento ninguna atracción por sus excavaciones en las sepulturas. Las momias no me dicen nada. Pero conozco sus trabajos, y sé el interés que inspiran en el mundo científico. Comprendo lo que aportan al conocimiento de nuestra civilización. ¡En París usted es un rey, señor Mariette! Yo lo ayudaré. Pero el museo de Bulaq que usted concibió con mi tío no está a la altura de sus descubrimientos.

Asombrado, Mariette escucha a Ismail Bajá desarrollar un proyecto cuya amplitud le desconcierta:

—Los depósitos de Bulaq —continúa Ismail— no son dignos de usted. Quiero hacer construir en El Cairo un museo semejante a los que visité en Europa. ¡Estará en pleno centro de la ciudad, en la plaza del Ezbekieh! He pensado en ello: allí presentaremos no solamente antigüedades egipcias, sino también antigüedades griegas y romanas encontradas en Egipto. Habrá igualmente salas árabes, donde reuniremos lámparas de mezquitas, vasos, muebles de nácar y marfil, todas cosas que se venden actualmente en los mercados de nuestras ciudades. Este museo será el centro artístico y científico de Egipto. Le añadiremos el Instituo egipcio, con una vasta biblioteca, a la que vendrán a trabajar sabios extranjeros. ¿Qué piensa usted?

—No puedo menos que aprobar ese proyecto, sire. Su realización dará lustre a su reinado...

"Aproveché el entusiasmo del virrey y su visión futurista para pedirle fondos suplementarios... destinados a Bulaq", escribirá Mariette a Desjardins. "Con el empuje de la imaginación real, obtuve un crédito de los hermanos Stagni, empresarios italianos recientemente establecidos en El Cairo, que han comenzado a trabajar enseguida. Con Édouard, hemos revisado los planos. ¡Tengo fundadas esperanzas de inaugurar mi museo en el otoño!"

(El museo del Ezbekieh, proyecto de Ismail, quedará en proyecto. En 1879, el museo de Bulaq será ampliado y sobreelevado. Diez años después de la muerte de Mariette, las colecciones serán trasladadas a Gizeh, a una de las antiguas residencias de Ismail, en el emplazamiento actual del zoológico y del jardín botánico. El museo actual de Kasr el Nil —tercer museo de El Cairo— fue inaugurado en 1902. El sarcófago antiguo que encierra los restos de Mariette se encuentra siempre en el jardín del museo. Mariette es, en el Oriente musulmán, el único cristiano a quien se le ha rendido semejante honor.)

Vassalli, director adjunto, ha regresado de Italia, donde fracasó la revolución; el Piamonte acaba de ceder Niza y Saboya a Francia. Otra llegada imprevista a El Cairo: la de Plon Plon, el caprichoso primo del emperador. Finalmente se ha decidido a visitar Egipto. Bien recibido por Ismail, sube a bordo del *Menschieh*, lujosamente reacondicionado en su honor. Mariette participa del viaje. Es verano; Plon Plon prácticamente no abandona su cabina. Desplomado en su diván, apantallado permanentemente por dos criados, bebiendo sorbetes que se le envían a diario desde El Cairo, se limita a contemplar las riberas del Nilo. Sólo sale de su sopor cuando llegan a la isla de Philae al sur de Asuán, y al templo ptolemaico (250 a.C.), asombrosamente conservado con sus pilones esculpidos, su sala hipóstila, su decorado policromo.

Plon Plon no se detiene más que un instante ante el magnífico relieve de la resurrección, en el que se ve a Osiris levantarse de su ataúd bajo la mirada de su mujer Isis y de su hijo Horus. Busca, en el primer pilón de la gran puerta, una célebre inscripción a la gloria de Bonaparte, su tío abuelo, grabada por orden del general Desaix. Al enterarse de que un turista inglés la hizo martillar, el príncipe entra en una violenta cólera y exige que se la vuelva a grabar inmediatamente en su texto original: "El año VI de la República, el 13 mesidor, un ejército francés, comandado por Bonaparte, descendió a Alejandría. Veinte días después, ese ejército puso en fuga a los mamelucos en las pirámides, y Desaix, comandante de la primera división, los persiguió más allá de las cataratas, adonde llegó el 13 ventoso del año VII". El príncipe hace grabar en el granito una frase suplementaria: "No se borra una página de historia". Mariette, que ha regresado a El Cairo, se pone furioso. ¡Acaba de prohibir todo grabado en las piedras antiguas, so pena de prisión! El príncipe se preguntará durante mucho tiempo por qué el director de las Antigüedades le mostró un rostro tan malhumorado en el momento de la despedida.

Desembarazado del príncipe Napoleón y alentado por los favores del nuevo soberano, Mariette perfecciona los detalles de su programa de excavaciones y contrata nuevos equipos. Un descubrimiento importante coronará ese entusiasmo.

Tiene lugar en Nubia (Sudán), a nivel de la cuarta catarata. Un oficial del virrey en misión de reconocimiento en el yebel

Barkal, a cincuenta kilómetros del río, en el emplazamiento de la antigua ciudad de Napata, observa, medio enterradas en la arena, grandes estelas de granito rojo y negro con cartuchos. El oficial sabe que solamente figuran en cartuchos los nombres de reyes. Hace calcos en tinta china y los dirige al servicio de Antigüedades de El Cairo. Mariette descifra el nombre de un rey etíope, Pianji Meiamun, que condujo expediciones militares contra los egipcios, y comprueba que las estelas forman parte de anales oficiales de Etiopía. Falto de elementos de referencia, envía los calcos a París, donde Rougé los considera de gran valor histórico. Éste eleva una comunicación especial a la Academia de Inscripciones, que encuentra eco en el gran público. En su exposición, rinde justicia a Mariette y, en su entusiasmo, obtiene que sea nombrado corresponsal de la Academia de Inscripciones en Egipto.

Gracias a los empresarios italianos, las obras de Bulaq avanzan. Éléonore y los niños disponen ahora de un apartamento decente, con un jardín que desciende en suave pendiente hasta el Nilo, donde juegan animales familiares: monos, llamados Sin Singe I, II y III, la gacela Finette, perros, gatos y numerosos pájaros. Pronto habrá un dromedario en el jardín de Bulaq. Mariette es feliz. Ha nacido una nueva hija, Louise-Hortense, la novena. Al año siguiente, Éléonore dará a luz a Victor-Ferdinand, que sólo vivirá dos años.

—Todo este mundillo bullanguero y feliz me inspira deseos de trabajar aún más —confía Mariette a un visitante.

Por fin las salas del museo están listas. Los armarios y las vitrinas se hallan en su lugar. Los carpinteros han terminado su trabajo. Floris ha hecho ejecutar bellos zócalos de alabastro para los bronces. Mariette escribe a Desjardins:

"Usted ya no reconocería nuestro viejo patio de Bulaq. En el centro se eleva una vasta construcción de estilo egipcio antiguo, compuesta de una decena de salas edificadas según mis planos..., no es algo definitivo, pero resulta suficiente. En el interior, todo está pintado a la egipcia y los monumentos van a ser instalados allí, sea sobre sus zócalos, sea en los armarios. Hay vitrinas planas para las joyas y los objetos pequeños."

La inauguración está prevista para octubre de 1863, pero Mariette no consigue una confirmación del virrey. Se ve obligado a comprobar que, nuevamente, se ha tramado una conspiración en su contra. Sus enemigos, por un momento desarmados, han reanudado la ofensiva; una vez más, han logrado despertar la desconfianza del soberano. Como Said hace cinco años, Ismail, ante las denuncias que se acumulan sobre su escritorio, comienza a dudar. Le afirman —y le prueban— que Mariette gasta sin control los dineros reales: habría acumulado trescientos mil francos de deuda (en realidad sesenta mil). Han puesto ante los ojos de Ismail una contabilidad trucada, acompañada de un informe de un agente secreto egipcio: la prueba de que Mariette no tiene otro objetivo que vender Egipto al emperador de los franceses. Se expone igualmente que Mariette negocia en provecho propio, con la ayuda de Mme Cornu, antigüedades extraídas del suelo egipcio. Es fácil adivinar, detrás de esos documentos falsificados o fabricados, la influencia —y sin duda los fondos— del Foreign Office, que trata por todos los medios de quebrantar la imagen de Francia en Egipto: Londres se preocupa cada vez más por las ciclópeas obras del canal de Suez.

Se repite el guión habitual: la puerta del virrey se cierra frente al mamur. No por estar habituado a esa clase de intrigas y a la caída en desgracia real, Mariette se siente menos profundamente herido.

"Con la edad", escribe, "debería ser más filósofo. Pero sigo sintiéndome afectado por la injusticia."

Éléonore hace lo que puede para ayudarlo a atravesar esa nueva crisis. Mariette se encierra en su escritorio, rehúsa ver a sus amigos. Es algo tan ajeno a su carácter, que Éléonore se inquieta.

—He hecho una gran cosa en mi vida —le dice su marido—. El Serapeum. ¡Y bien, eso será todo! ¡No terminaré ni el museo, ni mi libro!

Su salud se altera como si la prueba hubiese despertado la enfermedad. Se habla de un viaje a Francia, cuando llega a El Cairo un hombre que Mariette admira, y que siempre lo ha apoyado: Louis Félicien de Saulcy, miembro eminente del Instituto, especialista en escritura demótica. Saulcy está muy cerca de Napoleón III, que le ha confiado un mensaje para el nuevo virrey. Recibido en audiencia en el palacio, Saulcy se asombra ante Ismail por la caída en desgracia de Mariette. Rechaza las acusaciones de corrupción, de tráfico de antigüedades, garantiza la honestidad del mamur que, según él, goza de la amistad y de la total confianza del emperador. ¡Su despido sería muy mal visto en las Tullerías!

Ismail Bajá, como Said en su momento, cambia inmediatamente de actitud. Le interesa la amistad del emperador de los franceses. Convoca al mamur y le anuncia que está dispuesto a ir a inaugurar las salas de Bulaq a fin de mes, con Nubar Bajá, su primer ministro, y los dignatarios de la corte. Mantendrá su palabra, sin penetrar no obstante en las salas donde hay momias y sarcófagos: como muchos orientales, Ismail siente una viva repulsión por todo lo que evoca la muerte. Es supersticioso. Luego irá varias veces al museo de Bulaq, acompañando a visitantes notables, pero siempre aguardará a sus huéspedes en el patio.

La inauguración es un gran éxito. Lesseps asiste a ella al lado de Ismail, como numerosos embajadores y la mayoría de los cónsules, incluso los de Gran Bretaña. Dos patios separan los edificios. En el primero, Mariette ha colocado dos grandes esfinges de Karnak y tres soberbios sarcófagos de basalto. Construido en el emplazamiento del depósito más grande de la Compañía de Tránsito, el edificio principal está dividido en cuatro elegantes salas. Pinturas muy sobrias adornan las paredes. Las piezas más bellas se encuentran en el centro de cada sala: el Kefrén de diorita extraído del templo de la Esfinge, el Jeque el Beled, a quien todavía no se le ha agregado la pierna faltante, Amenertas, Ranofir, el cofre funerario de la reina Ah Hotep y sus espléndidas joyas. Saulcy, que ha visitado el museo con Mariette antes de la inauguración, observa que cada pieza está acompañada de una noticia explicativa redactada por Mariette, con su origen y un análisis de su alcance histórico o artístico. Mariette ha escrito también una guía del museo, llamada "Álbum". En ella resume, en un interesante prefacio, la filosofía de su acción:

"El museo de Bulaq ha surgido del mismo exceso del mal que está llamado a curar. Ninguna civilización ha dejado más monumentos que la civilización del antiguo Egipto, y podemos afirmar, con toda verdad, que Egipto asombra por la grandeza y la magnificencia de sus ruinas. Pero es imposible decir lo que, durante siglos, la superstición, la ignorancia, la codicia, la despreocupación, han costado a los últimos restos del imperio de los faraones. En efecto, durante siglos, esos valiosísimos restos fueron saqueados, destrozados, dispersados, aniquilados, hasta tal punto que, después de tantas catástrofes acumuladas, nos asombra que haya llegado un solo fragmento hasta nosotros. Agreguemos que desde hace cincuenta años Egipto ha extraído de sus entrañas, para darlos a Europa, una media docena de museos egipcios, y que los que construían esos museos y especulaban con ellos no temían, para obtener una estatua, demoler un templo; para tener un sarcófago, demoler una tumba. Pero era imposible que, una vez entrado en el camino del progreso en que lo vemos marchar ahora, Egipto permitiera que se siguieran tomando sus ruinas como una cantera, ¡y los pergaminos de su antigua nobleza como una mercancía!"

El éxito del museo es inmediato. Bulaq se convierte en el lugar de cita de los turistas, y en un centro donde se reúnen los sabios, los curiosos de El Cairo. Ismail se entera, y felicita a su director:

—Se me informa, señor Mariette, que su museo es, después de las pirámides, el lugar más frecuentado de la capital. Me siento muy feliz por ello...

—Yo también estoy muy feliz, sire. Si he logrado comunicar el amor a las antigüedades, el respeto a las obras de arte y el gusto por el estudio, he alcanzado mi objetivo.

En verdad, aunque reconoce el éxito de Mariette, el virrey no deja de prestar oídos a sus enemigos; la campaña de calumnias a la que Saulcy había puesto término ha comenzado otra vez en el palacio real, y Mariette pronto va a encontrarse en una situación muy difícil. Por el momento, obtiene cierta satisfacción de su éxito, y hace visitar el primer museo jamás creado en el suelo de Egipto. Experimenta un gran orgullo al recibir allí a su gran amigo y protector, Emmanuel de Rougé, conservador del Louvre, quien en el invierno de 1864 desembarca en El Cairo con su hijo Jacques.

Mariette debe todo a Rougé, y la permanencia en Egipto de su protector, sabio de considerable reputación, le brinda la ocasión de demostrarle su reconocimiento. Con Jacques, también egiptólogo, recorren primeramente Gizeh y Sakkara, luego van a San al Hajar, en el delta, la antigua Tanis. El sitio ha sido descubierto por la expedición de Egipto y, a causa de su riqueza arqueológica, ha atraído a Belzoni, a Salt, a Drovetti, los grandes proveedores de los museos y de las colecciones de Europa de principios del siglo. Mariette localiza allí la capital de Ramsés II, Pi Ramsés. En su opinión, de allí partieron los hebreos al comienzo de la gran aventura bíblica. Se acaba de desenterrar de la arena, en el gran templo, una estela probatoria de que allí se celebró el culto de Set cuatro siglos antes de Ramsés II, en tiempos de la dominación de los hicsos. Rougé padre, muy interesado, copia la estela, llamada del año 400. De regreso en Francia, publicará una memoria sobre la estela descubierta por Mariette que hará mucho ruido. Demasiado ruido tal vez, pues si hemos de dar crédito a algunos cronistas, Mariette, un año más tarde, se sentirá un poco celoso. Hasta habría vuelto a enterrar, en un gesto de despecho, la estela del año 400 durante cierto tiempo. En todo caso, su cólera cederá pronto, y su amistad por Rougé saldrá indemne de ese episodio.

Después de Tanis, el mamur embarca a sus visitantes en el *Menschieh* con destino al sur. Los reis han recibido la orden de preparar todas las inscripciones capaces de interesar a Rougé. Éste está encantado. Deja a su hijo copiar los textos inéditos de

Edfú (Jacques de Rougé los publicará en un volumen de dos tomos) y parte con Mariette hacia las ruinas de Tebas. Allí pasan dos semanas, enriqueciendo cada uno de ellos los conocimientos de su compañero.

De regreso en El Cairo, Mariette propone a Rougé estudiar y copiar en detalle una de las estelas del yebel Barkal, la de Pianji. Ésta se encuentra en el patio del museo. Rougé se pone a trabajar, pero el jamsin, el viento de arena, se levanta de pronto:

—Al ver su violencia en el patio del museo —dice Rougé—, ¡calculo lo que usted ha afrontado en el desierto!

Rougé regresa a Francia con abundante material. Antes de su partida, escucha una vez más las quejas de su discípulo. Los subsidios de la corte, por un momento restablecidos, han sido suspendidos nuevamente. La deuda del virrey y la del Tesoro aumentan. Se habla de bancarrota. Habituado a escuchar a Mariette llorar miserias, Rougé no se preocupa, pero promete intervenir. Falto de mecenas, se compromete a hacer atribuir a Mariette el premio anual otorgado por el Instituto, de un monto de veinte mil francos. Lamentablemente, no podrá cumplir su promesa: el premio será para un tal Oppert, que goza de grandes protecciones ante el emperador, por sus excavaciones en la Mesopotamia.

"¡Se diría que las crisis estimulan a Auguste!", escribe su hermano. La atmósfera es pesada, falta el dinero, las intrigas se reanudan. Se ve obligado a interrumpir los trabajos de acondicionamiento de Bulaq. Ya nada anda bien. Y de repente, todo va mejor.

En Abydos, se ha desenterrado en gran parte el templo de Seti I, con sus grandes salas hipóstilas, sus salones de recepción del dios y sus siete capillas. Obedeciendo a su intuición, Mariette hace despejar el muro sur del recinto del templo.

En un corredor, utilizado antaño como iglesia por los monjes coptos, se descubre una especie de nicho disimulado en el muro. Contiene un relieve que representa al faraón Seti I y a su hijo —el futuro Ramsés II— ofrendando ante una larga hilera de antepasados cuyos nombres figuran en cartuchos: ¡una lista de setenta y seis soberanos que reinaron en Egipto antes de Seti! La célebre Mesa Real de Abydos, más importante para los historiadores que la lista descubierta en Sakkara con Vassalli.

Es un gran acontecimiento. Pero se diría que cada éxito obtenido por Mariette llama a una nueva prueba, una nueva dificultad. El descubrimiento de Abydos será el origen de un asunto doloroso, que dejará huellas.

Un joven sabio alemán, Johannes Düminchen, alumno de Lepsius y de los hermanos Brugsch, al viajar por primera vez a Egipto, de paso por Abydos poco después del descubrimiento de la Mesa Real, hizo una copia de ella y la expidió a Lepsius, en Berlín. Éste se apresuró a publicarla en la revista *Zeitschrift*, cuya dirección acababa de asumir, olvidando señalar que la Mesa de Abydos había sido descubierta por Mariette.

(Maspero escribirá más tarde que, en su opinión, se trató de un olvido, que la buena fe de Düminchen y de Lepsius no podía ser puesta en duda.)

No es la primera vez que Mariette es víctima de esa clase de contratiempos. De una estela de Tutmosis III, encontrada por su equipo, el inglés Birch publicó una traducción aun antes de que él mismo se pusiese a trabajar en ella. Ante sus protestas, los egiptólogos alemanes o ingleses siempre han opuesto el mismo argumento: "Usted tarda demasiado tiempo en publicar sus descubrimientos". Esta vez, la publicación de la Mesa Real en Alemania, sin mención de su nombre, lo indigna. Ve en ello una verdadera traición, ¡peor aún, un robo! Escribe a Devéria: "¡Yo soy quien saca el vino, es justo que lo beba!". Participa su decepción a Ernest Desjardins, y ése es el origen del escándalo. Desjardins hace pública la confidencia de Mariette. La prensa francesa, ávida de acusaciones contra Prusia, se apodera de ella ¡y una disputa entre sabios se convierte en un asunto de Estado! Düminchen, estimándose injustamente acusado, exige excusas, habla de retar a duelo a Mariette. Mariette rehúsa retirar su acusación y escribe a Düminchen:

"No vacilo en decir que al publicar primero un monumento inédito sin mencionar siquiera quién lo descubrió, M. Lepsius ha actuado mal conmigo. Desde hace largos años, sacrifico mi tiempo, mis cuidados, mis fatigas, mi salud, a una obra más ingrata y más difícil de lo que se cree. Desde ese punto de vista, yo merecería más miramientos de parte de M. Lepsius..."

El asunto Düminchen se calmará, pero Mariette no lo olvidará. Se volverá cada vez más desconfiado, pero se empeñará en acortar el plazo entre descubrimiento y publicación. Jamás se reconciliará con Düminchen.

Como consecuencia lejana, o explotación perversa de esa querella de sabios por sus enemigos, siempre al acecho de una calumnia, Mariette se entera de que el virrey reduce aún más su presupuesto y le retira provisionalmente el uso de su barco, el *Menschieh.*

—En Oriente, depender de un príncipe es estar constantemente bajo la amenaza de un cambio de humor —declara Mariette a Ernest Renan, que llega a El Cairo.

Ese viaje está previsto desde hace tiempo. Los dos hombres simpatizaron en París. Tienen muchas ideas en común, aunque sus visiones de la historia antigua y de las fuentes de las religiones no siempre coincidan. En Bulaq, Renan se deja llevar a algunas reflexiones que sorprenden a Mariette por su exactitud:

—Usted ha dado a Egipto la conciencia de su pasado —le dice—. Prácticamente ha puesto fin al pillaje. ¡Bravo! ¡Estos monumentos se salvaron porque el país no estaba en el itinerario de las Cruzadas! No se construyeron enormes fortalezas. Lamentablemente hubo otras destrucciones... Hay por lo menos cinco museos egipcios en Europa. En Berlín, he visto las salas de Lepsius. Él trabajó con la sierra, el hacha, no dejando tras de sí más que desechos.

Durante más de dos meses, Mariette conduce a Renan de excavación en excavación, de templo en templo, de tumba en tumba, responde a todas sus preguntas, pone a su disposición todos sus archivos, sin ahorrar esfuerzos.

Renan se detiene ante la Esfinge de Gizeh y en el templo donde Mariette encontró las estatuas de Kefrén: "He aquí un templo primitivo", escribe él en su diario, "monumento absolutamente único... El edificio todavía no está despejado más que en el interior... los muros están revestidos de granito rojo, los arquitrabes de alabastro reposan sobre pilares cuadrados, monolíticos, de granito rosado. Ningún ornamento, ninguna escultura, ninguna letra. Es muy probable que excavaciones ulteriores revelen, en los bloques de piedra calcárea, grandes líneas verticales terminadas en hojas de loto y destacadas por la policromía".

(Renan se equivoca. Nada semejante aparecerá cuando el templo sea totalmente despejado.)

En Tanis, Renan medita sobre los recuerdos de los hicsos, esos invasores de origen semita que dominaron Egipto. Tal vez allí se encontraba Avaris, su mayor base militar. Renan hace observar que Tanis y Hebrón fueron fundadas en la misma época: "Los hebreos", escribirá Renan en el informe de ese viaje (*Revue des Deux Mondes* del 1 de abril de 1865), "que dieron al mundo su religión, tomaron mucho de Egipto en lo que a material religioso se refiere. ¿Y la gran idea monoteísta? ¿No se ocultaba una idea de esa clase en el fondo de los templos sin imágenes, sin ídolos, como el que Mariette descubrió cerca de las pirámides? No lo sé [...]. La idea primera de la religión egipcia se me escapa...".

Para ir con Renan a Abydos y a Tebas, el director de Antigüedades, privado del vapor real, fleta una dahabieh, barca del río acondicionada según las necesidades. A bordo, ambos hombres tienen largas discusiones; a veces sube el tono. Cuando, por ejemplo, Renan pone en duda la realidad histórica del primer rey de Egipto: Menes. Para Renan, es un dios convertido en rey en el inconsciente popular. Para Mariette, es un ser humano, cuya tumba escondida se descubrirá algún día. (Hasta el presente no se la ha encontrado.)

Las ruinas de los templos fascinan a Renan, pero, enamorado del arte griego, manifiesta reservas sobre las pinturas, los bajorrelieves, la escultura en general. ¿Por qué ningún personaje está de frente?

—Estas escenas son representadas de manera común —dice—. El artista, satisfecho consigo mismo, no sueña con nada más... No tiende a lo hermoso. Se ha extraviado en el callejón sin salida de lo mediocre. Y este arte, durante siglos, se repite indefinidamente...

Mariette, desde luego, no está de acuerdo.

Más tarde, Renan escribirá: "Egipto es una China nacida madura y casi decrépita, habiendo tenido siempre ese aire a la vez infantil y anticuado que revelan sus monumentos y su historia". Lamentará que el Egipto de los faraones no haya tenido un gran poeta sagrado —piensa en Homero— para celebrar su genio.

Aunque a veces se han enfrentado violentamente, aunque Mariette esté decepcionado por ciertos juicios de Renan, los dos hombres se separan en un clima de amistad. Renan, en diferentes ocasiones, rendirá homenaje a Mariette: "Sus excavaciones", escribe, "han ampliado prodigiosamente lo que se sabía de esa época lejana". Y también: "Estimo que se encuentran entre mis mayores gozos el haber contemplado ese mundo extraño, poco atrayente si se quiere, pero conmovedor en el más alto grado, y el haber tenido por guía en ese viaje a los más viejos de entre los muertos, a quien abrió el acceso a sus tumbas".

—El bajá siempre me escucha, señor Mariette. Yo voy a arreglar su asunto. ¡Confíe en mí!

Auguste Mariette reprime una sonrisa. Sin duda, la confianza es la última cosa del mundo que está dispuesto a conceder al hombrecillo barrigudo y voluble que ha irrumpido en su oficina del museo. François Bravay se ha ganado una reputación. Llegado de Túnez hace algunos años, ese meridional de múltiples talentos ha hecho fortuna y vive en un palacio del antiguo Cairo, entre decenas de criados. Hábil para ganarse los favores de los poderosos, sus negocios prosperaron. ¿Qué negocios? Circulan diversos rumores en El Cairo y en Alejandría. Ha viajado hasta Etiopía y el África central. Se dice que hace transacciones para la compañía del canal. Recientemente, se ha casado con una joven de la buena sociedad armenia.

—Hace tiempo que deseaba encontrarme con usted, mi bey —prosigue Bravay—. Lo admiro por sus descubrimientos, por su acción de salvamento de las antigüedades y por su museo, que acabo de descubrir. Pero no ignoro que tiene enemigos y que éstos se empecinan, desde la sombra, en destruir lo que usted construye. ¡Me gustaría ayudarlo! Yo veo muy a menudo a Su Majestad, que me honra consultando mi opinión.

¿Por qué no? piensa Mariette. La propuesta de Bravay, por una vez, parece desinteresada. Después de todo, Mariette no tiene nada que perder: desde hace algunos meses el virrey hace oídos sordos a todas sus solicitudes de audiencia. Su tesorero invoca las dificultades financieras del país para demorar los pagos: todos los intentos de Mariette para recuperar sus créditos han fracasado. Sin demasiada esperanza, acepta la propuesta del hombre de negocios. Y se felicitará por ello: bastante rápidamente es convocado al palacio de Alejandría, donde el virrey, todo sonrisas, le anuncia que se le va a restituir el *Menschieh*. Buena noticia, pues hace tiempo que no va al Alto Egipto, donde Gabet lo reclama. Al mismo tiempo, el soberano afirma que las sumas pendientes desde hace meses van a serle entregadas. Bravay no ha exagerado. Cuando Mariette decide ir a darle las gracias, encuentra su palacio desierto: el financista se ha embarcado a Francia con su familia. (Conquistará París y será elegido diputado, antes de caer víctima de sus desmesuradas ansias de poder y de los celos de los políticos. Alphonse Daudet se inspirará en su vida para su novela *El Nabab*.)

Por su parte, Mariette decide partir en inspección. Cosa muy rara, Éléonore y cuatro de sus hijos —entre ellos Tady— lo acompañan. En Luxor, el mamur ve, no sin sorpresa, a su amigo Théodule Devéria desembarcar de otra nave fletada por cuenta de la compañía del canal por el banquero Henry Pereire. Poco después llega Heinrich Brugsch, ¡que acaba de ser nombrado vicecónsul de Prusia en El Cairo! A bordo del vapor del canal se encuentra también un periodista invitado, Arthur Rhoné, que escribirá sobre ese viaje una valiosa obra, *El Nilo en pequeñas jornadas.*

A comienzos del verano de 1865, los equipos de Mariette están en plena actividad, y el museo de Bulaq atrae a más y más visitantes. La presencia en El Cairo de Brugsch y de Devéria vuelve a crear el clima de amistad de los años cincuenta. Pero el porvenir es sombrío. El virrey debe hacer frente a vencimientos cada vez más difíciles. Sin duda por presión de los banqueros británicos, al acecho de la menor ocasión de complicar el trabajo de los franceses que excavan con ardor el canal, Ismail acaba de suprimir definitivamente la *corvée*, reserva natural y poco onerosa de mano de obra. ¡Lesseps se ve obligado a reclutar obreros hasta en Grecia y en Albania! Falto de dinero, Mariette cierra momentáneamente varias excavaciones, entre ellas la de Tanis.

—Esta decisión me desconsuela —confía a sus amigos—. Tanis es rica en promesas y estamos en la pista de descubrimientos capitales...

(El inglés Flinders Petrie reanudará la excavación de Tanis después de la muerte de Mariette, desenterrando el templo de Amón. A partir de 1929, Pierre Montet pondrá allí en evidencia rastros de la herencia de hicsos y semitas, descubrirá el sarcófago de plata inviolado de un faraón de la XXII dinastía, Sheshonk, y el tesoro del faraón Psuseno con su magnífica máscara de oro. Una vez más, se confirmará la intuición de Mariette.)

El verano de 1865 es particularmente caluroso. En lo más fuerte de la canícula, se declara una epidemia de cólera. No es la primera vez. Pero ahora el mal, transmitido por peregrinos de La Meca, se difunde más rápido que de costumbre. Los muertos se cuentan por millares. Pese a las precauciones —se hace hervir el agua, no se come fruta cruda— los europeos son afectados a su vez. El doctor Victor Revillout, que atiende a la colonia francesa, está muy preocupado. Mariette licencia a sus últimos equipos. A principios de agosto, caen enfermos dos empleados del museo. Uno de ellos muere:

—El mal llega por el río —murmura Hasán, el criado de Mariette.

A su vez, Éléonore es presa de dolores abdominales y vómitos. El doctor Revillout lograr dominar ese ataque de la enfermedad pero aconseja vivamente a Éléonore que regrese a Francia con sus hijos. Se acaba de saber que el virrey se ha embarcado en Alejandría en uno de sus navíos de mar, y navega alejado de las costas. (Mehemet Alí actuaba de igual "valiente" modo cada vez que una epidemia se abatía sobre Egipto.)

A pesar de los ruegos de su marido, Éléonore rehúsa partir. Piensa que su deber es cuidar a los enfermos, proteger a su marido. Además, dice que el cólera pierde fuerza. Los hechos parecen darle la razón. Las noticias del Alto Egipto son mejores. Al atardecer del 13 de agosto, Brugsch viene, como todas las tardes, a reunirse, a la puesta del sol, con sus amigos Mariette que descansan en el jardín del museo contemplando el río. Los niños ya están acostados. La noche trae un poco de fresco. Del otro lado del Nilo se oye rugir a los leones del zoológico real. Hasán renueva los vasos de cerveza. La conversación es animada. De pronto, una lechuza, posada en una cornisa de la puerta del museo, lanza dos agudos gritos, que resuenan de manera insólita. Después, un tercer grito. La conversación se interrumpe. En Egipto, el grito de la lechuza es de mal agüero. Éléonore Mariette se vuelve hacia su marido:

—¿Llama a uno de nosotros? —pregunta con voz alterada.

Brugsch, que ha regresado a su casa, es despertado antes de finalizar la noche por un empleado del museo: Mariette le pide que vaya con urgencia. Descubre al bey y al doctor Revillout a la cabecera de Éléonore. Ésta respira con dificultad. Apenas acostada, fue presa de violentos dolores. Las pociones, las fumigaciones, no logran nada: el cólera ha reaparecido. El doctor Revillout no oculta su pesimismo.

A pesar de todos sus esfuerzos, Éléonore muere al alba. Tenía apenas treinta y ocho años.

Se la entierra al día siguiente en el cementerio cristiano del viejo Cairo. Auguste Mariette está desesperado, desorientado. Su mujer desaparece apenas cuatro años después de su hija mayor, Marguerite-Louise. Se siente culpable de atraer la desgracia sobre los que ama.

"Mi mujer —escribió un poco antes a su amigo, el escultor Alphonse Lami— no vale mucho exteriormente, pero es de aquellas que descuidan la forma por el fondo. Nadie ama más que ella a su marido, nadie la supera en dedicación absoluta, en atenciones, en amor, y hoy le debo tantos más cuidados porque, como usted sabe, le he causado antes muchas penas." (Carta citada por Elizabeth David.)

—¿Fui demasiado duro con ella? —pregunta a su hermano—. Un día, en París, la pobre me mostró con orgullo un broche que acababa de comprar en la rue de la Paix. Un escarabajo antiguo sobre un disco alado. Examiné la joya y comprobé que el escarabajo, finamente cincelado, con el cartucho de Tutmosis III, era auténtico, proveniente sin duda de alguna excavación clandestina. Se lo confisqué en el acto, y Éléonore, decepcionada, se encontró con el engarce vacío. ¡Hoy el escarabajo de Éléonore está en el museo, y yo me reprocho mi brusquedad!

Auguste Mariette vivirá en el recuerdo de la discreta Éléonore, su joven alumna de Boulogne-sur-Mer, muerta a orillas del Nilo, después de haber traído al mundo diez hijos. Joven viudo, como su padre, no volverá a casarse. Las crónicas de la época le adjudicarán algunas aventuras, en particular cuando toda la Europa aristocrática y mundana, cuatro años más tarde, se dé cita en Egipto para la inauguración del canal de Suez. Sin duda no se trata más que de rumores.

Para "llevar su casa" y ocuparse de los niños pequeños, Mariette llama a su lado a su hermana Sophie. Luego, sus dos hijas mayores, Joséphine y Sophie, la reemplazarán en Bulaq. En verdad, él no se consolará jamás de la muerte de Éléonore, "que no valía exteriormente" pero que tenía una formidable energía, grandes cualidades de corazón, una fuerte personalidad, coraje, y cuya ayuda nunca le faltó.

CAPÍTULO

11

Exposición de 1867

en París.

Mariette se enfrenta

a la emperatriz Eugenia.

Egipto en crisis.

Mariette enfermo.

El libreto de Aída,

ópera de Verdi.

Jamás el director de Antigüedades se ha encontrado en situación más dramática.

Todavía bajo el dolor de la muerte de Éléonore, víctima de un nuevo ataque de diabetes, acaba de enterarse de que Ismail Bajá, presa de crecientes dificultades financieras, obligado a reducir todos sus gastos, ha suprimido prácticamente el presupuesto del servicio de Antigüedades. Se licencia a los reis y a los obreros, el material de las excavaciones será remitido a los gobernadores de provincias. Solamente el museo se salva de la tormenta. Permanece abierto con no más de una docena de empleados, comprendidos vigilantes y jardineros. El salario del director se reduce a la mitad, como el de su adjunto Vassalli y el del subdirector Gabet. Éste, enfermo, pide una licencia para tratarse en Francia.

Recibido por un soberano visiblemente angustiado, con la mente en otra parte, Mariette logra apenas, tras un conmovedor alegato, mantener un puñado de obreros en las excavaciones de Tebas y de Sakkara. Salva así a su capataz Floris y a cuatro reis fieles, entre ellos Hamzaui.

Desde que está al servicio del virrey, ha atravesado muchas crisis, conocido alternancias de favor y de desgracia, de momentos de gloria y de humillaciones, al antojo de las confabulaciones y de los humores de Abbas, de Said, de Ismail. Pero es la primera vez que el Palacio ataca las estructuras mismas del servicio. Esta vez, ya no se trata de una intriga palaciega, como las que Lesseps, Saulcy o Bravay han logrado desbaratar. Al odio tenaz de los enemigos de Mariette se suman las recaídas de la profunda crisis económica. Desde hace diez años, la relativa prosperidad del Egipto reposaba en el *boom* del algodón —principal riqueza nacional— originado por la guerra de Secesión en América del Norte. La guerra ha terminado, se ha reanudado el trabajo en los campos de la Luisiana y de Nueva Orleáns, y las cotizaciones del algodón se han desplomado en la Bolsa de Alejandría. Ismail, que había contraído empréstitos demasiado pesados ante banqueros europeos y gastado sin calcular, es incapaz de hacer frente a la situación. A pesar de las nuevas inversiones de la compañía del canal, se encuentra al borde de la quiebra (situación que irá empeorándose y que, en algunos años, llevará a Ismail a abdicar).

Mariette no tiene ningún margen de maniobra:

"¡Todo mi personal", escribe, "se ha reducido, de más de mil, a veintiséis personas! ¡No hay nada más que hacer que esperar el fin de la crisis!"

Se repliega en el museo de Bulaq, donde no falta el trabajo. Hay muchas inscripciones que descifrar, publicaciones que preparar. Los reproches de lentitud que se le han hecho y el doloroso asunto de Düminchen están cercanos. Ha comenzado la redacción de una *Historia de Egipto desde los tiempos remotos hasta la conquista musulmana*, dedicada a niños y estudiantes. Ha sido un joven tipógrafo marsellés, recientemente desembarcado, Alexandre Mouriès, quien le ha hecho ese ruego. Mouriès edita en Alejandría el primer diario en francés del Oriente Medio. (Durante mucho tiempo la prensa en idioma francés será dominante en Egipto, donde todavía en 1948 aparecen cuatro diarios y varios rios semanarios. Se difundían en el Cercano Oriente, en particular el *Progrès égyptien,* la *Bourse égyptienne,* el *Journal d'Alexandrie,* etc. Todos ellos desaparecieron con la revolución nacionalista.)

Mourès acaba de obtener de Ismail el título de impresor oficial. El libro de Mariette es bien recibido, traducido al árabe y al inglés por su hermano Alphonse, establecido en Londres.

Es uno de los raros textos en que Mariette brinda una visión sintética de Egipto: "Su papel, en los asuntos del mundo, siempre ha sido grande", escribe. "En partes casi iguales con Europa, África y Asia, no ha ocurrido un acontecimiento notable en el que no se haya visto, por así decirlo, involucrado. Incluso es ése el lado sobresaliente de su historia. Egipto no brilla unos instantes, como tantos otros países, para eclipsarse luego en una oscuridad más o menos profunda: tiene, por el contrario, la extraña fortuna de mantener su acción a través de setenta siglos y, en casi todas las épocas de esa inmensa duración, se lo encuentra ejerciendo sobre algún punto una notable influencia. En la antigüedad faraónica, Egipto aparece, en el origen de los tiempos, como el antepasado de todas las naciones. Es Keops, construyendo, en momentos en que el resto del mundo no tiene todavía historia, monumentos que el arte moderno no superaría. Es Tutmosis, es Amenofis, es Ramsés atando a su carro todas las razas de hombres por entonces conocidas... Bajo los griegos y los romanos, es Egipto reinando por las ideas como antes reinara por las armas; son las sectas filosóficas de Alejandría conduciendo, en un momento de suprema crisis, el gran movimiento del que surgió el mundo moderno. En la Edad Media, es el arte árabe creando en El Cairo sus inimitables maravillas; son las Cruzadas, San Luis prisionero en Mansurah. A principios del siglo es Bonaparte y su aventurada pero brillante expedición. Finalmente, en nuestros días, es la dinastía de Mehemet Alí, es la civilización introducida en las orillas del Nilo..."

La cronología propuesta por Mariette ha sido superada hoy. Él piensa que Egipto no tuvo prehistoria: para él, hasta un período relativamente reciente, el limo depositado por el Nilo no era suficientemente rico para alimentar a los hombres. Ahora bien, desde 1864 se han descubierto numerosas huellas de vida prehistórica en los bordes del río. El año 5000 antes de Cristo —al que Mariette hace remontar el origen del imperio de Menfis— ahora es considerado como un período neolítico o arcaico. De 4000 a 3200, se describe un período predinástico, llamado de Nagada.

Mariette comete otro error: piensa que las treinta dinastías de Manethon reinaron sucesivamente. En cambio se ha probado que algunas reinaron simultáneamente. Pero si se lleva del 5000 al 3200 a.c. la fecha de las primeras dinastías, la cronología de Mariette, con sus relaciones con la Biblia, concuerda con ligeras variantes con la admitida en nuestros días.

- Dinastías I y II, 3200 a.c. Menes, Narmer. Tumbas reales de Abydos y de Sakkara.
- Imperio Antiguo o período menfita (el de los constructores de las grandes pirámides), desde la III a la VI dinastías, Zoser (pirámide escalonada, Snefrú, Keops) hasta Pepi. Del 3000 al 2280.
- Primer Período Intermedio, dinastías VII a XI, 2280 al 2060.
- Imperio Medio, o primer período tebano, dinastías XI a XII, del 2060 al 1786. Es la época llamada "del bronce medio". Algunos sabios, como el padre de Vaux de la escuela de Jerusalén, ubicarán allí más tarde la aparición de los hapirú, nómadas marginales, ancestros de los hebreos.
- Segundo Período Intermedio, dinastías hicsas, del 1786 al 1552. Época de los patriarcas: Abraham, el primer hebreo, parte de Ur, en la Mesopotamia, hacia Canaán. Aparición en Egipto del caballo y del carro.
- Imperio Nuevo, o segundo período tebano, dinastías XVIII, XIX y XX, del 1550 aproximadamente al 1070. (Ahmosis, Amenofis, los Tutmosis, Hatshepsut, Ajenatón, Tutankamón, Horembeb, Seti I, los Ramsés, Merenptah, etc.). Grandes templos de Karnak, Luxor, Abu Simbel, etc.

En el Imperio Nuevo, Tutmosis III realiza la conquista de Canaán, y los hebreos son reducidos a la esclavitud. Mariette ubicaba la salida de Egipto bajo la conducción de Moisés y el legendario paso del mar Rojo en 1280 a.C, bajo el reinado de Merenptah, sucesor de Ramsés II. Actualmente, ciertos investigadores ubican la salida de Egipto durante el reinado de Ramsés II, entre 1279 y 1212 a.C. Los hebreos habrían partido de Pi Ramsés (Tanis). La fundación del reino de David en

Hebrón data sin duda de la XXI dinastía de Tanis, hacia el 1000 a.C., como el reino de Salomón (que desposó en Tanis a una hija de faraón).

En ese período del Imperio Nuevo aparece la escritura hebraica, la primera en utilizar las vocales (la escritura jeroglífica no las tenía). Renan formuló ante el sorprendido Mariette la hipótesis de que esa innovación escritural había hecho posible tal vez la moral, es decir el respeto de la Ley divina. (La vocal implica la limitación del aliento, o su dominio y, en consecuencia, la limitación del deseo y de las pulsiones de violencia.)

- Tercer Período Intermedio, dinastías XXI a XXIV (de 1070 a 711).
- Época Baja, dinastías XXV a XXIX (de 711 a 332), los psaméticos.
- Dominación persa, XXX dinastía (Cambises, Darío, Jerjes, los Nectanebo). Fin del culto de Apis.
- Época griega, los ptolomeos. Conquista de Alejandro en 332 a.C. Templos de Denderah, Philae, Edfú, Kom Ombo, hemiciclo de los filósofos en Sakkara. Construcción de la biblioteca de Alejandría. Traducción al griego de la Biblia hebraica.
- Conquista romana. En el 30 a.C. Egipto, provincia imperial.

Como único motivo de satisfacción en esa atmósfera sombría del año 1866, el éxito del museo de Bulaq no deja de acrecentarse.

"Día a día", escribe Mariette con orgullo, "aumenta el número y la calidad de los visitantes."

Todos desean conocerlo. Algunos se atreven a forzar su puerta. Una viajera, Mme de Berteil, no vacila en instalarse durante un día entero a la salida del museo, en la esperanza de poder cambiar algunas palabras con él. A menudo Hasán Noer debe interponerse:

—¡El bey está trabajando! No recibe a nadie...

Naturalmente hace excepciones, para sus amigos o para visitantes recomendados. Así conversa con Émile Guimet, el fundador de Pechiney, que hace escala en Egipto, en camino hacia el Lejano Oriente. Él también piensa en un gran museo: será el de la plaza de Jena en París, para el cual hará copiar en forma idéntica, en Japón, las veintiocho estatuas del famoso mandala de Toji. Émile Guimet publicará en 1867, en la editorial Metzel, *Croquis egipcios*, firmados con sus iniciales.

Otro visitante, portador de una carta de recomendación de Nubar Bajá, primer ministro, se comporta de tal manera que Vassalli, que trabaja en un estampado en una sala del museo, decide alertar a Mariette:

—¡Está inmóvil desde hace dos horas —dice Vassalli— ante las joyas de Ah Hotep! Hasta ha pedido autorización para fotografiarlas.

Intrigado, el director va a su encuentro. El hombre está ceñido en una levita negra, la mirada vivaz detrás de unos quevedos. Lo acompaña una mujer muy hermosa. Saluda ceremoniosamente, a lo prusiano, y se presenta: Heinrich Schliemann, comerciante. Su francés es perfecto. Dice hablar con la misma facilidad el alemán, su idioma natal (nació hace cuarenta y dos años en el Mecklemburg), el inglés, el italiano, el español, el ruso, el sueco y, más asombroso todavía, el griego antiguo y moderno, el turco, el árabe literario... ¡y el hebreo! Asombrado, Mariette lo invita a almorzar con su esposa. Se entera de que Herr Schliemann, hijo de un pastor, ha llevado una vida de aventuras, como comerciante en San Petersburgo, en Estocolmo, banquero en América del Sur y en Cuba, vendedor de algodón en Italia, de metales preciosos en París. Dice haber amasado una fortuna en América del Norte, invirtiendo en los ferrocarriles y en las industrias de armamento. Desde hace poco, se dedica a un gran proyecto arqueológico.

Mariette no sabe qué pensar de ese visitante original. El Oriente atrae a los aventureros y ha aprendido a desconfiar de esos visionarios, cuya pasión por las antigüedades suele disimular bajos intereses comerciales. Éste parece diferente, aunque sólo sea por su cultura, su don excepcional para los idiomas y un cierto acento de sinceridad:

—¿Un proyecto arqueológico?

—Sí, señor director. Me devora el amor a las antigüedades. He hecho mis primeras armas recientemente en la isla de Itaca. Yo había observado allí un paisaje que evocaba irresistiblemente el descrito por Homero en la *Odisea*. Excavé en la cima del monte Aetos donde, a mi entender, se encontraba el palacio de Ulises.

—¡Verdaderamente! ¿Y qué encontró?

—En unos pocos días, con cuatro obreros y algunas piquetas, desenterramos urnas que contenían esqueletos. Ahora están estudiándose en Berlín. Pienso que puede tratarse de los restos de Ulises y de Penélope...

—¿Por qué no?

—Pero mi gran proyecto es otro, señor director. ¡Deseo encontrar la antigua Troya!

Mariette no ignora que desde hace siglos se discute el emplazamiento de la ciudad legendaria, cuya realidad misma es puesta en duda (como lo era la del Serapeum). Sabe también que la mayoría de los arqueólogos ubican a Troya en Turquía, en la entrada del estrecho de los Dardanelos, en la colina de Hissarlik. (Para otros, Troya estaría mucho más lejos al oeste.) No hay ninguna certeza, salvo para el asombroso Schliemann:

—Yo encontraré, señor director, la Troya homérica, La Ilión devorada por las llamas, que brilló desde 1250 hasta 1180 antes de nuestra era, época de Ramsés II, ¿verdad? Sus ruinas están debajo de la colina de Hissarlik. Actualmente estoy terminando un viaje de estudio. Conozco sus trabajos del Serapeum, de Tanis, de Tebas. Acabo de contemplar el deslumbrante tesoro de Ah Hotep. Lo admiro mucho, señor director, y quisiera pedirle algunos consejos...

(Cuatro años después de su entrevista, el arqueólogo alemán emprenderá su primera campaña de excavaciones en el emplazamiento de Hissarlik y descubrirá un enorme conjunto de joyas, de máscaras y de vajilla de oro, doscientos cincuenta objetos valiosos, a los que bautizará "Tesoro de Príamo", cuyo origen se discute todavía. Después de algunas vacilaciones, lo regalará al museo de Berlín. Poco antes del fin de la segunda guerra mundial, el tesoro, escondido por los nazis en un refugio antiaéreo del zoológico de Berlín, en el centro de la ciudad, desapareció cuando el asalto del Ejército Rojo. No se oyó hablar más de él hasta 1993, fecha en la que se supo que se encontraba en los sótanos del museo Pushkin de Moscú, donde está expuesto desde entonces.)

En Francia se prepara la gran Exposición "universal" de 1867. El Imperio se ha vuelto más liberal: *Hernani*, la obra prohibida de Víctor Hugo, es representada nuevamente. El ejército imperial está comprometido en México en una aventura peligrosa. Aumenta la tensión entre Francia y Prusia.

Tras algunas vacilaciones, Ismail decide participar en la Exposición a pesar de sus dificultades. Encarga a su director de Antigüedades concebir la representación egipcia, elaborar un pabellón egipcio y un programa de manifestaciones culturales. Los créditos son limitados; Mariette tendrá que hacer lo mejor que pueda.

Sin duda, Ismail espera obtener nuevos préstamos en Francia. Es una época de inversiones: El Crédit Lyonnais y la Société Générale acaban de depositar sus estatutos. Los banqueros tienen la palabra, y la gigantesca obra del canal de Suez progresa de forma espectacular.

Consciente de ser una de las últimas cartas de Ismail, amenazado por la bancarrota, Mariette se lanza con ardor a la aventura. Es también una manera de combatir la tristeza que lo ha invadido desde la muerte de su mujer. Ante el drama, la adversidad, él reacciona siempre de la misma manera: con un exceso de actividad.

Tiene el tiempo contado. Estamos a comienzos de 1866 y la inauguración de la exposición ha sido fijada para el mes de abril de 1867. Con la ayuda de Édouard, elabora los planos de un pabellón egipcio, en tres partes. Un desafío más. Mariette lo acepta:

—¡Vamos a hacer que los europeos descubran las obras maestras del antiguo Egipto, recientemente encontradas! —decide.

Pone proa al sur, con Édouard, Vassalli, Théodule Devéria, que se ha quedado en Egipto pues el clima calma sus trastornos respiratorios, y una decena de obreros provistos de andamios y grandes escaleras. En el templo de Seti I, en Abydos, Mariette copia la gran inscripción dedicatoria de Ramsés II. En Denderah, al precio de verdaderas acrobacias que aterrorizan a Devéria, propenso al vértigo, Mariette y Vassalli ¡hacen el trazado sobre el terreno de cerca de cuatrocientos bajorrelieves e inscripciones! Trabajo realizado a costa de gran cantidad de horas pasadas en las escaleras o en frágiles pasarelas, en equilibrio inestable.

En Denderah, Mariette medita sobre los templos invisibles, sepultados bajo el edificio ptolemaico. En árabe, Denderah se llama Ahanab el Berba ¡la madre de las ruinas! Herodoto afirma que el subsuelo alberga un laberinto de tres mil cámaras en dos niveles. Diodoro de Sicilia y Estrabón (que Letronne acaba de traducir) hablan del laberinto. En el siglo XVII, el padre Sicard lo hace figurar en su mapa, que guiará a Bonaparte. Una tradición afirma que en Denderah se encuentra, dentro de un círculo de oro, la tumba de Menes, primer rey de Egipto. Mariette se sumerge en las criptas cubiertas de arena del templo, soñando con descubrir sus secretos.

Los trabajos de Mariette en Denderah se ven súbitamente interrumpidos por la imprevista llegada de la nave de la corte, el *Quad el Jeir*, con los hijos del virrey, de paseo. Piden al mamur que los acompañe hasta Assuán. Mariette aprovecha ese viaje para recuperar inscripciones inéditas, jeroglíficos, en la isla de Sehel.

Devéria ha regresado a París, reclamado por el Louvre. De regreso en Bulaq, Mariette perfecciona los detalles de los planos del pabellón egipcio. El cuerpo principal será la reproducción de un templo faraónico, de diez metros de alto, inspirado en el templo de Philae. "Será menos un monumento", escribe Mariette al comisionado general de la Exposición, Charles Edmond, "o un espacio destinado a contener algo, que un estudio, en cierta forma viviente, de arqueología."

El templo no será de granito, como lo proponen los arquitectos parisinos —¡una herejía para el enojado Mariette, pues todos los templos egipcios están construidos en arenisca!— sino de falsa arenisca, es decir de yeso salpicado de arena.

Al lado del templo, se edificará un *okel*, caravanserrallo-hotel con un restaurante, comercios, talleres para el personal egipcio y un palacio árabe o *salamlik*, reproducción de una morada del viejo Cairo. En él trabajarán artesanos. El público podrá comprar sus productos, cobres del bazar, tejidos de Ajmin y de Mehallet el Kobra, esparterías de Esneh, etc. El conjunto está unido al pabellón del istmo de Suez en un "parque reservado" del Campo de Marte. El okel contendrá una colección de momias, accesible solamente a personas provistas de tarjetas de favor.

Brugsch está en París con Devéria para supervisar los trabajos de ese conjunto. Mariette se reúne con ellos en octubre. Solamente siete meses antes de la inauguración: están muy atrasados. La energía de Mariette salvará la situación.

Se ha instalado con sus hijos en una casita con jardín, al pie de la colina de Auteuil, en el número 44 de la rue La Fontaine, cerca de su amigo Desjardins. Todas las mañanas va a las obras del Campo de Marte antes del amanecer. El templo le satisface, pero no las pinturas interiores. Los colores no corresponden a los originales, sobre todo el azul. Tiene violentas discusiones con los artistas parisinos sobre el tema.

Ha hecho traer de Bulaq el Jeque el Beled, la reina de alabastro, estatuas del Imperio Antiguo, grandes esfinges del Imperio Medio, las joyas de la reina Ah Hotep, bronces, numerosos objetos de excavaciones. (Por prudencia, sólo ha enviado un moldeado del Kefrén de diorita. Pronto se felicitará por ello.)

Así llegan a París momias recientemente exhumadas en Deir el Bahari. Una de ellas se encuentra en su sarcófago, que contiene, según la costumbre, un rollo de papiro con largos extractos del Libro de los Muertos.

"Se le podrán quitar las vendas a la momia en París", escribe Mariette al comisionado general. "Su Majestad el emperador podrá asistir. ¡Será un excelente estudio en vivo de los procedimientos de embalsamiento del antiguo Egipto!"

Unos días antes de la inauguración oficial, fijada para el 1 de abril, Desjardins va a cenar a la casa de Mariette en Auteuil en compañía de un estudiante normalista de veintiún años, de cabello enmarañado, del que se dice que es muy brillante y apasionado por la egiptología. Para medir sus conocimientos, Mariette le da a traducir inscripciones muy complicadas. Con gran sorpresa, recibe unos días más tarde un informe del que nada tiene que corregir. Felicita al joven en ocasión de una segunda entrevista, augurándole un gran porvenir:

—Recuérdeme su nombre...

—Gaston Maspero.

Su futuro sucesor en la dirección de Antigüedades de Egipto.

Muy pronto, el éxito de la Exposición supera las esperanzas de los organizadores. En siete meses, va a atraer al Campo de Marte y a la isla de Billancourt once millones de visitantes, cifra fenomenal para la época. Sus atracciones principales son el palacio de la exposición, con sus siete galerías concéntricas, entre ellas la famosa galería de las máquinas, el lago artificial al que los *bateaux-mouches* acceden a través de un túnel, y los pabellones extranjeros. Entre las principales atracciones se cuentan los aterradores cañones de Krupp, los productos de aluminio, una nueva aleación, bacterias agrandadas mil veces. Se pueden ver los cuadros de moda, como *El Ángelus* de Millet. Triunfa el exotismo, en particular el Oriente. La multitud se agolpa alrededor de la reproducción del Bardo, del palacio del bey de Túnez, del kiosco turco, y en el "parque egipcio", que comprende el pabellón del istmo de Suez y el triple edificio concebido por Mariette, el templo faraónico policromo, el palacio árabe y el okel. A veces hay que esperar dos o tres horas para poder entrar.

Reyes y príncipes se suceden en el parque egipcio. Se ve al sultán de Turquía (¡es la primera vez que un sultán sale de su reino en período de paz!), al príncipe heredero del Japón; al zar de todas las Rusias, Alejandro II; al emperador Francisco José de Austria; al rey de Prusia, Guillermo I, etc. El jedive Ismail llega a su vez. Ha hecho la travesía a bordo de su vapor *Masr*, cuyo comandante es el francés Poisson bey, y se ha hecho seguir por su yate, el *Mahrusia*. En París, al bajar del tren, lo reciben Mariette y el barón Haussmann, prefecto del Sena; cinco carruajes de la corte, escoltados por lanceros, lo conducen en cortejo a las Tullerías. Napoleón III, enfermo, guarda cama; la emperatriz lo aguarda en el salón del primer cónsul. Mariette asiste al encuentro, y nota que el jedive parece fascinado por la belleza, la gracia, y la gentileza de Eugenia. Su conversación se prolonga: Ismail, que ha estudiado en París, bajo Luis Felipe, sabe encontrar palabras que hacen reír a carcajadas a la emperatriz.

La estancia de Ismail se prolongará además más allá de la fecha fijada por el protocolo. Saldrá mucho, a la Ópera Cómica, por los bulevares. En las Variedades, el rumor le atribuirá una aventura con la bella (y poco esquiva) Hortense Schneider, apodada por un humorista: "el paso de los príncipes". Se encuentra con banqueros, los hermanos Pereire, los Rothschild, y obtiene, al parecer, promesas que lo tranquilizan. Antes de regresar a Egipto, dirige un entusiasta elogio público a su director de Antigüedades, sobre el que llueven los honores: es hecho comendador de la Legión de Honor, y elevado un rango en la orden del Águila Roja de Prusia. Pero esa popularidad esconde una trampa. Mariette va a encontrarse inmerso en una situación delicada, difícil, que será determinante para la continuación de su carrera.

La emperatriz Eugenia ha asistido también al parque egipcio. Ha quedado maravillada ante las joyas de la reina Ah Hotep, sobre todo ante la diadema y la famosa cadena de las moscas de oro. Mariette, en gran forma, ha narrado las anécdotas sobre la reina, sus hijos, sus virtudes guerreras, la reconquista del territorio. En las Tullerías, parece ser que la esperanza de recuperar la totalidad de los hallazgos de M. Mariette no ha abandonado a ciertos íntimos del emperador. Piensan que lo que descubre un francés pertenece a Francia. ¿Comparte Eugenia esas ideas? Sin escrúpulo alguno, hace decir al jedive que se sentiría muy conmovida si se le obsequiara el tesoro de la reina Ah Hotep.

Es una petición insólita, sobre todo a un oriental. El jedive sigue bajo el encanto de Eugenia, y no ignora sus decepciones conyugales.

Turbado por esa petición, hace responder al enviado de la emperatriz que está dispuesto a satisfacer su deseo. Pero añade que debe tener el acuerdo de quien encontró el tesoro, su director de Antigüedades:

—¡M. Mariette —agrega— es más poderoso que yo en Bulaq!

La emperatriz encarga entonces a Mme Cornu negociar con Mariette. Éste, sorprendido, oye que se le propone, a cambio de las joyas de la reina, el puesto de director de la Biblioteca Imperial o, en su defecto, la dirección de la Imprenta Imperial. Ante el silencio del bey, Mme Cornu muestra su mejor carta: ¡ofrece al bey un escaño vitalicio de senador!

Mariette se siente insultado. Explica que si acepta desprenderse de las joyas, no tardará en recibir peticiones similares provenientes de Inglaterra, de Prusia, de Austria, que no estará en condiciones de negar. Excluye toda negociación y rehúsa.

Mme Cornu, temiendo la reacción de la emperatriz, insiste. Mariette se enfada y, al parecer, despide a la hermana de leche de Napoleón. Sabe que se malquista, tal vez definitivamente, con las Tullerías. ¿Pero qué otra cosa puede hacer?

Cree terminado el asunto en detrimento de su reputación personal. Pero es no contar con la tenacidad de Eugenia. Como por azar, uno de sus chambelanes, el general Fleury, propone a Mariette poco después el título (y los emolumentos) de conservador honorario del Louvre. ¡Una renta de siete mil quinientos francos! Mariette acepta pues el título no le impide ejercer sus funciones en Egipto y la renta soluciona sus problemas de dinero. Sólo en el momento de la firma se entera de que su nombramiento depende de un detalle insignificante: ¡la entrega a la emperatriz de las famosas joyas de la reina!

"Ante mi rechazo, lo adivinarás", escribe a su hermano, "título y emolumentos se fueron al agua!"

Esta vez es la ruptura: ya no es persona grata en las Tullerías, donde, hasta su partida, no será invitado. Curiosamente, el jedive no le agradece haber sacrificado en beneficio del museo de El Cairo su posición en París. Mariette se reconciliará con la emperatriz en ocasión de la inauguración del canal de Suez, dos años más tarde.

Entre los recuerdos del antiguo Egipto presentados por Mariette en la Exposición, las momias consiguen un éxito particular. Hay seis, intactas, provenientes de tumbas colectivas recientemente descubiertas debajo del embaldosado del templo funerario de Hatshepsut, en Deir el Bahari. Momias de princesas, de príncipes y de notables. Se acompañan de cráneos hallados en Gizeh y en Sakkara, que se remontan al Imperio Antiguo y que despiertan la curiosidad de los antropólogos franceses, conducidos por el célebre doctor Broca.

En mayo de 1867, en el parque egipcio de la Exposición, se le quitan las vendas a una de las momias, bajo la dirección de Mariette, en presencia del doctor Broca, de Théophile Gautier, Maxime Du Camp, Alejandro Dumas hijo, y de los hermanos Goncourt que escribieron un relato de la escena en su *Diario*.

"Nos encontramos en una gran habitación encima del okel de la exposición egipcia... De través, colocada sobre una mesa, la momia a la que se le quitarán las vendas. En torno se agolpan levitas condecoradas. Y se comienza el interminable despliegue de la tela que envuelve el paquete rígido. Es una mujer que vivió hace dos mil cuatrocientos años; y el temible y tan lejano pasado de un ser, cuya forma comienza a percibir la mirada y cuyo inmenso sueño va a ser violado, parece poner en la sala y en la curiosidad histórica despertada allí no sé qué de religioso en la avidez de ver.

"Se sigue desenvolviendo sin que el paquete parezca disminuir, sin que se sienta la proximidad del cuerpo. El lino parece renacer y amenaza no terminar nunca en las manos de los ayudantes que lo despliegan sin fin. Por un momento, para hacer más rápido y apresurar el eterno desembalaje, se la posa sobre sus pies, que chocan contra el suelo con un ruido duro de piernas de madera. Y se ve girar, hacer piruetas, bailar un macabro vals entre los apresurados brazos de los ayudantes, a ese paquete que se mantiene de pie, la muerte en un fardo.

"Vuelven a acostarla y se sigue desenvolviendo. Se amontonan los metros de tela, que se elevan en una montaña; cubren la mesa esas bandas de bello tono azafrán herrumbrado de una tela que no ha sido blanqueada. Y se desprenden extraños aromas, perfumes de polvo y de petróleo, emanaciones cálidas y picantes de aromas y de mirra funeraria: los olores de negra voluptuosidad del lecho de la muerte antigua. Por fin, debajo de las vendas que se quitan, comienza a esbozarse un poco de la forma humana del cuerpo: 'Berthelot, Robin', dice Mariette, '¡vean esto!' Un cortaplumas que hurga la axila ha extraído algo, que se pasan, y que parece ser una semilla y una flor que ha exhalado un buen perfume, un pequeño ramo colocado allí por Egipto bajo la humedad del brazo de sus muertos.

"Se quitan las últimas vendas, la tela llega a su fin. Aparece un trozo de carne: es completamente negro y causa asombro, tanto se esperaba, bajo ese sudario de dos mil años, tan fresco, encontrar la vida de la muerte y la eternidad conservada del cadáver. Du Camp se abalanzó, con cierto frenesí nervioso, a despejar el cuello y la cabeza. De pronto, en el negro del betún de Judea solidificado en la base del cuello, reluce un poco de oro. Él grita: '¡Un collar!' Y con una tijera, en la pétrea carne, hace saltar una pequeña placa de oro, con una inscripción escrita con cálamo y recortada en forma de gavilán. Luego se hace saltar también un pequeño Horus y un gran escarabajo verde. Mariette, que se ha abalanzado sobre la pequeña placa de oro, dice que es una plegaria por la reunión de su corazón y de sus entrañas con su cuerpo, en el día eterno.

"[...] Una última venda arrancada del rostro descubre súbitamente un ojo de esmalte cuya pupila oscura se ha moldeado sobre el blanco, un ojo viviente que da miedo. Aparece la nariz, chata, quebrada y taponada por el embalsamamiento; y la sonrisa de una lámina de oro se muestra sobre los labios de la pequeña cabeza, de cuyo cráneo se desflecan unos cabellos cortos que parecen tener todavía la humedad y el sudor de la agonía.

"Allí estaba ella, tendida sobre esa mesa, golpeada y profanada en pleno día, todo su pudor expuesto a la luz y a las miradas. Los presentes reían, fumaban, conversaban. Pobre cadáver profanado, tan piadosamente enterrado y velado, que debía de creerse tan seguro del descanso y del secreto eternos, de la inviolabilidad inmortal, y al que el azar de una excavación arrojaba allí, como una pobre muerta de nuestro tiempo, sobre una mesa de anfiteatro, sin que nadie más que nosotros sintiese una dolorosa melancolía."

Poco después, Mariette dirige en el okel otra operación de quitado de vendas, mucho más solemne, en presencia del emperador, de la emperatriz, del príncipe imperial, del jedive Ismail y del egiptólogo François Chabas.

En octubre, se cierra la Exposición. Mariette teme regresar al apartamento desierto de Bulaq. Con Brugsch, amigo de siempre, dan largos paseos por París, hablan de Egipto. Le han ofrecido a Brugsch un puesto de profesor de demótico en la Biblioteca Imperial de París. Lo rechaza, a petición de Lepsius, pero sabe que Mariette ha sugerido esa propuesta, y siempre le estará agradecido.

—¡Es un desastre irreparable! ¡Una verdadera catástrofe!

Mariette contempla al Jeque el Beled que hace tiempo sacó del olvido en un mastaba de la VI dinastía, en Sakkara. Acaban de extraerlo del cajón de madera blanca confeccionado en París.

Un pesado silencio reina en la gran sala del museo de Bulaq. Vassalli vuelve la cabeza, como si no pudiese soportar el espectáculo. Los dos hombres intercambian una mirada desesperada.

—Un desastre —repite Mariette—. Han tomado un molde de la estatua en París sin nuestra autorización. ¡Y éste es el resultado!

El Jeque el Beled está cubierto de grandes manchas blancas, como afectado de una enfermedad cutánea. Su rostro es lo que más ha sufrido. El cristal de roca de los ojos se ha velado, el alabastro se ha opacado, la mirada tan penetrante se ha apagado, los hilos de bronce del rostro se han oxidado y dilatado: una parte de la frente se ha salido de su alvéolo. La mejilla derecha presenta un agujero: una pieza agregada, tan antigua como la estatua, se ha desprendido y desaparecido. El brazo tendido —al que le falta el bastón que será agregado más tarde— está roto. La estatua de madera, de la que emanaba una extraordinaria impresión de vida por su realismo, su armonía, su equilibrio, ya no es más que un objeto privado de alma:

—¿Qué vamos a encontrar en los otros cajones? —pregunta Mariette.

Otras depredaciones, otros desastres. La reina de alabastro, la divina adoratriz, tiene la nariz rota; los fragmentos han sido pegados al azar, y Mariette comprueba que falta uno, irremediablemente perdido. Cada cajón aporta su lote de desolación. De las ocho estatuas de piedra calcárea del Imperio Antiguo, cuatro están quebradas. De una estatua de mujer, de madera, deben de haber tomado también un molde sin autorización. Mariette extrae con el cortaplumas una sustancia amarilla, indefinible. La estatua está recubierta en parte de aceite:

—Nos han traicionado —dice él.

Y agrega:

—¡Es la última vez que envío originales a una exposición! ¿Pero habrá otra vez?

A su regreso, ha encontrado Egipto en un desconcierto total. La situación se ha agravado aún más. Hace tres meses que no se paga a los empleados del museo. En el valle, los obreros que trabajan todavía en sus excavaciones se quejan de hambre.

"Ya no sé a qué santo invocar", escribe Mariette a su hermano. "¡Se niegan a reembolsarme gastos autorizados que hice en París! Me entran ganas de dejarlo todo y de regresar a Francia llevando algunos de los veintidós mil monumentos del museo: el Kefrén, la reina de alabastro, el Jeque el Beled y las estelas del yebel Barkal, por ejemplo. Podría muy bien sacar de ellos un millón y estaría tranquilo para plantar mis coles en Francia..."

Es sólo un desplante, desde luego, pero tal vez durante un tiempo al menos pensó en volver a Francia. Si el rencor de la corte continúa, si el nuevo ministro de Finanzas Raghib Bajá sigue negándole sus solicitudes de dinero, tal vez no haya otra solución.

Su salud no mejora. Tiene fiebre, han reaparecido los vómitos, y el tratamiento que sigue por un "catarro crónico del estómago" (sin duda una úlcera) no da muchos resultados. Los médicos de París y de Boulogne le recomiendan curas termales.

Cinco de sus hijos están con él en Bulaq: Joséphine-Cornélie, veintiún años; Sophie-Éléonore, diecinueve; Tady, doce; Félix, nueve y Alfred, siete. Joséphine, la mayor, es de poca salud; Sophie es quien se encarga de sus hermanos menores, pero carece de autoridad y tiene a menudo "la cabeza en otra parte".

—Mis hijas —se queja Mariette— no han comprendido su misión.

Ya nada anda bien en Bulaq. Se lo oye protestar:

—¡No tengo un botón en mis pantalones!

Debe pedir prestados nueve mil francos para saldar las deudas más urgentes. En el Palacio tienen demasiadas preocupaciones para inquietarse por el departamento de Antigüedades, y Raghib Bajá sigue haciendo oídos sordos.

"Aquí", escribe Mariette, "el museo y las excavaciones se han convertido en la vigésima rueda de la carroza. La Exposición de París, a la que consagré dos años de mi vida, ha arruinado algunas de nuestras piezas más hermosas. Yo mismo estoy disgustado con Mme Cornu, es decir con las Tullerías, a causa de la diadema y de las moscas de la reina. Ya no percibo un centavo del Louvre. ¡Y sigo sin poder publicar un libro completo!

Hace diecisiete años que excavo ¡y no tengo siquiera un desgraciado libro que mostrar! En París, mi nuevo editor, Vieweg, no quiere hacer nada sin suscripciones o subvenciones; todo depende del ministro; nada hace pensar que dé una opinión favorable. ¡Pero sin ese libro estoy perdido!"

Todo se derrumba a su alrededor, pero se pone nuevamente a trabajar. Redacta artículos para la *Revue archéologique*, termina el trazado de las mastabas de Sakkara. Desearía recorrer las obras paralizadas en el valle, pero los vapores reales están en el muelle, faltos de carbón. Las relaciones con Ismail son cada vez más tensas. Cuando el jedive regresa a Egipto después de una corta permanencia en Estambul junto al sultán, todos sus ministros y sus directores van a recibirlo a Alejandría. Salvo uno: ¡el mamur de Antigüedades! Mariette ya no cree en su porvenir en Egipto. La crisis económica parece no tener fin, su salud lo atormenta, como la de sus hijos. En el otoño de 1868, decide enviar a Boulogne, con su hermana Zoé, a sus tres hijos, Tady, Félix y Alfred. Joséphine y Sophie se quedan, provisionalmente, con él. Ellas le leen, pues nuevamente le molestan los ojos.

Sólo tiene cuarenta y siete años, pero se siente muy viejo, gastado por la enfermedad y el malestar ambiente. Después del amigo Bonnefoy, Gabet, su director de excavaciones, ha muerto a su vez en Francia, donde se hallaba de licencia. Mariette se ocupa en buscarle un sucesor: éste será un asistente del Louvre, llamado Daninos.

Vassalli le encuentra muy mal semblante, y observa que a menudo se encierra en su habitación. Hasán, que ahora sólo trabaja medio día con él, se preocupa: ¿estará el bey gravemente enfermo?

De pronto, en uno de esos vuelcos a los que está acostumbrado, Mariette sale de su depresión, animado por un nuevo entusiasmo, lleno de proyectos. Ha ocurrido algo que ha actuado como disparador: gracias a Rougé, a Lenormant y a Victor Duruy, el editor Vieweg ha obtenido, finalmente, una subvención y ha puesto en prensa *Abydos, Denderah y Edfú*, con una colección de papiros del museo de Bulaq. Ante esa noticia, el jedive sale al parecer de su sopor y convoca a su director. Quiere participar en la publicación.

Es que, mientras tanto, una luz de esperanza ha aparecido en el cielo tormentoso de Egipto: las obras del canal han progresado tanto, que Lesseps anuncia oficialmente su inauguración y su apertura al tráfico marítimo, ¡para principios del invierno! Se ha fortalecido la posición del jedive en las cancillerías y ante los banqueros, sus acciones han subido, de pronto sus arcas se han llenado. Mariette encuentra en el palacio de Ras el Tine a un hombre revigorizado:

—Quiero que la inauguración del canal sea un acontecimiento histórico —le declara Ismail—. Lo hemos discutido largamente con M. de Lesseps. Esperamos la venida a Egipto del emperador de los franceses y de la emperatriz, lo mismo que la de numerosos soberanos, hombres de letras, eruditos, artistas, periodistas de todos los países. ¡Nadie mejor que usted puede presentarles a nuestro país! ¡Nadie puede, como usted, contarles su pasado, escoltarlos en el valle, garantizar su placer y velar por su comodidad!

Esa nueva misión coloca a Mariette en un aprieto. Durante mucho tiempo el canal le pareció una empresa utópica, y su porvenir aleatorio. "Será de explotación difícil", escribió unos años antes. "El peaje será demasiado costoso e impedirá a los armadores hacer pasar sus navíos por allí." Todavía ahora duda del porvenir comercial de la empresa. "Los accionistas jamás cobrarán dividendos", escribe. (Prueba suplementaria, si hacía falta, de su carencia de realismo financiero.) Ve en la obra grandiosa de Lesseps una fuente de futuros problemas: "Inglaterra será el primer cliente, querrá asegurarse sus mercados, y luego pondrá su pesada mano sobre Egipto. Un día Francia será suplantada".

Ese escepticismo sobre el destino de la obra de Lesseps no le impide aceptar la nueva misión que se le confía, aunque no le encanta demasiado la idea de transformarse en jefe de protocolo, en guía de turismo o, peor aún, en organizador de festejos. Pero no ha llegado al fin de sus sorpresas. El jedive lo hace llamar nuevamente:

—Ahora que se despeja el futuro, señor Mariette, usted no tardará en reanudar sus excavaciones. Agrandará su museo. Pero antes, tengo que hacerle una propuesta. La construcción de la Ópera de El Cairo está, como sabe, casi terminada... Deseo que para su inauguración, que coincidirá con la del canal, se represente una ópera cuya acción y puesta en escena evoque el Egipto de los faraones. ¿Qué le parece?

Mariette ha advinado lo que le espera. Busca una salida de emergencia, pero no la encuentra:

—Es una feliz iniciativa, sire. Y yo...

—¿Le gustaría, señor Mariette, escribir esa ópera? Me han dicho que usted escribió libretos en su juventud.

—¡No en realidad, sire!

—Estoy seguro de que aceptará. Para la música, pienso en Wagner, Gounod o Verdi.

Alelado al principio por la propuesta, muy pronto Mariette se entusiasma y despliega tesoros de trabajo, de talento y de ingenio, para encontrar el argumento de *Aída*, acumular documentos, redactar el libreto y realizar decorados y vestuarios de la ópera, cuya música, después de algunas vacilaciones, Verdi acepta componer.

En medio del torbellino de esos proyectos, de la perspectiva de misiones que no puede rechazar, Mariette retiene un hecho importante: ha recuperado créditos para Bulaq, y va a estar en condiciones de reabrir sus excavaciones. Vuelve a tomarle gusto a la vida. Irá a hacer la cura a Plombières que le recomiendan los médicos. A principios del verano, se embarca con sus dos hijas a Francia, encargando a Vassalli y a Daninos inspeccionar las obras y reanudar su actividad. Las nuevas tareas que le aguardan son pesadas, variadas y delicadas. Necesita juntar fuerzas.

CAPÍTULO

12

Un jedive enamorado.

Inauguración

del canal de Suez.

Mariette guía a la emperatriz

en el Alto Egipto.

Osiris, rey de los vivos,

dios de los muertos.

Los secretos de Denderah.

—Tengo que decirle algo muy importante, señor director. ¿Puede venir conmigo un momento?

Sorprendido, Mariette sigue al jedive Ismail a una pequeña habitación retirada del palacio. El primer ministro Nubar Bajá, Colluci bey, jefe del protocolo, Tonino bey, secretario privado, todos los ministros y los dignatarios de la corte, han sido convocados a Palacio. Objeto de la reunión: establecer definitivamente la lista de los invitados de la corte a las ceremonias de inauguración del canal: más de mil personalidades, soberanos, príncipes reinantes, jefes de Estado, ministros, diplomáticos, hombres políticos, banqueros, sabios, hombres y mujeres de letras, artistas, periodistas o simplemente hombres y mujeres de mundo. Algunos vendrán de Asia o de las Américas. A Mariette le ha sido confiada la misión de asegurarse de que la lista de los invitados franceses de la corte no interfiera con la de la compañía del canal. Tarea delicada. Francia debe proporcionar más de la mitad de los invitados, pero ya se discuten algunos nombres. Se ejercen presiones. Lo ideal para hacerse de enemigos, piensa Mariette. ¿Pero cómo evitarlo? Y ahora Ismail, sin duda para resolver alguna situación delicada, lo lleva a su gabinete, al abrigo de miradas indiscretas y de oídos siempre curiosos. Se cierra la puerta. Lo que Ismail Bajá va a confiar a su amigo no concierne al protocolo; es, simplemente, el secreto de su corazón. ¡Está enamorado, muy enamorado de la emperatriz de los franceses, ¡la siempre bella Eugenia de Montijo! Esa pasión nació el año anterior, el de la exposición, a favor de entrevistas privadas que la emperatriz le concedió en Saint-Cloud. Se sintió literalmente subyugado por su encanto, su belleza, su dulzura, el brillo de su mirada. El asunto de las joyas no alteró su relación. Él se tomó la libertad de escribirle. Fue honrado con una respuesta. La emperatriz aceptó viajar a Egipto para la inauguración. Hasta ha elegido, para sus desplazamientos privados, el nombre de condesa de Pierrefonds. Es dable pensar que el emperador, en mal estado de salud y preocupado por los disturbios, las huelgas que estallan por doquier, y por una tensa situación política, se quedará en Francia...

Ismail, tendido en su sofá, hace una pausa, observando las reacciones de Mariette. Éste, presa de gran perplejidad, sólo demuestra un interés cortés, apenas teñido de asombro. Y permanece mudo. El monólogo continúa: para Eugenia, el jedive ha hecho ampliar y reacondicionar su palacio de la isla de Gezireh, adonde espera que ella acepte albergarse. Lo ha amueblado según sus gustos. ("De un gusto detestable pero suntuoso", escribirá Théophile Gautier, uno de los invitados a la inauguración.)

El jedive ha hecho más. Mariette se entera de que si la nueva ruta que une el viejo Cairo con Gizeh consta de dos curvas inútiles —pudo haber sido completamente recta—, es por expresa petición de Ismail. Cuenta acompañar a la emperatriz, en calesa, a esa excursión clásica a las pirámides y espera que, a favor de esas curvas cerradas, ¡ella caiga en sus brazos!

Esa confidencia hace sonreír a Mariette. Pero Ismail no bromea. No ignora que, desde el asunto de las joyas, las relaciones del bey con las Tullerías no son de las mejores.

(En verdad, Eugenia no manifestará ningún resentimiento, y se mostrará "toda sonrisas y plena de consideraciones" hacia Mariette.) Lo que desea el jedive es conocer el punto de vista de su director. Dice que necesita confiarse a un verdadero amigo. Lesseps, ligado familiarmente a la emperatriz, no está en el secreto. Él tenía que abrir su corazón. Quiere hablar de esa mujer, toda gracia y belleza, que ocupa sus pensamientos. Quiere que le hablen de ella.

Mariette se siente incómodo. Sabe que Eugenia no carece de adoradores. Su belleza, su relativa soledad sentimental (las amantes del emperador no son un secreto para nadie) han inspirado pasiones. Las gacetillas, sobre todo las que desde las nuevas leyes de liberalización no vacilan en lanzar pullas contra la familia imperial, no se privan de adjudicar relaciones a la emperatriz abandonada. ¡Hasta se ha escrito que el corazón del sultán de Turquía latía por ella! Mariette sabe todo eso. Pero las confidencias de Ismail lo toman desprevenido. Se dice emocionado por la confianza que se le otorga, pronuncia frases esperadas sobre los encantos y las cualidades de la dama, y asegura al soberano su ayuda, si él se la pide, y si está en condiciones de brindársela.

(Aunque faltan pruebas —y sin duda faltarán siempre—, parece ser que la pasión de Ismail chocó con el rechazo, cortés pero frío, de Eugenia. Ningún allegado a la emperatriz, como la condesa de Garets que la acompañó a Egipto y publicó sus recuerdos [*Junto a la emperatriz*] ha hecho alusión a un romance, ni siquiera a una conversación íntima con el jedive.)

Sin embargo, en la esperanza casi seguramente decepcionada de una intriga amorosa, el jedive vela personalmente por el programa de las festividades que se desarrollarán durante casi un mes. Éstas deben proclamar también, a través de "uno de los acontecimientos más grandes de la historia y de la geografía", la grandeza de su país. Eugenia, a bordo del yate imperial *L'Aigle*, abrirá, en compañía de Lesseps y al son del cañón, el gran desfile marítimo, primera travesía del desierto desde el Mediterráneo al mar Rojo. El jedive los seguirá en su yate, *Le Marroussia* ("la novia", en árabe), ¡precediendo a las naves de reyes o emperadores! Previamente, Eugenia se habrá alojado en El Cairo en el palacio de las Mil y Una Noches que Ismail le ha reservado en la isla de Gezireh. Habrá visitado las pirámides con él, admirado las iluminaciones de Port-Said, asistido a un solemne servicio religioso, presidido un banquete de mil invitados cuyo recuerdo permanecerá en la historia.

Antes de llegar a Suez, ella habrá estado en Ismailia, la ciudad del canal dedicada por Lesseps al jedive Ismail, siendo allí la reina de una fiesta sin precedentes. Auguste Mariette promete a Ismail no abandonar a la emperatriz, inquirir sus menores deseos, comunicarle a él, eventualmente, sus decepciones o sus problemas.

Tranquilizado, el jedive sale con el mamur de su gabinete. Sus ministros están aliviados, y la discusión acerca de la lista de invitados puede continuar.

Auguste Mariette no tendrá problemas con la emperatriz. Ella ha olvidado el asunto de las joyas y presenta un rostro sereno al mamur de Antigüedades comisionado por el jedive junto a ella. Como estaba previsto, llega sin el emperador, pero con un numeroso séquito que comprende al príncipe y a la princesa Murat, primos segundos de Napoleón I, una decena de damas de compañía, allegados a las Tullerías. De inmediato se declara apasionada por las antigüedades y anuncia a Mariette que, después de la ceremonia, cuenta llegar hasta Asuán y Luxor. El recibimiento que se le tributa en Alejandría, luego en El Cairo donde la multitud la aclama, la colma de alegría. Aprecia el fasto desplegado por el jedive, se muestra sensible a sus atenciones. La etiqueta le da la primacía sobre las altezas europeas. Es la reina de la fiesta.

La fecha de la inauguración oficial ha sido fijada para el 17 de noviembre de 1869. Hasta el último momento, reina la incertidumbre. Llueve sin cesar desde hace dos días. Se enteran de que una fragata egipcia, la *Latif*, que levó anclas en Suez y remontaba el canal en un último reconocimiento, acaba de encallar a cuarenta kilómetros de Port-Said, cerca del lago de Timseh. Lesseps y un equipo se ocupan de acercar la fragata a la orilla, pero el obstáculo reduce sensiblemente el ancho del canal. ¿Pasarán los barcos del cortejo, y sobre todo *L'Aigle*, que mide cien metros de largo y más de veinte de ancho?

Al alba del 17, Mariette se encuentra en Port-Said a bordo de *L'Aigle*, con la emperatriz, de vestido claro. El sol se eleva en un cielo despejado. El espectáculo es extraordinario. Más de cien navíos bellamente empavesados están anclados en la dársena de Port-Said. ¡Sin duda ningún país del mundo ha reunido jamás a tantos soberanos y celebridades! Francia, que recuerda la expedición a Egipto, ha enviado una gran delegación de sabios. Seis miembros de la Academia de Ciencias y los químicos Marcellin Berthelot, Balard, Wurtz, el naturalista Quatrefages, el fisiólogo Marey, el físico Jamin. También ha sido invitado el profesor Victor Duruy, ex ministro de Instrucción Pública, gracias a quien acaban de ser impresos los primeros volúmenes de láminas de Mariette; médicos, Broca, entre otros; los pintores Gérôme, Fromentin, Berchère, Lenoir; los compositores Gounod y Félicien David; Garnier, el arquitecto de la Ópera, con su mujer; el autor dramático Victorien Sardou; los escritores Edmond About, Théophile Gautier.

Hay cerca de treinta periodistas. Entre ellos, Buloz, director de la *Revue des Deux Mondes*, el director de *L'Illustration*, el de *La France*, Charles Blanc, hermano del revolucionario de 1848 Louis Blanc, Feyrnet, de *Le Temps*, Yung, del *Journal des Débats*, Lambert de la Croix, de *Le Moniteur*, Tarbé, de *Le Gaulois*, y hasta enviados de los periódicos de la oposición, *Le Siècle*, *Le Rappel*: Camille Pelletan, Jean Maré y Louise Colet, musa envejecida, ex amiga de Flaubert que antaño recogió las confidencias de Mme Récamier. También se ha invitado a una pléyade de egiptólogos y de filólogos, amigos de Mariette, como François Lenormant, hijo de Charles, los hermanos Brugsch, etc. Y gran número de personalidades extranjeras, entre ellas el dramaturgo Ibsen, el novelista Blasco Ibáñez, etc.

En Port Said se ha asistido a una asombrosa ceremonia religiosa. Han sido levantados dos grandes estrados, rodeados de oriflamas. En presencia del jedive, de la emperatriz y de los soberanos asistentes, el patriarca de Alejandría y monseñor Bauer, judío converso, obispo capellán de las Tullerías, confidente de la emperatriz, han celebrado una misa y dirigido un tedéum.

Inmediatamente después, el gran mufti de El Cairo, rodeado de ulemas de El Azhar, ha invocado a Alá y recitado versículos del Corán. Luego los invitados se dirigieron al palacio de gobierno. Ismail ofreció un banquete de cincuenta servicios, preparado por quinientos cocineros venidos de Europa y servido por un ejército de sirvientes. (El menú de esa comida memorable, impreso en Alejandría por Mourès, se convirtió en una curiosidad de la literatura gastronómica.)

Cuando Lesseps regresa a Port-Said después de dirigir las operaciones de rescate de la fragata *Latif*, el cortejo flotante puede ponerse en movimiento al son del cañón. En el castillo de proa de *L'Aigle*, protegida del sol por un toldo blanco, la graciosa silueta de la emperatriz atrae todas las miradas. Lleva un vestido beige y se cubre con un amplio sombrero rodeado de un velo de gasa. Lesseps está a su lado; Mariette se mantiene un poco retirado con Linant de Bellefonds, el que lo recibió en El Cairo veinte años antes:

—Pienso con tristeza —le dice el anciano ingeniero— que no hay ningún saint-simoniano entre nosotros. Sin embargo, todos tenemos una inmensa deuda con el padre Enfantin (muerto hace cinco años)... ¿Fue él quien soñó con el canal, verdad?

—Y que afirmó, contra la opinión admitida —agrega Mariette—, que no había diferencia de nivel entre ambos mares...

En las orillas, una multitud bullanguera, vibrante, agitada, entusiasta, saluda las naves de los reyes. A ella se mezclan europeos con el casco colonial, egipcios de tarbush, beduinos de cuffiehs, jeques de turbante, bujarianos y cherqueses con caftanes de piel, jinetes del desierto. Nómadas venidos de Libia, del Fezzan, de Asia Menor. Negros de Nubia y del Sudán.

Cerca del mediodía llegan a El Kantara. Se acercan a los restos de la fragata *Latif*. A bordo de *L'Aigle*, el capitán de Surville pide a la emperatriz y a sus acompañantes que se agrupen en la cubierta. La inquietud es grande. Las enormes ruedas de paletas giran a la velocidad mínima. Se roza el barco accidentado:

—La roca está a un metro por debajo de la quilla —anuncia el comandante.

Y *L'Aigle* desemboca en las tranquilas aguas del lago Timsah. En la orilla, Théophile Gautier y Eugène Fromentin, que han elegido la vía terrestre para llegar a Suez, se estrechan la mano. La emperatriz y Lesseps vuelven a subir a la pasarela para gozar del espectáculo. Mariette describe a Mlle de Bragard, la joven prometida de Lesseps, el canal de Sesostris, representado en los muros del templo faraónico. Los ingenieros franceses se han inspirado en su trazado. A lo lejos, en medio del lago del Cocodrilo, barcos de guerra egipcios, venidos del mar Rojo al encuentro del cortejo flotante, disparan una salva de honor.

En la escala de Ismailia, al otro día, el jedive ofrece un baile en el palacio que ha hecho construir para la ocasión. Se lo ve conversar con la emperatriz que, a invitación suya, parte a un paseo por el desierto, con sus doncellas de compañía. La calesa que el jedive pone a su disposición es tirada por seis dromedarios blancos. Todo el mundo se reencuentra, en una suerte de peregrinación, en el chalet de madera donde Lesseps ha pasado gran parte de los diez últimos años.

Al día siguiente, la escuadra vuelve a partir y, tras franquear una nueva sección del canal, va a anclar por la noche al sur de los lagos Amargos. Al tercer día, la flota desemboca en el mar Rojo. Brilla un sol de cobre y oro. *L'Aigle* arroja el ancla ante Suez, al pie del yebel Ataka.

El 21, los barcos comienzan el crucero de regreso. La travesía sur-norte, hasta Port-Said, se cumple sin incidentes en quince horas. La ruta marítima está abierta. El éxito es total.

El jedive, que ha vivido esos días en la inquietud, se siente aliviado. No así Mariette. Se prepara a guiar en el valle a los más ilustres de los invitados, comenzando por la emperatriz. Ismail Bajá, que tal vez no ha perdido todavía la esperanza, decide acompañarla hasta Abydos.

Ha hecho acondicionar como palacio flotante, para Eugenia, el más moderno de sus vapores fluviales. Parten de Bulaq el 24 de noviembre. Louise Colet, la ex amiga de Flaubert, que también remonta el Nilo en una barquichuela llena de pulgas, con el joven Camille Pelletan, Edmond About y algunos periodistas invitados como ella, ve pasar con celos el magnífico barco empavesado que lleva a la emperatriz, triunfante, rodeada de hombres condecorados. Entre ellos cree reconocer al propio jedive, y a un gigante barbado de gruesas y abultadas gafas, "sin duda el famoso M. Mariette", escribirá ella en uno de sus reportajes. El vapor del jedive es seguido por siete dahabiehs cargadas de provisiones, que transportan cuatro vacas.

En la escala de Abydos, Eugenia no vacila en realizar el trayecto de cuatro horas a lomos de mula, hasta la necrópolis. El sol caldea al blanco el desierto. El jedive se ha quedado a bordo. (Un poco más tarde, Louise Colet, agotada por el mismo trayecto, será llevada de vuelta a bordo... ¡en una bolsa cargada por cuatro fellahs!)

Eugenia admira las esculturas del templo de Seti I, padre de Ramsés II. Ha leído la guía del Alto Egipto, redactada por el mamur para los invitados del jedive. A Mariette le asombra su memoria, la pertinencia de sus preguntas:

—Usted escribe que este templo es el más misterioso de Egipto, señor Mariette. ¿Dónde están esos misterios?

—¡En todas partes! Ignoramos todo lo relativo a los siete santuarios que hemos desenterrado. Muchos bajorrelieves escapan a nuestro análisis, aunque descifremos sin dificultad las inscripciones. Observe esta escena de ofrenda... Osiris, rey de los vivos, príncipe de la Eternidad, se enfrenta a Maat y Rufet, diosas de la verdad y del año en curso. Detrás, se reconoce a Isis, a Amentet, diosa del Occidente, y a Neftis, hermana de Isis, una de las diosas de los muertos. ¿Cuál es el sentido de esta reunión? No tengo respuesta —confiesa Mariette.

Muestra a Eugenia el corredor donde se descubrió la célebre Mesa Real:

—¡Una lista de setenta y seis faraones que reinaron antes de Seti! Un tesoro. Detalle importante: la lista comienza con Menes, cuya realidad niegan algunos.

Como la emperatriz no muestra ningún signo de fatiga, Mariette la conduce a las ruinas del templo de Ramsés II, contemporáneo del obelisco de París. El pequeño grupo sigue el cerco de ladrillos:

—En alguna parte debajo de nuestros pies, se encuentra tal vez la tumba de Osiris. Era para los egipcios lo que el Santo Sepulcro para los cristianos. Opino que la tumba está cavada en la roca... A lo largo de los siglos y hasta los períodos más cercanos, los egipcios se hicieron enterrar aquí, lo más cerca posible de Osiris... Vamos a intensificar las excavaciones.

Eugenia quiere saberlo todo sobre Osiris, dios de los muertos, rey de los vivos, señor de Abydos. Su leyenda ha inspirado toda la visión religiosa del país. Isis, su esposa, se propuso arrancarlo del reino de los muertos, recuperó los trozos dispersos de su cadáver (salvo su sexo tragado por un pez), los reunió y, con la ayuda de los dioses, logró devolverle la vida: el mito de la inmortalidad y la tradición de la momificación nacieron así. Horus, hijo de Isis y de Osiris, vengará a su padre. En adelante, cada humano en la búsqueda de la inmortalidad deberá rendir cuentas ante el tribunal de Osiris, pesador de las almas.

En el decorado sepulcral de Abydos, bajo el sol ardiente, los relatos de Mariette fascinan a Eugenia. Antes de regresar a su cabina, después de la cena, Eugenia dice a su guía:

—¡He vivido uno de los días más interesantes de mi vida!

En Denderah, la emperatriz, siempre tan dispuesta, está lista para una nueva cabalgata. Mariette la conduce hasta el templo que acaban de despejar. La belleza del decorado, la vivacidad de los colores que han resistido a los siglos, la riqueza de la ornamentación, son notables:

—El templo de Denderah —indica Mariette— fue terminado bajo Nerón. Jesús predicaba en Jerusalén mientras se erigía. Bajo la construcción ptolemaica donde nos encontramos, hay desde luego vestigios de templos más antiguos. Los de un templo de Ramsés II, dedicado al Hathor de Denderah, edificado a su vez sobre ruinas de las dinastías XII, VI y IV, la de las pirámides. Es posible que subsistan los restos de un templo más antiguo aún, y que se pueda un día en Denderah remontarse a un pasado lejano jamás alcanzado todavía. He observado numerosas criptas que parecen conducir a otros subterráneos...

(En los años setenta, el informático-egiptólogo Albert Slosman afirmó que debajo del templo descubierto por Mariette están enterrados no sólo el primero de todos los templos egipcios, sino también el famoso laberinto, cumbre de la ciencia egipcia. Slosman pensaba que la gran idea monoteísta heredada de ancestros salvados del Gran Cataclismo ocurrido diez siglos antes de nuestra era [determinó la fecha, 9792 a.C., gracias al zodíaco de Denderah] había nacido allí. Pensaba proceder a una serie de sondeos y excavaciones en la red de criptas, cuando murió accidentalmente en 1983. Su última obra *La Grande Hypothèse* [Robert Laffont], tiene un prefacio de Robert Laffont, que dice: "La visita de este lugar cDenderah] con Albert Slosman sigue siendo uno de los grandes momentos de mi vida". Hasta el día de hoy las criptas no han sido excavadas y, curiosamente, se han practicado pocos sondeos.)

Se ha hecho servir una colación en la terraza donde se celebraba el culto de Hathor, que se convertirá en Afrodita y luego en Venus, la diosa del amor. Eugenia insiste en permanecer allí un momento. Cierra los ojos y pide silencio.

El viaje prosigue a Luxor, a Gurnah, a Deir el Bahari. Eugenia se interesa por la historia de la reina Hatshepsut, hermana de Tutmosis II y tía de Tutmosis III que, aparte de la barba y del título de Buey poderoso, se había apoderado de todos los signos de la autoridad faraónica. Eugenia se hace fotografiar delante del bajorrelieve de la faraona bebiendo de las mamas de Hathor (la fotografía no ha sido encontrada). En Asuán, Mariette organiza una visita a la isla de Philae. Al pasar señala, en la isla Elefantina, el emplazamiento de un templo descrito y dibujado por la comisión de Egipto.

—¡Hoy ya no queda nada!

Philae, cuyos frescos coloridos son brillantes todavía, deslumbra a la emperatriz. Mariette explica que el templo, erigido por los ptolomeos, ¡era todavía un lugar de culto en el siglo V de nuestra era! A pesar del edicto de Teodosio que abolía la religión egipcia, allí se veneraba a Osiris y a Isis.

Antes de regresar a la misión austríaca, donde la aguarda una parte de su séquito agotado por el calor, Eugenia, melancólica, escucha durante largo rato en la lejanía el sordo ruido de la catarata. Volverá a Egipto en 1909, a la edad de ochenta y tres años.

Durante ese crucero, Mariette ha visto pasar numerosos barcos llevando o trayendo invitados. Algunos, que esperaban encontrarlo en el terreno de las excavaciones, expresarán su pesar. En dos meses, Mariette hace más de diez viajes de ida y vuelta escoltando al emperador de Austria, al príncipe de Prusia, al de los Países Bajos y a algunas otras altezas. En Asiut se cruza con el grupo de sabios alemanes conducidos por Lepsius y Düminchen, con quien no se ha reconciliado. Luego es llamado con urgencia a El Cairo: Louis de la Rochefoucauld, invitado a las ceremonias con los otros miembros del Jockey Club, ha muerto durante una excursión.

En Tebas apenas tiene tiempo de conversar con su amigo Eugène Fromentin. ¡No descansa! Agotado, ve con alivio partir a los últimos invitados:

"Por fin", escribe a Édouard, "esto ha terminado. Llego del Alto Egipto, de Suez, de Sakkara, siguiendo a tantas emperatrices, emperadores, príncipes y ministros, que ya no sé dónde estoy. El hecho es que tengo la cabeza rota ¡y las piernas también! Comienzo a hacerme viejo y a encontrar que nada reemplaza la tranquilidad de nuestra casa."

Esa tranquilidad a la que aspira está más lejos que nunca.

Justo antes de las fiestas de la inauguración, un cuñado de Ismail, Mustafá Bajá que, por oscuras razones, siente por Mariette un rencor salvaje, ha tejido contra él una nueva intriga, con el apoyo del ministro de Instrucción Pública, Alí Bajá Mubarak. Mustafá ha acusado al mamur de malversación, de estar a sueldo de los banqueros, y ha tomado contacto con Heinrich Brugsch, a la sazón profesor en Gotinga, Alemania, y en la búsqueda de un medio para regresar a Egipto. ¡Le ha propuesto simplemente el puesto de Mariette! (Brugsch se defenderá de haber participado en la intriga, y Mariette conservará toda su amistad por él.)

El éxito de la inauguración del canal, su repercusión a través del mundo, y la participación de Mariette, han hecho fracasar la intriga. Por el contrario, el jedive colma a Mariette de honores y beneficios: lo nombra comendador de la orden de Meyidiah, le asigna una beca para la educación de sus tres hijos, Tady, Félix y Alfred, y le anuncia que sus dos hijas mayores, Joséphine y Sophie, gozarán cuando se casen de una dote de cien mil francos.

Mariette anota que el jedive, al entregarle el contrato, tenía los ojos llenos de lágrimas. "El pobre hombre estaba tan emocionado como yo." A Vassalli, que lo felicita, le responde:

—No se haga ilusiones! Joséphine y Sophie son ricas herederas sólo en los papeles... ¡Esto es Oriente! En realidad, no tengo un céntimo más que antes. Seguimos siendo igualmente pobres...

A pesar del canal, Ismail no ha salido de sus dificultades financieras. Todo lo contrario. No puede entregar cuatrocientos mil francos a su director de Antigüedades, que desea comprar, para el museo, la colección de un rico comerciante inglés, Alexandre Harris, que acaba de morir. Su hija Selima la ha puesto en subasta. Esa colección contiene, en particular, un papiro de la época de Ramsés III, de *cuarenta* metros de largo, especie de crónica del reinado. Mariette desea vivamente unirlo a las colecciones de su museo. La colección Harris parte al Museo Británico.

Mariette logra sin embargo obtener del jedive algunos créditos para sus pabellones del museo, a los que ha dañado una crecida del Nilo y cuya ampliación está prevista. ¡Y una modesta extensión para su libreto de ópera!

Las fiestas del canal no le han hecho olvidar la petición del jedive, aunque su realización se haya demorado. La Ópera de El Cairo ha sido inagurada con otra obra de Verdi, *Rigoletto*. El de Mariette todavía no es más que un proyecto, aun cuando Verdi, presionado por Camille du Locle, director de la Ópera Cómica de París, haya dado su acuerdo. El célebre y receloso compositor de *Rigoletto*, de *La Traviata*, de *Il Trovatore*, no ama particularmente a los franceses (los juzga patrioteros) ni los pedidos circunstanciales; pero el resumen escrito por Mariette ha retenido su atención:

"Es un buen guión, hasta diría muy bueno", concedió el maestro. "¡Veo en él una mano experta, habituada al teatro!"

Cumplido que colma a Mariette de orgullo. Ha desarrollado extensamente un episodio evocado en el famoso papiro Harris que no pudo adquirir para el museo. La acción se desarrolla hacia 1160 antes de nuestra era, verosímilmente bajo Ramsés III, último soberano de la XX dinastía y del Imperio Nuevo. Llega al palacio real la noticia de que los etíopes se aprestan a invadir Egipto. El gran sacerdote Ramfis revela a Radamés, capitán de los guardias del faraón, que la diosa Isis lo ha designado para comandar el ejército. Radamés es amado a la vez por Amneris y por Aída, cautiva etíope, hija del rey. Radamés ama a Aída. La batalla debe tener lugar en Napata, en el yebel Barkal (¡de donde salieron las célebres estelas!). La hija del faraón arranca a Aída la confesión del amor compartido. Sufre terriblemente.

Radamés vuelve a Tebas vencedor: la invasión ha sido rechazada. El faraón le ofrece la mano de su hija, y concede su gracia a los prisioneros etíopes, con gran cólera de los sacerdotes. Amonasro, padre de Aída, que quiere recuperar su trono, urde un plan tenebroso, basado en los encantos de su hija.

Radamés piensa entonces huir con ella; por ligereza, revela el itinerario del ejército egipcio. Amonasro logra emprender la fuga con Aída. Radamés es juzgado, rechaza la ayuda de la princesa Amneris, presa de la pasión y de los celos. Morirá amurallado en los subterráneos del templo de Ptah. Aída se reúne con él y lo acompaña en la muerte.

Verdi ha puesto sus condiciones: ciento cincuenta mil francos pagaderos a la firma del contrato depositados en el banco de los Rothschild en París, y ciento cincuenta mil francos a la entrega. El jedive da su acuerdo y envía a Mariette a París para firmar el contrato en su nombre. El director de Antigüedades, fatigado, es feliz de regresar a Francia. Llega a París en julio de 1870 con su familia, acompañado por Brugsch y otro alemán establecido en El Cairo, el doctor Reil (el mismo al que Maspero acusará de haber dañado la tumba de Ti).

El contrato se firma en agosto. Estipula que los versos serán escritos por un poeta elegido por Verdi (será Antonio Ghislanzoni, que colaboró en *La fuerza del destino*), que Verdi "no estará obligado a ir a El Cairo, y que será el propietario de los derechos sobre el libreto y la partitura para el mundo entero, excepto el Egipto". En el último momento, Verdi hace añadir dos cláusulas: el pago será efectuado en oro, y si por una razón ajena a Verdi la ópera no fuera representada en El Cairo, el compositor tendrá la facultad de hacerla representar donde él desee seis meses después.

A fin de reunir los elementos necesarios para la realización de los decorados y del vestuario, Mariette pone el mismo ardor y el mismo cuidado del detalle que puso para el parque egipcio de la Exposición del Campo de Marte. (En aquel momento, con su hermano Édouard, llegó a retirar con un cortaplumas minúsculas muestras de colores de un frontón de Philae destinados al pabellón de Egipto.) No deja nada al azar: los peinados reales y litúrgicos del tiempo de Ramsés III, las pelucas, los vestidos, las armas, las joyas, el mobiliario, son objeto de estudios precisos. Mariette copia los estandartes, las insignias, los instrumentos musicales (las famosas trompetas), los abanicos, hasta los mangos de los puñales. Pinta numerosas acuarelas (algunas de ellas se encuentran en la Biblioteca Nacional de París y han sido expuestas recientemente). Así nacen los decorados y el vestuario de Aída, de Radamés, de Amonasro, la ropa de los prisioneros etíopes, los uniformes de los soldados, las túnicas de los sacerdotes. Todo está de acuerdo con la verdad histórica, lo mismo que los motivos arquitectónicos. Hay que confeccionar todo en París. Él trabaja duro, mientras teme ser explotado una vez más:

"Tengo miedo", escribe, "de repetir la experiencia de la Exposición... He sido el alma de todo, lo organicé todo, y mientras yo me quemaba las manos sacando las castañas del fuego, los otros las comían. ¿Esta vez, caeré en la misma ingenuidad? Es verdad que yo no compongo la música de esta ópera; es verdad que no escribo el libreto. Pero el guión es mío, es decir que yo concebí su plan, que arreglé todas las escenas y que la ópera, en su esencia, salió de mi cabeza. Soy yo quien va a París a hacer ejecutar los decorados, para dar a todo el color local que debe ser egipcio antiguo. ¿Qué pasará ahora? Verdi ya ha hecho el contrato con Ismail por ciento cincuenta mil francos, du Locle cobrará muy bien sus derechos de autor, los señores decoradores y vestuaristas ganarán su dinero, Draveth bey, director de la Ópera de El Cairo, percibirá su tanto por ciento sobre todos los gastos, mientras que yo gastaré mi dinero en el hotel, pues Ismail piensa sencillamente que estoy suficientemente pagado dejándome mis emolumentos en París..."

Más o menos es lo que pasará. ¡Mariette no cobrará un centavo! Se diría que a él siempre le corresponde inevitablemente la injusticia. Su papel en la concepción de *Aída* es, desde el principio, objeto de discusiones. Hasta su hermano Édouard, cuyo afecto no puede ser puesto en duda, pretenderá que él fue el verdadero inspirador de la obra, ¡por haber redactado antaño una novela corta titulada *La novia del Nilo* que Mariette leyó en Sakkara! Desde antes de la primera representación, circula en París el rumor de que el verdadero autor del argumento es el italiano Temístocles Solera, amigo de Verdi, autor de varios libretos, que ha pasado al servicio del jedive Ismail y trabajado también en las fiestas de la inauguración del canal. Más tarde, el nombre de Mariette aparecerá rara vez en los programas. Cuando Camille du Locle y Nuitter traduzcan al francés los versos de Ghislanzoni, olvidarán citar el nombre de Mariette.

(Todavía recientemente, en ocasión de una representación de *Aída* en la Royal Opera House de Londres, en julio de 1994, se leía en el programa, con la firma de Julian Budden, especialista en Verdi, estas líneas asombrosas: "Es falso que *Aída* fuera encargada para la inauguración de la nueva Ópera de El Cairo. Ésta se abrió con *Rigoletto* de Verdi... El origen de *Aída* es mucho más trivial de lo que se cree. Auguste Mariette, egiptólogo, que trabajaba duro y por poco dinero al servicio del virrey, buscaba un medio de regresar a su Francia natal por cuenta de su empleador. Sabiendo que el jedive deseaba para su nueva Ópera una obra de Verdi, en lo posible con un tema egipcio, Mariette inventó una pasión entre un general egipcio y una princesa etíope cautiva, que pretendió haber extraído de un texto histórico". La calumnia tiene larga vida.)

CAPÍTULO

13

1870, el sitio de París.

Mariette, Aída

y los espíritus.

Muerte de una hija.

La extraña estatua

de Rahotep.

Las ocas de Meidum.

La tumba de Sabú.

¿Dejar Egipto?

—No, no y no, mademoiselle. ¡Esto no sirve! ¡Mire! Este vestido no se parece a mi croquis. ¡La delantera debe terminar *debajo* de los senos!

—Pero, monsieur, el vestido no se sostendrá jamás con semejantes tirantes... Hemos tenido que subirlo...

—¡Y ya no tiene nada de egipcio! ¡Fíjese en este drapeado! ¡Aída no puede parecerse a una duquesa del Imperio! Y tienen que rehacerme estos *schenti*, estos calzones antiguos... no estamos vistiendo a zuavos sino a mercenarios de la época de Ramsés, mademoiselle. Y este azul... ¡no tiene nada de egipcio! ¡No quiero verlo más!

La pequeña Delphine Baron parece encogerse sobre sí misma. Conocida por su desparpajo y por su labia, ya no encuentra palabras para responder a ese gigante barbudo de voz estentórea, cuyos ojos enrojecidos la traspasan a través de los cristales oscuros. Impaciente, colérico, exige que sus dibujos se ejecuten con una fidelidad perfecta, ¡hasta cuando es imposible! Eso suele causar risa en el taller. Delphine no tiene ganas de reír. Todas sus propuestas de modificaciones tropiezan con obstinados rechazos. Lo mismo que todas las telas que ella presenta, todos sus colores son considerados inadecuados. Ella ha trabajado con los más difíciles directores de compañías. Tiene más de cincuenta obras teatrales en su haber. Está habituada a los caprichos, ¡y hasta se ha enfrentado a Sarah Bernhard! Pero este M. Mariette, un arqueólogo venido de Oriente, es de un temple diferente. Ella no ignora que se ha enfadado con la casa de costura Le Blanc, y que se disgustó también con Lepère, antes de llevarle a ella su fajo de croquis. Se pregunta si ella, a su vez, no renunciará también. ¡Aguanta sólo porque circula el rumor de que el gran Verdi ha aceptado escribir la música de esa ópera! Un acontecimiento mayor, por consiguiente, al que Delphine se siente halagada y feliz de estar asociada...

Ella hará el vestuario para la presentación de *Aída*, y Mariette obtendrá, con excepción de mínimos detalles, los drapeados y los tableados que exige.

Como él ha conseguido los decorados que quería, *Aída* será más que una ópera, una reconstrucción viviente del Egipto bajo la XX dinastía, con sus fastos, su ceremonial religioso, sus costumbres militares, sus entusiasmos populares. Una ópera-museo que prefigura las grandes escenografías cinematográficas hollywoodenses del siglo siguiente.

Al llegar a París, en julio de 1870, Mariette no podía prever las dificultades que le esperaban. Su documentación para *Aída* llenaba ocho cajones que viajaron con él. Firma el contrato con Verdi y du Locle y piensa ponerse a trabajar de inmediato. ¡Todo debería terminarse en dos o tres meses! Es no contar con la situación política que no cesa de deteriorarse: el canciller Bismarck ha hecho público el famoso despacho de Ems, que encenderá la pólvora. Se trata de informaciones telegrafiadas por el emperador Guillermo acerca de la candidatura Hohenzollern al trono de España. Contra esa "perfidia" de Napoleón, Guillermo ha decretado la movilización. Francia se considera ofendida. Thiers hace una última tentativa para preservar la paz. En vano. El 19 de julio, Francia declara la guerra a Prusia. Los dos amigos alemanes de Mariette, Brugsch y el doctor Reil, regresan precipitadamente a su país. Mariette y su familia se instalan en el hotel de la plaza del Palais-Royal. El contrato para *Aída* está firmado, pero pronto se suceden las noticias catastróficas. El glorioso ejército imperial cede ante el ataque de los prusianos: derrota en Froeschwiller, capitulación de Bazaine en Sedán. Napoleón III es hecho prisionero. Alrededor de París se cierra la tenaza prusiana. La capital está sitiada, separada del mundo. Se teme la hambruna.

Sin embargo, el desastre militar de Francia no impide trabajar a Mariette. Como hace veintidós años, en ocasión de los disturbios de 1848, presta la menor atención posible a los acontecimientos diarios: él vive en los siglos lejanos. Para los decorados, vuelve a reunir al equipo del parque egipcio de 1867, con el escultor Alfred Jacquemart (quien realizará más tarde la estatua de Mariette de Boulogne-sur-Mer). Su hermano se le une para dibujar el templo de Vulcano, inspirado en el Rameseum, cenotafio de Ramsés II en Karnak, y el templo de Isis, versión escénica del de Philae. El vestuario avanza mal que bien.

En septiembre, los prusianos se acercan, el bombardeo se intensifica, estallan disturbios en París. Se reclama la República, se habla de "Comuna". En la plaza del Palais-Royal Mariette se cruza con Víctor Hugo que regresa de su exilio en Guernesey. Él también se ha instalado en un hotel, en la rue de Rivoli, con su hijo Charles.

Edmond de Goncourt lo visita, y Hugo trata de consolarlo de la reciente muerte, a la edad de treinta y nueve años, de su hermano Jules; "Yo creo en la presencia de los muertos", dice Hugo. Y agrega: "¡Me gusta París en ruinas; es hermoso, es grande!". Y luego, pensando en la derrota: "El mundo no puede soportar la abominable germanización". (*Diario* de los Goncourt.)

Otro día, al visitar a Rougé en el Louvre, Mariette asiste a la evacuación de los cuadros más valiosos, bajo la dirección de Chennevières, director del museo. Enrolladas, las telas se amontonan en coches tirados por caballos, cerrados, con destino al arsenal y al presidio de Brest.

Mariette conoce bien a Chennevières, a quien ha guiado en el valle del Nilo el año anterior:

—Tenemos que apresurarnos —dice Chennevières—. Los prusianos tomarán fácilmente los fuertes que protegen París, a pesar de los cañones de marina que se instalaron en ellos. ¡Tengo esta información del propio Nieuwerkerke!

Y añade en tono confidencial:

—¡La emperatriz acaba de abandonar París! El gobierno Trochu va a solicitar el armisticio. ¡El Imperio ya no existe!

En medio de la tormenta, Mariette dibuja decorados de otro tiempo, realiza diseños de trajes, sandalias, joyas, puñales, pelucas, objetos del culto de Isis, etc. Indica los grandes movimientos de la escenografía a du Locle, encargado por Verdi de separar el guión en escenas.

En las proximidades del invierno, Thiers intenta negociar un armisticio pero Bismarck se muestra intratable, exigiendo lisa y llanamente la anexión de Alsacia y de Lorena; ¡el gobierno de defensa nacional vota la prosecución de la guerra! En París, sitiada, la vida se hace más y más difícil.

Mariette se preocupa. Las tarifas del hotel aumentan, los créditos del jedive se agotan. Los precios de los restaurantes son exorbitantes. En ellos se sirve carne de caballo, chuletas de perro, de rata. En Chez Voisin, restaurante famoso donde suele almorzar con Ernest Desjardins, ¡Mariette prueba la morcilla de elefante! La ración de pan negro se ha reducido a trescientos gramos por día. Pero los teatros siguen abiertos. Mariette va a la Ópera donde, a la luz de una sola hilera de candilejas, se representa *La Oda-Sinfonía del desierto,* de su amigo Félicien David.

Su hermano Édouard, movilizado como guardia nacional, está apostado en las fortificaciones. En esa época, París está rodeada de oficinas aduaneras y fuertes militares. Batignolles, Clignancourt, la Villette, Belleville, Grenelle, Passy, Neuilly, Ménilmontant, son pequeños poblados que los prusianos ocupan ya y desde donde tiran a la capital. Entre esos poblados y la ciudad propiamente dicha, un espacio más o menos vacío y de mala fama, la "zona", se extiende a lo largo de las fortificaciones. Los fuertes, macizos, erizados de cañones, constituyen los bastiones considerados inexpugnables. Édouard Mariette, de pantalón azul con bandas rojas, chaquetilla azul, fusil al hombro, está afectado a los puestos de avanzada de Choisy-le-Roi, con el sobrino de Rougé. Cuando su hermano lo visita, truenan los cañones prusianos. Mariette desciende del coche, indiferente al peligro, ¡y propone un paseo en dirección de Saint-Cloud! Los dos hermanos hablan de Egipto. De pronto, un obús prusiano, disparado desde las alturas de Sèvres, estalla a poca distancia. Otros obuses silban a su alrededor:

—Mariette no les prestaba atención —contó Édouard—. ¡Su mente estaba en Egipto! ¡Y regresamos a Passy, bajo la metralla, por las alturas!

—La contraofensiva está próxima —les declara un oficial—. Vamos a despedazar a los prusianos. Los marinos están listos, los soldados de la guardia móvil de la provincia y la guardia nacional también...

Esas palabras dejan escéptico a Mariette:

—En la historia, hay muy pocos ejemplos de una ciudad sitiada y victoriosa. Pensemos en Troya, en Bizancio...

Mariette tenía razón. El sitio se prolonga, como los bombardeos. Los globos que se elevan con el correo constituyen el único vínculo entre París y el resto del territorio. Mariette no tiene ninguna noticia de El Cairo. ¿Qué hace el director de la Ópera, Draveth bey? ¿Qué piensa el jedive? Nubar bajá, que se encontraba en París y ha logrado partir antes del sitio, le ha asegurado que Ismail, pase lo que pase, sigue aferrado al proyecto de *Aída*. Pero en la corte de Egipto las cosas cambian rápidamente.

En noviembre, un fuerte frío se instala en París, cuando se carece de leña y de carbón. Théodule Devéria, minado por la tuberculosis, ha rehusado dejar la capital por un clima más favorable; no quiere alejarse de las colecciones egipcias del Louvre. Esa negativa le cuesta la vida. Contrae una neumonía y muere en pleno sitio, en enero de 1871, a los cuarenta años. Mariette está trastornado. Su hija Marie-Émilie, tuberculosa como Devéria, tose sin descanso. Según su costumbre, Mariette se refugia en el trabajo. Dos de sus libros salen de prensa: el primer tomo de los relevamientos de Denderah, y los papiros del museo de Bulaq, con litografías de Emil Brugsch (hermano de Heinrich). Pero la publicación del *Serapeum* sigue interrumpida y Mariette se pregunta si logrará finalizarla.

Por la noche, invoca a los espíritus. No es la primera vez que intenta establecer una comunicación con el más allá. Como Víctor Hugo (que ha publicado en 1855 *Lo que dice la boca de sombra*) y como muchos otros, se apasiona por el espiritismo. Conoce todos los trabajos de Allan Kardec quien, en 1857, ha codificado la doctrina espiritista. En El Cairo intentó con éxito experiencias de telepatía. En los subterráneos del Serapeum, en las criptas misteriosas de Denderah, sintió pasar sobre él el hálito de los grandes desaparecidos, percibió su presencia.

En París, cercados, amenazados, hambrientos, incomunicados con el mundo, muchos son los que buscan la evasión en una dimensión sobrenatural. Mariette ha tomado contacto con una famosa medium, Mme Mehemet. Se dice que los espíritus se manifiestan gustosos en su oscuro salón de la rue de Bondy. Mariette acude con Félicien de Saulcy, Ernest Desjardins, el escultor Jacquemart, su hermano Édouard, sus hijas Sophie y Marie-Émilie. Una noche, mientras truena el cañón en la lejanía, un espíritu se expresa por la voz de Mme Mehemet. ¡El espíritu habla hebreo! Aterrorizado, Jacquemart huye. Otra noche, en la casa de otro medium en la rue de la Sourdière, una mesita de tres patas comienza a bailar, y un espíritu golpeador anuncia el fin próximo de la guerra.

Édouard Mariette es más escéptico que su hermano ante esas manifestaciones, pero se interesa por sus investigaciones sobre la transmisión del pensamiento, el magnetismo, el sonambulismo. Auguste Mariette nunca cesará de interrogarse sobre la posibilidad de establecer puentes con el más allá. De regreso en Bulaq, reanudará sus experiencias y sus paseos por el mundo de lo invisible.

En París, la vida se hace cada vez más difícil. Aumenta la cólera popular. Gambetta acaba de abandonar la ciudad en globo. El 28 de enero, tras un último fracasado intento de salida en

Buzenval, las campanas de todas las iglesias tocan a rebato: París capitula. Los prusianos, precedidos por pífanos y tambores, entran en los fuertes considerados inexpugnables. El comandante del de Montrouge, donde ha servido Édouard Mariette, se dispara un tiro en la cabeza. Los vencedores levantan sus tiendas en los Campos Elíseos. La Comuna hierve.

En su habitación del hotel, Mariette da los últimos toques a los decorados y al vestuario de *Aída*. Se oyen disparos en la Avenue de l'Opéra. Él no los escucha: está en el templo de Karnak bajo el reinado de Ramsés III, y escribe una invocación a Amón. En el taller de Delphine, los treinta y dos vestidos de las bailarinas por fin están terminados:

—Una suerte —dice Mariette a su hermano—. ¡Ya no tengo un centavo!

Mariette había dejado Bulaq por unas pocas semanas. Su ausencia se ha prolongado más de ocho meses. En cuanto se restablece el ferrocarril, parte a Marsella y, dejando a sus hijos en Boulogne, sube solo a bordo del primer correo para Alejandría.

En Bulaq, nada ha cambiado a pesar de la amenaza de una nueva crecida del Nilo. Hasán Noer, el criado fiel, se arroja en brazos de su amo:

—¡Mi bey! ¡Creí que no regresaría nunca!

Pero el recibimiento en la corte del jedive carece de calor. La capitulación del ejército francés ante los prusianos, la ocupación de París, el exilio de Napoleón III y de Eugenia, han quebrantado el prestigio de Francia. En ausencia de Mariette, bloqueado en París, sus enemigos han intentado una vez más eliminarlo. El candidato a su sucesión es más que nunca Heinrich Brugsch, que pertenece al bando de los vencedores. Vassalli y Daninos, que han reemplazado a Gabet, advierten a Mariette que se cuestiona el arreglo del museo de Bulaq y que se esgrimen las acusaciones clásicas de enriquecimiento personal —¡el colmo!— y de doble juego en beneficio del Louvre.

Una audiencia del jedive tranquiliza al bey. Ismail, que espera con impaciencia la creación de *su* ópera, le asegura su apoyo. Dice sufrir por las desventuras de Francia. Pero a su alrededor los rostros se muestran hoscos, a veces despreciativos.

Mariette emprende una gira por las excavaciones del valle donde Vassalli ha mantenido los equipos reducidos. Su amigo Jacquemart se le ha unido, lo mismo que Emil Brugsch, cuyas litografías en sus últimas obras obtienen gran éxito. Muchos objetos han enriquecido las colecciones. De la "colina de los judíos", cercana a El Cairo, han salido placas esmaltadas que prueban que Ramsés II poseía allí un palacio. Uno más.

A su regreso de Tebas, encuentra un telegrama. En Boulogne, su hija Marie-Émilie no se recupera de los rigores del sitio de París. Está muy grave. Mariette regresa a Francia en el primer barco y, en la casa que ha alquilado en Pont-de-Briques, cerca de Boulogne, encuentra a su hija en el último extremo. La pequeña Marie es tan semejante a su madre, con sus grandes y tristes ojos azules que ya parecen abrirse sobre otro mundo, con sus rizos rubios, que su padre estalla en sollozos.

Este nuevo golpe del destino lo agobia:

"Ella no tiene todavía dieciséis años", escribe. "Me ahoga la tristeza."

Como de costumbre, busca una alternativa en el trabajo. Corrige las pruebas del segundo volumen de los *Papiros* y las nuevas planchas de *Denderah*. Intercambia cartas con Chabas sobre la prehistoria de Egipto. La pobre Marie-Émilie declina día a día; pero él no asistirá a sus últimos momentos. En El Cairo se ha reanudado la intriga en su contra; el jedive exige su regreso. Parte. Como antaño con su padre, se entera de la muerte de su hija al desembarcar del vapor *Champollion*.

A pesar de su tristeza, o a causa de ella, sigue trabajando. En su escritorio del museo, entre notas oficiales y despachos, encuentra, transmitida por el jedive, una nota del mudir de El Fayum. Unos buscadores de sebakh, sustancia proveniente de la descomposición de las materias orgánicas, a menudo de los esqueletos de momias, que se extrae de los campos de excavaciones y que sirve de abono (Egipto hasta lo exporta a Europa), han descubierto una amplia mastaba de ladrillos crudos, al norte de la pirámide derruida de Meidum (la de Snefru). Se puede pensar que pertenece a una de las primeras dinastías. Mariette envía con toda urgencia a Daninos para proteger la mastaba, estampar los jeroglíficos y asegurarse de que no se tocarán las estatuas si se descubre un serdab secreto. Hay uno. Un equipo importante, de más de cien hombres, pone al descubierto en la fachada este del monumento varias capas de piedras ensambladas que enmascaran el acceso de un corredor estrecho donde aparentemente nadie ha penetrado en cerca de cinco mil años. El picapedrero que se desliza en él con una vela reaparece casi enseguida, con el rostro descompuesto de terror. En el extremo del corredor —dice—, ¡se ha encontrado frente a dos seres vivos! Sus ojos lo miraban fijamente. ¡Durante un momento, creyó que nunca podría desprenderse de su mirada!

Daninos trepa a su vez la escala, entra en el corredor, llega al serdab y, a la luz vacilante de la vela, descubre dos cabezas admirables cuyos intensos ojos miran en efecto fijamente. Párpados de bronce orlan los ojos de cuarzo blanco de venas rosadas. Las pupilas están hechas con un trozo de cristal de roca. Como se sabrá más tarde, el esplendor casi alucinante de la mirada proviene de una especie de clavo de metal brillante fijado debajo del cristal. Ha resistido cincuenta siglos. Se trata tal vez de "electrum", aleación cuyo secreto se ha perdido y que recubría la punta de los obeliscos y el piramidón, en la cima de las pirámides. Su brillo singular simbolizaba la vida (en egipcio antiguo, el escultor era "el que hace vivir").

Los dos rostros constituyen la parte superior de estatuas de piedra calcárea de un metro veinte de alto, en tal estado de frescura que parecen salir del taller. Mariette establecerá que se trata de dobles del príncipe Rahotep, gran sacerdote de Heliópolis, general, quizás uno de los hijos de Snefru, y de su esposa Nefret. Transportados a Bulaq con lujo de precauciones, actualmente forman parte, con el Kefrén de diorita, el Jeque el Beled y el tesoro de Tutankamón, de las piezas más importantes del museo de El Cairo.

Poco después del descubrimiento de la célebre pareja, los obreros de Mariette sacan a la luz, en la mastaba cercana del noble Nefermaat, una pequeña capilla dedicada a su esposa Tet. Saqueada en la Antigüedad, esconde un notable fresco coloreado, que representa unas ocas (*las Ocas de Meidum*). Vassalli consigue transportar el fresco a Bulaq. Se puede admirar en el museo de El Cairo. Otros fragmentos, descubiertos más tarde en la mastaba, están expuestos en diferentes museos de todo el mundo.

En la Navidad de 1871 tiene lugar en la Ópera de El Cairo con un atraso de dos años, la primera representación de *Aída*. El jedive ha enviado numerosas invitaciones. Los más grandes críticos musicales de la época cruzan el Mediterráneo. Mariette ha supervisado exhaustivamente la puesta en escena. Verdi no se ha dignado desplazarse; su amigo Bottesini dirige la orquesta. Es un triunfo. El célebre compositor ha dado prueba de inspiración, y se aprecia la exactitud de los decorados, del vestuario. Reyer, temido crítico del *Journal des Débats*, escribe: "Un nuevo Verdi se manifiesta". Indiscutiblemente, es un hito en la carrera del compositor. ("Con *Aída*", escribe en 1990 Pierre Petit, "Verdi se encamina hacia esa ópera completa que logrará con *Otello*.")

Aída será representada tres meses más tarde en la Scala de Milán. París deberá esperar hasta 1876 para que la ópera se represente en la Ópera Garnier; el propio Verdi dirigirá la orquesta.

El triunfo de *Aída* en El Cairo vale a Mariette grandes testimonios de reconocimiento y de afecto del jedive: el bey es, de nuevo, persona grata. Pero no hasta el punto de obtener los créditos indispensables para sobreelevar el museo de Bulaq. No obstante, las obras son indispensables. La crecida de 1870, después de las de 1866 y 1869, ha debilitado los cimientos. ¡El gabinete del bey se inundó! Habría que reconstruir el museo. Se deja para más tarde.

En parte gracias a la notoriedad de Mariette, el turismo se desarrolla rápidamente en Egipto. La agencia Cook ha transportado a los primeros turistas británicos en 1869. En 1870 llegan los primeros norteamericanos, entre ellos Mark Twain quien, en su libro *Innocents abroad*, evoca su estancia en el hotel Shepheard's, que no le agrada. Llegan a Egipto viajeros del mundo entero. A petición del jedive, Mariette escolta a Tebas, con su hermano Édouard y los Brugsch, al historiador norteamericano George Bancroft, embajador ante el Imperio alemán. A Mariette no le resulta simpático ese erudito que siempre ha apoyado a Alemania contra Francia. Durante el crucero, como en los tiempos del Serapeum, él y su amigo Heinrich Brugsch son ganados nuevamente por el "demonio de las bromas". Después de una copiosa cena regada con buenos vinos, los dos compinches sueltan, en la pequeña cabina del embajador adormilado, una pava viva que forma parte de las provisiones de a bordo.

Por su parte, el general húngaro Klapka, héroe de la revolución de su país, invitado del jedive, se interesa más por las bailarinas convocadas en las escalas y por las bebidas alcohólicas de a bordo, que por las antigüedades. Como lo hacía antaño el príncipe Napoleón, prefiere admirar las ruinas desde la cubierta del vapor real.

Otra tarea aguarda al mamur. En Viena se prepara una "gran" exposición. Heinrich Brugsch es el comisionado de Egipto, pero incumbe a Mariette la elección de los monumentos. Decide hacer reproducir dos tumbas recientemente descubiertas en Sakkara: las de Knumhoptu y de Sabú. La tumba de Sabú, rico notable de la VI dinastía, presenta un interés particular: sus magníficas inscripciones permitieron establecer que Sabú poseía 1.233 bueyes y 1.220 terneros de cuernos largos, 1.300 bueyes y 1.200 terneros de cuernos cortos, 1.300 antílopes blancos y 1.240 kobs domesticados. El jedive no ha olvidado que las reproducciones de las tumbas y de los templos han desempeñado un papel preponderante en el éxito del parque egipcio de la Exposición de París hace cinco años. Pero Mariette, por su parte, no ha olvidado las catástrofes que siguieron a la Exposición. En Viena no habrá originales.

Para Mariette, es una ocasión de regresar a Europa. Su hija Joséphine-Cornélie soporta mal el clima de las orillas del Nilo. Anémica, regresa a Boulogne mientras que su padre parte con destino a Austria.

En el camino, Mariette descansa un poco en Lugano, en Italia. Sólo se queda cuatro días en Viena, donde pasa la mayor parte de su tiempo en su habitación del hotel Britannia releyendo las pruebas del *Denderah*. Brugsch le ahorra las recepciones, las ceremonias. La única excepción que hace Mariette es para la emperatriz Augusta de Alemania, que insiste en conocerlo.

La exposición de Viena de 1872 se abre bajo malos auspicios. Una epidemia de cólera proveniente del este desalienta a los visitantes. De regreso en Boulogne, Mariette es víctima de dolorosas crisis de "dispepsia", pero continúa trabajando en la corrección de pruebas. Están las láminas de *Denderah,* su *Itinerario del Alto Egipto,* redactado para los invitados a la inauguración del canal, completado por él, impreso con un plano por Mourès en Alejandría. Y una obra importante titulada *Monumentos varios.*

Pero nunca permanece mucho tiempo alejado de Bulaq. Decide partir de nuevo con Sophie, Tady y Félix. De inmediato observa que Egipto es presa nuevamente de una tormenta financiera: hasta se habla de bancarrota.

Lo que no le impide establecer, en cuanto regresa a Bulaq, un nuevo programa de excavaciones. Se instala por un tiempo en Deir el Bahari, pues proyecta una obra sobre el templo de la reina Hatshepsut, del que no se consuela de tener, pese a sus esfuerzos, sólo un conocimiento superficial. Se plantea interrogantes. ¿Los egipcios habrían borrado las pistas? ¿Y disimulado voluntariamente ciertos secretos?

—¡Cómo explica usted —pregunta a un amigo de paso— que la reina necesitara solamente siete meses para hacer tallar, transportar y erigir dos obeliscos en el interior de su templo de Karnak! ¡Con la ayuda de la máquina de vapor, los franceses de Luis Felipe tardaron dos años en transportar y erigir un solo obelisco, ya tallado y esculpido!

Da nuevos bríos a las excavaciones de Karnak, desentierra, por consejo de Rougé, el sexto pilón y saca a la luz textos del reinado de Tutmosis III de considerable interés.

—Un verdadero diccionario geográfico —explica—, que comprende seiscientos nombres de la época de Tutmosis III, pertenecientes a la Palestina pagana, al país de Punt, a los conschitas y a las naciones libias de Occidente. Todo ello se refiere a la primera expedición de Tutmosis en el año 22 y 23 de su reinado. Jerusalén, bajo su nombre de Qods o Kadesh, es el centro de las operaciones. Luego está la zona mediterránea, la zona de este lado del Jordán y finalmente ¡una zona que se extiende no sé hasta donde!

Poco después, descubre en Karnak el jardín botánico del mismo Tutmosis, pieza magnífica de un interés excepcional, cuyos muros están cubiertos de relieves que representan numerosas variedades de animales, de flores y de plantas.

El joven vizconde Eugène Melchior de Voguë, que se encuentra entonces con él, admira su energía, su actividad, pero lo nota demasiado marcado por la enfermedad: "Hoy en día todo el mundo va a Egipto, y en Egipto todo el mundo va una vez al museo de Bulaq", escribe. "Está indicado en las guías entre la visita a los derviches danzantes y la excursión al pozo de José [...] Muchos turistas pudieron apreciar en el patio, a mano izquierda, bajo las acacias, a un hombre de elevada estatura, de complexión fuerte, más bien envejecido que viejo, atleta captado rudamente en un bloque, como los colosos que él conservaba. Su rostro tostado tenía una expresión soñadora y huraña, pero en todo caso bondadosa; vestía una túnica y se cubría la cabeza con un fez. Por su expresión plácida, no menos que por su ropa, se lo tomaba fácilmente por un bajá turco; tenía ese aspecto fatalista y ocioso, cuando erraba por su dominio alimentando a sus monos del Sudán, mirando con beatitud correr el agua del Nilo y brillar el bello sol cercano del trópico. Cuando el visitante atravesaba el jardín, el propietario fruncía el ceño con aire arrogante y molesto, seguía al intruso con celosa mirada, la mirada del amante que ve a un desconocido entrar en la casa de su bienamada, del sacerdote que ve a un profano penetrar en el templo. Mientras tanto, el pequeño guía-fellah tiraba de la manga del turista y le señalaba al hombre, articulando lo mejor que podía: ¡Mariette bey!" (*Chez les pharaons*).

En presencia de Voguë, en el mes de enero de 1873, Mariette se entera de la muerte súbita de su protector y maestro, Emmanuel de Rougé. Su desaparición deja vacantes un puesto de conservador en el Louvre y la cátedra de egiptología en el Colegio de Francia, sin contar un sillón en la Academia de Inscripciones. Casi de inmediato, Mariette recibe cartas firmadas por Saulcy, Longpérier, Desjardins y hasta Renan. Todos le piden que regrese a Francia a recoger, si no los laureles de una gloria merecida, al menos la seguridad para su familia y la calma para la revisión de sus publicaciones. Luego llega la propuesta oficial: el Colegio de Francia y el Louvre se ofrecen a él, a la espera del Instituto. Es la oportunidad, que no se le volverá a presentar, de escapar de las intrigas de la corte del jedive, de los azares de un cargo expuesto a los celos, de los problemas de dinero, de un clima que los supervivientes de su familia soportan mal; la ocasión de estar cerca de los médicos, de volver a su patria, como Ulises, "pleno de buen uso y razón". Por otra parte, indican sus amigos, si acepta, nada le impedirá viajar regularmente a Egipto. Conservador en el Louvre, gozará ciertamente de todas las licencias necesarias, si considera su presencia todavía indispensable en Egipto.

Una noche, en Bulaq, mientras está sentado junto a Voguë al borde del Nilo, Mariette permanece un largo rato silencioso, y luego declara a su joven amigo:

—Voy a partir. Voy a dejar todo esto. Mi lugar está en Francia. ¡Está decidido!

CAPÍTULO

14

"Ya no soy yo mismo."

El Nilo devasta el museo.

Bajá, ¿eso hace sonreír?

Un nuevo museo.

La pirámide de Pepi I.

Última estancia en Francia.

Regreso a Egipto

para siempre.

Un mes más tarde, Mariette ha cambiado de idea.

A su alrededor, nadie creyó ni por un instante en su partida. Muy pronto se desvaneció la esperanza secreta de su hermana, de Joséphine-Cornélie, su hija mayor, de Sophie y de sus hijos. Si bien el bey pareció por un momento decidido y hasta feliz ante la perspectiva de regresar a Francia, su humor sombrío muy pronto alertó a sus íntimos. Le cuesta aceptar la idea de alejarse de su museo, de sus excavaciones. Como muchos lo habían previsto, no acepta los cargos que se le proponen.

A fines de febrero de 1873, redacta su respuesta. No deja lugar a dudas: "A ningún precio", escribe, "debo abandonar Egipto. Si lo dejo ahora, me hago a mí mismo un verdadero daño, del mismo modo que hago a la ciencia un daño verdadero".

Detalla los inconvenientes que originaría su partida: decaerían las excavaciones, el museo, título de gloria para Francia, se vería amenazado; la investigación, dirigida hasta el presente por un francés, pasaría al control de Alemania, cuya presión en Egipto es cada vez más fuerte.

"Presto mayor servicio aquí", agrega, "que enseñando en París, ante media docena de oyentes. En nuestro país, la bandera de la ciencia francesa puede ser enarbolada tanto por Chabas como por Maspero. Veintidós años de trabajo en el lugar constituyen una experiencia irreemplazable."

Y continúa en un tono más personal:

"En mi vida he hecho dos cosas (y no todo el mundo puede decir lo mismo): el Serapeum y el museo de Bulaq. Moriré contento y satisfecho de mi tarea si puedo sumar una serie de obras, que comprenden la descripción de mis excavaciones en Sakkara, en las pirámides, Denderah, Abydos, Karnak, Medinet Habú, Deir el Bahari, en El Fayum y en Tanis. Ese es ahora el objetivo de mi vida [...] Abandonaría Egipto forzosamente disgustado con el jedive; tendría pues que renunciar a mis obras o hacerlas hacer por Francia, lo que considero imposible."

Va a Tebas, inspecciona sus excavaciones, en particular la del sexto pilón del templo de Karnak.

Satisfecho, regresa a El Cairo.

Como para agradecerle el haber optado por permanecer en Egipto, el jedive reabre en ese momento el legajo del nuevo museo. Afirma que el edificio será construido en el más breve plazo, según la maqueta de yeso realizada por Mariette y su hermano. El jedive, decididamente bien dispuesto, se dice igualmente en condiciones de otorgarle créditos para abrir, en Luxor, la librería destinada a los turistas que reclama el mamur. Éste ya ha seleccionado los libros que allí se pondrán en venta: Las *Cartas escritas desde Egipto* de Champollion, las *Cartas* de Barthélemy Saint-Hilaire, la *Historia de Egipto* de Clot bey, *Las Noches de El Cairo*, de Charles Didier, El *Itinierario del Alto Egipto* de Mariette, y el *Tratado de construcción egipcia*, de su hermano Édouard. Luego el *Baedecker* inglés, la *Guide Joanne*, en francés, que acaba de aparecer. Mariette desea completarla con un álbum impreso por Mourès que él mismo redactaría, con fotos de Adolphe Braun, Félix Tignard y Mouillereau, invitados a la inauguración del canal, y de Beato, fotógrafo instalado en El Cairo (el proyecto no se realizará). La librería propondría naturalmente también una selección de obras en inglés, alemán, italiano. Y toda una serie de mapas y de planos.

El asunto está pues decidido, y las últimas propuestas provenientes de París, los últimos ruegos, chocan con la determinación irrevocable de Mariette. Ha optado por Egipto. Jamás reconsiderará esa elección. En París, se ha perdido toda esperanza de recibir al célebre egiptólogo. La cátedra del Colegio de Francia es ofrecida al joven Gaston Maspero.

Dos meses después de haber tomado esa decisión, cuando ya entrada la noche trabaja en su escritorio de Bulaq, Mariette oye a Sophie-Éléonore lanzar agudos gritos. Acaba de descubrir a su hermana mayor Joséphine-Cornelie muerta en su cama. ¡Ha fallecido repentinamente de una "parálisis del corazón"! Mariette la entierra en el cementerio católico del viejo Cairo junto a su madre. Deprimido, agotado, enfermo, se embarca a Francia. Sophie, que ahora es la mayor, en adelante se encargará sola de la vigilancia de los varones.

En París, él ya no tiene fuerzas para mantenerse de pie y, con la muerte en el alma, por primera vez en su vida debe guardar cama. "Una anemia de la que sufría desde hace dos meses", escribe, "se ha desarrollado terriblemente bajo la influencia de las fatigas del camino, y estoy tan absolutamente desprovisto de fuerzas en este momento, que me es imposible permanecer de pie y a lo sumo puedo hacer sin ayuda el trayecto desde mi cama a mi sillón." En unos años ha perdido a su mujer y a cinco de sus hijos. "No hay más que una salida", escribe también, "el trabajo. Aunque no suprime el dolor, lo embota y lo hace olvidar."

Corrige en Boulogne las pruebas del cuarto tomo del *Denderah,* cuando le llega un requerimiento del editor Vieweg que exige dinero para continuar la publicación. La impresión de las láminas resulta muy cara. Y cada vez son más escasos los suscriptores que pagan por adelantado.

Mariette no tiene dinero, jamás lo tendrá. Como último recurso, vende la medalla de oro concedida por la Sociedad de Geografía por el descubrimiento del "atlas" de Tutmosis III. Pero no es suficiente. ¿Se interrumpirá la impresión del *Denderah*? Se produce un milagro: El Instituto le adjudica, al fin, su premio bienal de veinte mil francos, que no pudo alcanzar diez años antes. Al anunciar el nombre del laureado, el presidente del Instituto, M. Hauréau, hace el elogio del "infatigable y sabio explorador que, después de veinte años de las más penosas investigaciones, se ha forjado un buen nombre por el descubrimiento de ese Egipto subterráneo, cuyos monumentos más variados ahora se ocupa en exhumar, ordenar y explicar". Y M. Hauréau termina con estas palabras: "Que el descubridor del Serapeum de Memfis y de todas esas ruinas, ahora célebres, ocultas durante tantos siglos bajo las arenas de Sakkara, de Abydos, de Karnak, de Tebas y de Edfú, que el creador del rico museo de Bulaq, que el autor ingenioso y erudito de grandes obras todavía inconclusas, cada uno de cuyos nuevos volúmenes nos enseña la historia de alguna ciudad reencontrada, ¡que nuestro corresponsal M. Auguste Mariette, reciba al fin del Instituto de Francia el premio que desde hace mucho tiempo le estaba reservado!".

El premio cae bien. Pero no es más que un respiro: las exigencias de dinero de los editores no cesarán jamás, ni la presión de los acreedores.

A fines del verano, Mariette deja la casa de Pont-de-Briques en Boulogne y retoma el camino del Egipto con su hija Sophie, quien, desde la muerte de Joséphine-Cornélie, dirige su casa. Sus hijos Félix y Tady se quedan en Francia.

En el camino, se detiene en Chalon-sur-Saône, se encuentra por primera vez con Chabas y, olvidando sus críticas, se reconcilia definitivamente con él, aunque sus visiones de la prehistoria egipcia sigan sin coincidir.

La travesía es penosa. El *Moeris* de las Mensajerías Marítimas se sacude bajo una violenta tormenta. En Alejandría, una mala noticia: los pasajeros deben soportar una cuarentena. Es la primera vez que le ocurre algo así a Mariette. En el lazareto de Pharos, se impacienta. Felizmente, tiene sus notas y puede trabajar. Una compañía de actores parisinos, desembarcados también del *Moeris*, alegra las veladas. Entre ellos hay una pareja de artistas de variedades, los Montrouge, el tenor Vauthier y una verdadera estrella de los teatros de París, Blanche d'Antigny. ¡Se representa todo el repertorio!

En El Cairo el ambiente es sombrío. Imposible emprender obras en Bulaq a pesar de las promesas del jedive. Mariette tiene grandes dificultades hasta para obtener del Palacio una suma módica para recuperar los productos de excavaciones clandestinas practicadas en su ausencia cerca de Tanis.

Estamos en 1875. El jedive, en bancarrota, se ve obligado a vender sus acciones del canal. Las adquiere Inglaterra tras una intriga orquestada por Disraeli, primer ministro de la reina Victoria. Mariette ve en esa transferencia un riesgo para el futuro y se preocupa. Pero en Francia, donde Mac-Mahon ha sucedido a Thiers y donde se habla de una restauración monárquica, los gobernantes prestan poca atención a sus advertencias.

El mamur, rehusando dejarse ganar por el pesimismo que reina en el Palacio (Ismail, arruinado, pronto se verá obligado a abdicar en favor de su hijo), luchando contra la diabetes que lo atormenta, emprende una agotadora gira de inspección por el valle con un joven enviado por el Ministerio de Instrucción Pública, Maxence de Rochemonteix.

Después de recibirlo en la gran galería del Serapeum, con la escenografía ahora clásica: antorchas, comida servida en el interior de uno de los inmensos sarcófagos negros de Apis, fuegos artificiales, decide remolcar el pequeño barco de Rochemonteix con el vapor del museo hasta el Alto Egipto. Entre el maestro y el discípulo dotado —Rochemonteix ha aprendido el árabe literario, el dialecto nubio y lee los jeroglíficos— nace una gran simpatía.

—La publicación de *Denderah* me agota —declara Mariette—. ¿Querría encargarse usted de la obra sobre Edfú?

Rochemonteix acepta. Vieweg, corto de dinero, ha demorado la publicación del *Denderah*, y el *Serapeum* sigue interrumpido.

Mariette se preocupa. Se confía a una amiga, la escritora Amelia Edwards, cuyas novelas ambientadas en el valle del Nilo alcanzan en Inglaterra enormes tiradas. Amiga de Flinders Petrie, con quien más tarde ella creará un fondo de defensa de las antigüedades egipcias, se apasiona por las excavaciones. Sus grandes tiradas han popularizado a Egipto en Inglaterra. Alta, elegante, distinguida, culta, siente viva admiración por Mariette, pero no sabe qué responderle. El Egipto que ella narra a sus lectores no tiene nada que ver con el del mamur: sirve de decorado a intrigas sentimentales.

"El bey me preocupa mucho", escribe ella a una amiga.

Le gustaría ayudarlo. De regreso en Bristol, seguirá escribiéndole y él la mantendrá al corriente de sus proyectos y de sus decepciones.

En el invierno de 1876-1877 pocas excavaciones están en actividad, pero los resultados son interesantes. En Sakkara, un equipo descubre paneles de madera en tumbas de las dinastías III y IV y se extraen bellos objetos de la mastaba de Jabausokar. En Karnak, se hace el trazado de espléndidas inscripciones. Mariette se entera de que Schliemann, venido tímidamente a Bulaq a pedirle consejos, ha encontrado, como lo había previsto, en el tell de Hissarlik, presunto emplazamiento de la ciudad de Troya, un tesoro extraordinario en vasos de oro y de plata, figurillas de mármol, collares de perlas, diademas, anillos de oro.

Una nueva "gran" Exposición se inaugura en París en 1878. Siete años después de la humillante derrota militar y de los horrores de la Comuna, la República conservadora del mariscal Mac-Mahon pretende proclamar el regreso de Francia al primer rango de las naciones. La Exposición de 1867 fue la de las grandes obras de Haussmann y de Lesseps en Egipto. ¡La de 1878 celebra el triunfo de la electricidad! Egipto sólo está presente con una modesta casa de madera que evoca el Imperio Antiguo, donde se exhiben moldeados de estatuas, copias de paneles recientemente descubiertos en Sakkara y Beni Hasán, vajilla y algunas joyas. Un modesto *Catálogo de los monumentos de Abydos* redactado por el director de Antigüedades se vende en el pabellón, pero, privado de ilustraciones por ahorrar gastos, tiene poco éxito. Mariette no ha recibido del jedive, vacilante y arruinado, más que modestos créditos. (Hasta tuvo que recurrir a Lesseps y a la Compañía del canal para colmar el déficit.) Con la ayuda de su hermano Édouard y de Maspero, improvisa de todos modos en pocos meses un decorado de paneles pintados, que es muy apreciado. Pero el que se lleva las palmas es el pabellón japonés en el Trocadero. Y también la cabeza de la estatua de la Libertad de Bartholdi, que va a partir a Nueva York.

Al cierre de la Exposición, Mariette es acuciado por los contratistas y los proveedores, a los que no está en condiciones de pagar. Ni siquiera tiene ya dinero para saldar la cuenta de su hotel. Considera que, desde el punto de vista de Egipto, la Exposición de 1878 ha sido un fracaso y el porvenir se le presenta muy sombrío. Prueba de ello es una carta escrita desde Pont-de-Briques, adonde ha ido a descansar: "Desde hace algún tiempo ya no soy yo mismo y creo que estoy perdiendo la cabeza. He sufrido una crisis de diabetes y la sufro todavía. Agregue a eso la calamidad de la fracasada Exposición. Toda mi vida, tal como la había proyectado a raíz de ella, debe ser modificada por unos años. Contaba pasar el verano próximo en París, y hasta en el Louvre, terminar ese famoso *Serapeum* que me interesa tanto... Era el fin de mi carrera y la coronación de mi pequeño edificio. Velaba por la carrera de mis hijos, ya entrados en la vida y que ahora deben ganarse su sustento [...] ¿Qué será de mi pobre museo con un soberano arruinado que, cada vez más, va a hacer dinero de todo? ¿Qué será de Egipto mismo?".

Confía a un amigo:

—Temo que Ismail Bajá se presente pronto en quiebra, como un simple panadero. ¡Lamentablemente, somos nosotros quienes pagaremos los platos rotos!

Por supuesto, el dinero no llega. Y una vez más, para saldar su cuenta del hotel y pagar las facturas más urgentes, debe pedir prestado.

La Academia de Inscripciones y Bellas Letras, aprovechando su estancia en París e infringiendo por él la costumbre según la cual no recluta más que a sabios residentes en la capital, lo elige por unanimidad. ¡Por fin es miembro del Instituto! Experimenta una gran satisfacción. A pesar de los pagos de un editor de Leipzig, no puede saldar las facturas de los contratistas, que se acumulan. Las solicitudes que envía a El Cairo quedan sin respuesta. Redacta un relato simplificado, animado, anecdótico, del descubrimiento del Serapeum, "un libro de librería", señala él, destinado al gran público.

—¡No logro hacerme a la idea —confía a Desjardins— de que nuestros niños no puedan leer el relato de todo lo que nosotros hemos vivido en el Serapeum!

Desjardins cree haber despertado el interés de la casa Hachette. Le dan esperanzas. Se lo dice a su amigo. Llega la respuesta. El manuscrito es rechazado.

Sin desalentarse, Mariette compone, en el mismo estilo, el relato de las excavaciones de Abydos. Desjardins logra colocarlo en la editorial Maisonneuve, que paga mil quinientos francos de adelanto. Mientras tanto, Mariette ha conocido en París al nuevo ministro de Instrucción de la República, M. Waddington, y le arranca una subvención. (Parece ser que el relato de Abydos no se publicó nunca.)

Las noticias de El Cairo no son buenas. La crecida del Nilo de 1878, una de las más fuertes desde el principio del siglo, ha causado grandes daños en el museo. Está preocupado. Pero lo que descubre al llegar supera en mucho sus inquietudes. Un desastre. El agua ha invadido las salas de la planta baja. Vassalli ha logrado apenas poner a salvo los principales monumentos. Los armarios, las vitrinas, han permanecido inundados durante dos meses. ¡Están recubiertos de una capa de lodo! Las paredes se encuentran agrietadas, han caído vigas del techo, o están a punto de caer. Los pisos se han levantado. ¡El museo en ruinas!

Su apartamento no escapó del desastre. El agua barrosa penetró en el escritorio donde, desde hace diez años, acumulaba las láminas, los manuscritos, las notas, los planos, las fotografías. Todo se ha transformado en una especie de pasta informe. Su biblioteca ya no es más que un montón de hojas rotas, ilegibles, de encuadernación irrecuperable.

Ante esos daños irreversibles, Mariette sufre un momento de desaliento. ¡El Nilo se ha llevado parte de su vida! De pronto, sus hombros parecen más agobiados. Con paso lento, desciende hacia el río. ¡Se lo ve arrojar a las aguas de color leonado fajos de láminas ilegibles, páginas rotas, cuadernos de excavaciones reducidos al estado de pasta, fragmentos de manuscritos!

Recorre el jardín, con aire ausente. Nada parece poder arrancarlo de su melancolía. Hasta echa de su lado al *hegim*, dromedario gracioso, ganado en una tómbola organizada a beneficio de un empresario francés arruinado, que se pone de rodillas para distraer a los visitantes. ¿En qué piensa Mariette? Piensa en presentar su dimisión al jedive. El museo, demasiado pequeño, con cimientos frágiles, carecía de la protección suficiente. La inundación le ha asestado un golpe fatal. Las colecciones están diseminadas en los hangares. Objetos valiosos, como las joyas de la reina Ah Hotep, están al alcance de los ladrones. Los archivos y los expedientes han desaparecido, lo mismo que las notas sobre los trabajos en curso. En el valle, las obras se hallan prácticamente abandonadas; se han reanudado las excavaciones clandestinas. Y no hay esperanzas de ver mejorar la situación: las arcas del jedive se encuentran desesperadamente vacías; ya no se paga a los funcionarios. Algunos militares se han sublevado; se cuenta que ciertos oficiales asaltaron el Ministerio de Finanzas, abrieron las cajas y sacaron un poco de dinero —el último— ¡bajo la amenaza de sus armas! El país parece encaminarse al abismo.

Mariette licencia a casi todo su personal. Su vapor está en el muelle, desertado por la tripulación; Vassalli piensa volver a dedicarse a la pintura.

Al mismo tiempo, el descontento aumenta en el país y las comunidades europeas comienzan a temer motines, saqueos.

Circula el rumor de que Inglaterra y Francia piden cuentas al jedive, lo amenazan, y se aprestan a exigir la entrada de europeos en el gobierno. En la universidad coránica de El Azhar, los ulemas predican la guerra santa. Mariette va al Palacio y encuentra a Ismail envejecido, abatido. El jedive recuerda con tristeza los acontecimientos recientes en Francia, las masacres de la Comuna. Napoleón III ha muerto en Inglaterra en Chislehurst, donde reside Eugenia. El príncipe imperial, apenas licenciado de la academia militar británica, se ha presentado como voluntario para combatir en el Zululandia (y allí será muerto a lanzazos durante una misión de reconocimiento). El segundo Epiro tiene los colores de un mal sueño. Su propio reinado le parece un fracaso. Pero no ha abandonado la esperanza: el jedive espera débilmente que Egipto y él mismo saldrán de esta crisis como de las otras. Su fatalismo, piensa Mariette, se ha convertido en inconsciencia:

—Reconstruiremos su museo devastado —dice el jedive—. Continuará sus excavaciones, *¡In-sha Allah!* Sólo le hace falta un poco de paciencia...

Para tranquilizar a su director, un tanto desconcertado, le anuncia que lo nombra gran oficial de la Orden de Meyidiah. Y, honor supremo, le concede el título de bajá.

—¡Yo no podía hacer menos —dice Ismail— por el único miembro del Instituto de Francia que ha formado parte de un gobierno egipcio!

Mariette no cree mucho en las promesas del jedive, pero es sensible al honor que se le hace. Como bajá, puede tratarse de igual a igual con los más altos funcionarios, con los representantes de Turquía, los embajadores extranjeros.

—Bajá —confía él a un amigo— es algo que hace sonreír en Francia. Se piensa en el Mamamuchi, en el *Bajá de nueve colas* de la corte del sultán de Turquía. Pero en Oriente, la dignidad ha conservado todo su prestigio. Es una llave suplementaria... si todavía tengo ocasión de servirme de ella...

Al regresar al museo ruinoso, a su apartamento devastado, silencioso, a su biblioteca vacía, piensa que no tiene el derecho de abandonar, de renunciar. Nunca se ha doblegado ante la adversidad. No está en su naturaleza. Sin duda, va a jugar una última carta. Lo asedia la enfermedad, siente disminuir sus fuerzas, no puede conciliar el sueño. Pero jugará esa carta. ¡Egipto lo necesita todavía!

Un año más tarde, se inaugura oficialmente el museo de Bulaq, reconstruido según los nuevos planos de los hermanos Mariette, con salas sobreelevadas, cimientos más profundos, nuevos armarios, vitrinas más amplias y reservas más espaciosas. Es casi un milagro, en todo caso una victoria inesperada para Mariette. El jedive Ismail no asiste a la ceremonia. Está exiliado en Nápoles. Bajo la presión de Francia y de Inglaterra, que han tomado el poder en Egipto, ha abdicado en favor de su hijo Tewfiq Bajá, biznieto de Mehemet Alí, convertido en el segundo jedive de Egipto.

Fiel a las instrucciones de su padre, Tewfiq ha activado y pagado de su tesoro personal, con el acuerdo de los supervisores europeos, los trabajos de reconstrucción del museo.

Ayudado por Vassalli y Daninos, el nuevo bajá reparte las colecciones en el nuevo espacio. Un trabajo irritante, mientras que la desgracia lo golpea de nuevo: Tady, su hijo, en quien ponía tantas esperanzas, ha muerto en Boulogne a los veintitrés años, de una anemia rebelde que, sin duda, hoy se llamaría leucemia. Su padre ha asistido a su agonía. Esta prueba lo ha quebrantado. Sólo le queda un hijo varón, Alfred, cuya salud tampoco es buena. Por un momento su coraje lo abandona. Se encierra en su habitación de Pont-de-Briques. El médico diagnostica una nueva y fuerte crisis de diabetes.

—Temo un desenlace fatal —declara entonces a su hermana y a sus dos últimas hijas, Sophie y Louisette, aterradas.

Y de pronto, Mariette surge como resucitado, el paso seguro, la voz fuerte, una nueva llama en la mirada. Sus hijas no salen de su asombro: él anuncia su deseo de partir cuanto antes para Egipto:

—Estoy mejor —declara a Maspero, que ha ido a verlo a Boulogne con un paquete de pruebas del libro sobre Denderah.

Y agrega:

—Entre dos crisis, todavía puedo hacer mucho trabajo. Estamos reacondicionando el museo. ¡Me necesitan! ¡Partiremos a El Cairo!

Su médico, estupefacto ante ese rebrote de energía, recomienda a Sophie estar constantemente al lado de su padre: una crisis más violenta puede abatirlo, sin que nada permita preverla.

Mariette reúne los fondos necesarios para el viaje vendiendo su biblioteca, que comprende unos quince ejemplares de la obra sobre Abydos con las láminas originales, y numerosos libros dedicados por sus amigos, como Víctor Hugo o Flaubert, que acaba de sucumbir a una crisis de epilepsia.

Waddington, ex ministro de Instrucción Pública, miembro del Instituto, está ahora en el Quai d'Orsay, Ministerio de Relaciones Exteriores. Mariette conoce su interés por la arqueología. Le expone su situación. El museo está reconstruido, pero él carece de créditos para las excavaciones. El ministro de Asuntos Exteriores promete intervenir en El Cairo ante M. de Blignières, funcionario francés que, en el nuevo sistema político, controla con su colega británico el Tesoro del nuevo jedive. El ministro promete también subvencionar la publicación del *Denderah* por el editor Vieweg. Cumplirá su palabra.

Cuando Mariette regresa a Egipto con sus hijas, Blignières, alertado por París, le presta en efecto una atención favorable, le devuelve el uso del *Menschieh*, que no ha navegado en dos años, y le hace entregar algunos miles de libras. Mariette puede reabrir las excavaciones de Sakkara y de Tebas.

El museo, renovado, ampliado, está dotado ahora de un gran vestíbulo iluminado. Mariette hace transportar allí el coloso de Ramsés II, que se encontraba en el jardín, dos grandes esfinges de Tutmosis II y dos esfinges hicsas de Tanis, sacadas de las reservas.

—Cuando se entra en esta sala —declara Mariette con orgullo— se tiene la verdadera sensación de la fuerza y de la grandeza del antiguo Egipto.

Ya no siente la enfermedad ni la fatiga. Se lo creía perdido: trabaja hasta la noche en las salas del museo, controlando los detalles. Multiplica los proyectos.

Hace encender las máquinas del *Menschieh* y se dirige a las obras de Sakkara. Se propone terminar los estampados y tomar él mismo fotos del Serapeum; quiere supervisar el trazado del plano de la tumba de Ti, a punto de terminarse, y el de la de Ptah Hotep. "Voy a estudiar", escribe a Amelia Edwards, "el tema de la fotografía de las mastabas de Sakkara."

Gaston Maspero se reúne con él. Una verdadera amistad une al joven sabio y a su maestro, aunque a veces discutan.

Hace cuatro meses, en Sakkara, un zorro, perseguido por un reis, desapareció súbitamente en el interior de una de las numerosas pirámides derruidas de la meseta. Al deslizarse por la grieta, el cazador se encontró ¡en una cámara cubierta de jeroglíficos! Maspero acudió al lugar e identificó la tumba, saqueada hacía tiempo: era la del faraón Pepi I, de la VI dinastía; un faraón del que se sabe poco, salvo que envió expediciones lejanas hacia el centro de África.

El descubrimiento de textos grabados acerca de Pepi I en el interior de su pirámide funeraria constituye un acontecimiento mayor. Pero Maspero choca con la intransigencia de Mariette, que ha ido a visitar la pirámide:

—Si hay inscripciones —declara el bajá— no es una tumba real. Jamás hay inscripciones en las pirámides funerarias de los faraones. Se trata de una mastaba, de la tumba de un noble.

Maspero no se convence. Pide autorización para proseguir el examen de la pirámide y encuentra otras inscripciones en los corredores y las cámaras funerarias, que refuerzan su convicción. Mariette no cambia de posición.

—Puesto que hay inscripciones —dice— no nos encontramos en una pirámide real, sino en la mastaba de un dignatario. Se llama Pepi, como el rey, pero es una casualidad.

Al leer los trazados, Mariette incluso declara que el verdadero nombre del dignatario es Pepi Pen.

—Si hizo inscribir su nombre en un cartucho (reservado a los soberanos) es una usurpación de su parte. ¡El caso es bastante frecuente! —dice Mariette a su discípulo.

Algo asombrado por eso que, de todos modos, parece un capricho, Maspero se inclina. Pero se promete reanudar la discusión.

Agotado por el acondicionamiento del nuevo museo, los estampados de Sakkara y de la tumba de Ti, Mariette regresa a Bulaq en barco. Piensa en un viaje a Francia.

Apenas llegado al museo, lo abate una violenta crisis. Su respiración es jadeante, tose. "Todo lo que sé", escribe a Desjardins, "es que una sed violenta, complicada con necesidades que cada media hora perturban mis noches, me permite deducir que padezco un ataque de diabetes. No me preocupo demasiado; hay que saber vivir con nuestros enemigos, pero no por eso son menos molestos. ¡Al diablo el que inventó el azúcar!"

Su médico lo insta a regresar cuanto antes a Francia. Le aconseja vivamente una cura en La Bourboule. Mariette acepta sin grandes esperanzas. "Estoy tan débil que me es imposible subir una escalera sin ayuda", escribe. "Por añadidura, tengo desde hace dos o tres meses una afonía absoluta."

Llega a París en un estado de agotamiento total. Su rostro de rasgos hundidos impresiona a sus amigos. En pocos meses, parece haber envejecido diez años. Sus espaldas se han curvado, su andar es vacilante. Parte con su hermana a La Bourboule.

"No mejoro", escribe. "Sólo duermo a fuerza de opio. Y la enfermedad de Alfred (su último hijo) me preocupa mucho. ¡Me figuro que todo el mundo tiene algo contra mí!"

Abrevia la cura cuyos resultados ya no espera, y regresa a Boulogne-sur-Mer. En la casa de Pont-de-Briques parece anunciarse una ligera mejoría. Decide reanudar la redacción del *Serapeum*, pero pronto debe renunciar: padece de insoportables jaquecas:

—Creo que no llegaré a terminar este *Serapeum* —confía a su hermana—. Es el comienzo de mi carrera... empecé el trabajo epigráfico hace cerca de treinta años, ¡y nunca lo terminaré! Ahora es demasiado tarde...

Se pone a trabajar, y la enfermedad parece entrar en regresión. Escribe a Vassalli diciéndole que cuenta regresar a Bulaq a fines del verano de 1880 y dar el último toque al nuevo programa de excavaciones. Pero sus fuerzas lo traicionan. En agosto, vomita sangre. Los médicos, reunidos en consulta en Pont-de-Briques, se declaran muy pesimistas. Consideran que el enfermo no puede ser trasladado.

Mariette adivina su diagnóstico y decide de inmediato partir a El Cairo. A las observaciones de su hermana y de sus hijas, opone una determinación que nada logra quebrantar:

—Quiero morir allá, y descansar junto a Éléonore y Joséphine...

Dóciles, las tres mujeres hacen el equipaje y, sosteniendo a Mariette que se desplaza con dificultad, toman el tren. En París, el grupo se instala en el Hotel de Europa, en la rue Le Pelletier. Tras una ligera mejoría, que le permite recibir a algunos amigos, Mariette es presa de vómitos; se declara una hemorragia. Arthur Rhoné, el amigo de los días felices, lo visita y se retira, conmovido. Después de unos días de sopor, Mariette hace acopio de fuerzas y da la orden de partir para Marsella. El viaje en tren no transcurre demasiado mal, del mismo modo que la travesía hasta Alejandría. A bordo, Mariette parece recuperar bríos. Hasta se pone a trabajar. El tiempo es agradable, el Mediterráneo apacible. Poco después de desembarcar, se repite la hemorragia. Llamado con urgencia al consulado de Francia de Alejandría, un médico exige reposo absoluto. Mariette rehúsa, se hace transportar a la estación y subir al tren de El Cairo. Sus hijas y su hermana no lo abandonan. Él se adormece. Un coche lo espera a la llegada. Lo lleva hasta Bulaq. A la vista del nuevo edificio, su rostro crispado por el dolor se distiende: sonríe.

Vassalli, los hermanos Brugsch, Floris, están allí con Hasán. Mariette se tiende en una *chaise-longue* en la veranda de madera que Heinrich Brugsch ha reconstruido en su ausencia. Le ponen una manta sobre las piernas. Él pide ver los informes de los recientes trabajos de Sakkara y de la famosa pirámide en la que Maspero se obstina en ver la tumba de Pepi I, y él la mastaba de un dignatario usurpador.

Hay un momento de silencio. Luego, Heinrich Brugsch, señalando las plantas trepadoras, dice:

—¡Mira! Este verano tendrás sombra... ¡Podrás ir a cubierto hasta el museo!

Como Mariette permanece silencioso, Heinrich Brugsch añade:

—Pronto, mi querido director, cuando te hayas recuperado del viaje, iremos a beber una buena cerveza a nuestra salud en tu despacho...

Mariette posa en su amigo una mirada cansada, y responde con voz quebrada:

—Nunca mejoraré, mi pobre Heinrich, y ya no iré jamás por la veranda a mi despacho ni al museo...

Al día siguiente, Heinrich Brugsch lo encuentra débil, pero con la mente alerta: habla de una próxima campaña de excavaciones, pide los últimos informes sobre Karnak. Sus amigos recuperan el coraje.

Vuelve sobre el problema que le preocupa, el de las pirámides reales adornadas con inscripciones (sigue no creyendo en ellas), y declara a Brugsch:

—Hay que salir de dudas.

Encarga al reis Rubi, ex del Serapeum, abrir en Sakkara la pirámide vecina a la que Maspero atribuye a Pepi I. Casi seguramente es una pirámide real. Se verá si tiene inscripciones.

Los obreros se ponen a trabajar. En pocos días despejan el monumento, encuentran su acceso y penetran en el interior. Allí también, cámaras funerarias, capillas, corredores, están cubiertos de inscripciones jeroglíficas con el nombre del hijo y sucesor de Pepi I. Hasta encuentran la momia real. Como su padre Pepi I, Pepi II es casi desconocido. Manethon afirma que comenzó a reinar a los seis años y conservó la corona hasta la edad de cien. Amplió hasta el sur de Nubia las fronteras del Imperio; sus ejércitos llegaron hasta Sudán en busca de oro, marfil, animales exóticos y pigmeos, muy apreciados en la corte real; también iban al Líbano a buscar madera de cedro.

(Después de Mariette, la IV dinastía salió de la oscuridad. Se encontraron las huellas de las grandes expediciones de Pepi I y Pepi II. La búsqueda continúa. El Instituto Francés de Arqueología Oriental [IFAO] dirige, desde hace viente años, excavaciones en el desierto libio. Recientemente se descubrieron en Sakkara dos pirámides pertenecientes a esposas de Pepi I, siendo sin duda una de ellas la madre de Pepi II.)

Brugsch decide llevar la momia real a Bulaq a fin de que Mariette pueda examinarla. Desde hace poco, franceses y británicos, que administran ahora las finanzas públicas de Egipto, han introducido nuevos reglamentos. Se debe pagar derecho de entrada por las mercancías introducidas en la ciudad y destinadas a la venta. Los arqueólogos intentan explicar que la momia del faraón no es un producto de consumo, pero es en vano. Los empleados de las concesiones, porfiados, exigen el pago del impuesto. Después de una larga discusión, clasifican la momia real ¡en la categoría de "pescado seco"!

Al examinar en Bulaq la momia y el trazado de las inscripciones que la acompañan, Mariette dice a Brugsch:

—¡Y bien, sí, hay pirámides "escritas"!

Estamos en diciembre de 1880.

Gaston Maspero, que trabaja en París, con la Dirección de Enseñanza Superior, en la creación en El Cairo de una escuela francesa de arqueología, según el modelo de la de Atenas (proyecto de donde nacerá en 1898 el Instituto Francés de Arqueología Oriental, el IFAO), llega a Bulaq a principios de enero. Encuentra a Mariette tendido en su sillón, en el pequeño comedor.

Su hermana está a su lado. Maspero nota que un temblor casi imperceptible agita sus manos y sus labios.

Mariette recibe a Maspero con una sonrisa:

—¡Usted tenía razón! ¡Hay pirámides escritas! ¡Yo nunca lo hubiese creído!

Luego pide noticias de algunos amigos de París, entre ellos del joven Grebaut, futuro director de Antigüedades. Es viernes, el domingo musulmán. El museo está cerrado.

—Vaya a echar una mirada a la nueva sala que usted no vio terminada —dice Mariette a Maspero—. ¡La próxima vez, me levantaré y lo conduciré yo mismo!

No habrá próxima vez.

Clavado también en la cama por una fuerte fiebre, sin duda un ataque de malaria, Maspero no vuelve al museo hasta el miércoles siguiente. Mariette está inconsciente. Su último combate va a durar casi una semana. Muchas personalidades de El Cairo van al museo. A pesar de la tensa situación —se teme un golpe de Estado militar—, el joven jedive Tewfiq envía todos los días a su mayordomo a inquirir noticias. La casa está llena de amigos: Maspero, Daninos, Vassalli, los hermanos Brugsch, Floris, Rochemonteix. Solamente su hermana y sus dos hijas tienen acceso a la habitación donde Mariette lucha con la muerte. Delira. En los escasos instantes de lucidez, reconoce a sus hijas, les dirige algunas palabras, luego se sume nuevamente en la inconsciencia. En la *Noticia biográfica de Mariette*, que publicó en 1904, Gaston Maspero describe esos trágicos momentos de los que fue testigo: "Recordaré siempre esas horas desoladas que pasábamos en la habitación vecina, intercambiando tristemente algunas palabras en voz baja. Por intervalos, uno de nosotros se asomaba al vano de la puerta y echaba una mirada a la cama donde él se moría. La gran forma se agitaba sin cesar, atrayendo hacia sí las mantas o retirándolas, quitándose el tarbush y colocándoselo de nuevo sobre la cabeza en un gesto maquinal, a veces silencioso, pero más a menudo perdido en un flujo de palabras sueltas y de frases incoherentes [...] Parecía que por momentos su carrera comenzaba de nuevo ante él y que revivía sus excavaciones de antaño.

Hasta una vez, el museo ideal con el que había soñado durante tantos años se irguió ante él, y lo vio terminado, desde el umbral al aguilón, tal como él lo había concebido...".

El miércoles 18 de enero de 1881 por la mañana, en una suerte de movimiento de rebelión, Mariette se levanta de su lecho, aparta las mantas y da unos pasos por la habitación. Vuelven a acostarlo con dificultad. Unas horas más tarde, exhala el último suspiro. Un mes después habría cumplido sesenta años.

Al anuncio de su muerte, llegan a Bulaq telegramas de toda Europa. Desde su exilio en Inglaterra, la emperatriz Eugenia envía una larga carta a la hermana del bajá. El jedive atribuye una pensión de doscientas libras a cada una de sus hijas.

Egipto le brinda funerales nacionales. No será inhumado en el cementerio cristiano de El Cairo, junto a su mujer y a su hija, como él deseaba, sino en el jardín del museo de Bulaq. Cuando se expongan las colecciones en Gizeh, se trasladará allí su ataúd. Y cuando se construya el gran edificio de Kasr el Nil, sede actual del museo de El Cairo, los restos de Mariette serán ubicados en un sarcófago de granito del Imperio Nuevo, frente a la entrada. Allí se encuentran siempre. Por un momento se habló de llevarlos a Francia. Pero el proyecto fue abandonado.

CAPÍTULO

15

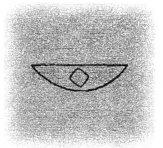

La herencia

de Mariette.

A la muerte de Auguste Mariette, el jedive Tewfiq propone el cargo de mamur (director), del servicio de Antigüedades y del museo, a Gaston Maspero, titular de la cátedra de Champollion en el Colegio de Francia, por entonces de treinta y cinco años de edad. Maspero acepta. En setenta años, cinco egiptólogos franceses, Eugène Grebaut, Jacques de Morgan, Victor Loret, Pierre Lacau y el abate Étienne Drioton, ocuparán sucesivamente el cargo de director de Antigüedades y del museo, hasta que la revolución nacionalista de 1953 interrumpa lo que ya era una tradición.

Mariette deja una obra considerable. Desenterró de la arena el Serapeum de Menfis, el templo de la Esfinge, las tumbas de Ti y de Ptah Hotep, las joyas de Ah Hotep, la mesa de Abydos, numerosas obras de arte del Imperio antiguo, el Escriba sentado, el Kefrén de diorita, el Jeque el Beled, Rahotep y Nufri, las ocas de Meidum, el Atlas de Tutmosis, etc. Logró poner fin, casi totalmente, al pillaje, despejó los grandes templos, salvó el patrimonio del valle. No hay duda de que, sin él, muchos monumentos, muchos secretos del Egipto antiguo se habrían perdido para siempre. Se habría terminado por despejar los templos de Karnak, Denderah, Erment, Tanis, Abu Simbel. ¿Pero qué habría quedado de ellos si Mariette, respondiendo a la llamada de Champollion, no hubiese logrado protegerlos?

Mariette luchó toda su vida. Sus sucesores debieron, a su vez, hacer frente a muchas dificultades. Poco después de la muerte de Mariette, Egipto pasó a estar bajo la influencia británica. A menudo a los directores franceses les costó ejercer su autoridad e impedir el éxodo de las piezas más interesantes. Apenas nombrado, Maspero entró en conflicto con los representantes del Museo Británico, Wallis Budge y Samuel Birch. Más adelante, Victor Loret tuvo que hacer frente a otro inglés, Flinders Petrie, que excavó en Gizeh, Abydos, Tell el Amarna, Tanis. En 1914, Victor Loret no consiguió impedir la partida fraudulenta hacia Berlín de la célebre estatua de Nefertiti, esposa de Ajenatón, surgida de la arena en Tell el Amarna.

(Como consecuencia de esa "pérdida", los arqueólogos alemanes estuvieron durante largo tiempo prohibidos en las excavaciones de Egipto. El legajo permaneció abierto; Hitler se negó a devolver Nefertiti al Servicio de Antigüedades de El Cairo.)

En 1922, Pierre Lacau logró apenas, muy dificultosamente, hacer entrar en el museo de El Cairo, en su totalidad, el extraordinario tesoro de Tutankamón, desenterrado por Howard Carter en el Valle de los Reyes. Finalmente, en 1926, una ordenanza del rey Fuad I asimiló toda excavación no autorizada a un delito punible de prisión. Se realizaba uno de los sueños de Mariette.

El impulso dado a la búsqueda por Auguste Mariette fue tal, que los años siguientes a su muerte estuvieron marcados por toda una serie de descubrimientos espectaculares.

Maspero había aportado a Mariette, con la momia de Pepi II, la prueba de que algunas tumbas reales, en forma de pirámide, tenían inscripciones. Poco después, Maspero abrió en Sakkara una pirámide con un corredor lleno de inscripciones, protegido por varias rejas de granito. Se quedó encerrado seis horas allí como consecuencia de un desprendimiento, pero desembocó en una cámara funeraria cuyo espléndido techo, pintado en azul, se hallaba salpicado de estrellas. Encontró numerosas inscripciones más. A fines del mismo año 1881, en Sakkara, logró penetrar en la pirámide de Teti, visitada desde luego por los ladrones; en el amontonamiento de restos, encontró el brazo y el hombro de la momia real.

(Su excavación será reanudada cincuenta años más tarde por el arqueólogo G. Jequier, que despejará de nuevo el corredor de Maspero, obstruido entretanto, y hará un trazado completo de las inscripciones. Jequier descubrirá el templo funerario de Pepi II y sacará a la luz una magnífica estatua de alabastro translúcido del faraón [en el museo de El Cairo]. Establecerá también que las pequeñas pirámides vecinas eran las tumbas de las esposas de Pepi II. Siguiendo las indicaciones dejadas por Mariette, reanudará igualmente la excavación de la mastaba Faraun, y descubrirá en ella la tumba de Chepsekaf, último rey de la IV dinastía.)

Como lo había previsto Mariette, la gran necrópolis de Menfis, donde comenzó su carrera, ofrecerá todavía numerosos monumentos. En Sakkara norte él había extraído paneles de madera esculpidos, muy antiguos, de la tumba de Hesy Ra. Al "redescubrir" la tumba en 1911, el inglés Quibell la explorará en detalle, extrayendo objetos que evocan al legendario Horus Aha, creador de la primera dinastía. Ayudado por el viejo reis Rubi (el hijo de Hamzaui, capataz de Mariette en el Serapeum), Victor Loret reanudará en la misma época las excavaciones en la pirámide de Teti y descubrirá nuevas cámaras decoradas en la sepultura de Ptah Hotep. Reisner descubrirá el mobiliario de la madre de Keops, y Brunton un tesoro en joyas del Imperio Intermedio. En Sakkara, continúan las excavaciones en nuestros días. En junio de 1997, un investigador francés, Audran Labrousse, descubrió allí la tumba de la reina Ankesen Pepi.

Tres años antes de su muerte, Mariette había comprado en Suez dos valiosos papiros, obra de una tal Hent Taui, adoratriz de Hator. Intuyó que esos papiros tenían el mismo origen que ciertos objetos funerarios misteriosamente aparecidos, desde algunos años antes, en el mercado de las antigüedades.

—Esto proviene de la montaña tebana —confió a Maspero—. Sin duda de la región de Dra Abul Naga (donde se habían descubierto las famosas joyas de Ah Hotep). Allí debe de funcionar una excavación clandestina. Habrá que ir a investigar.

(Hay que hacer notar que Mariette se había apartado del Valle de los Reyes donde, sin embargo, no había localizado más que veinticinco de las cuarenta tumbas visitadas por Estrabón. Él estaba persuadido de que las tumbas más buscadas de la XVIII dinastía que precedió a los Ramsés, las de Tutmosis, Amenofis, Ajenatón, Tutankamón, etc., se encontraban en las laderas de la montaña tebana. Con excepción de Tutankamón, estaba en lo cierto, como se demostró después.)

En marzo de 1881, cumpliendo el deseo de Mariette, Maspero va al lugar y no tarda en enterarse de que, en efecto, la familia Rasul abastece desde hace mucho tiempo el mercado clandestino. Obtiene la autorización de arrestar al jefe de la familia, Abdel, quien, en conflicto con sus hermanos, terminará por conducir a Maspero a una colina situada en el flanco de la montaña, entre el Valle de los Reyes y la llanura cultivada, no lejos de Deir el Bahari. En el flanco sur de la escarpa, se abre un pozo al que se llega con gran dificultad, dejándose caer sesenta metros a lo largo del acantilado, atado a una cuerda. Maspero y Emil Brugsch penetran en el pozo que se hunde unos doce metros y termina en un corredor estrecho, en pendiente, por el que un hombre apenas puede deslizarse. Allí se amontonan numerosos objetos funerarios.

—Yo descubrí este pozo hace seis años —confía Abdel Rasul. ¡Síganme!

Maspero y Brugsch se introducen en el agujero estrecho y lleno de objetos, recorren más de setenta metros entre los murciélagos enloquecidos, y desembocan en una gran sala oblonga. Cerca de la entrada, tropiezan con dos ataúdes. A la luz de las velas, Maspero descifra las inscripciones. El primero es el de la adoratriz de Hator cuyos papiros Mariette compró en Suez. El otro parece ser el del faraón Seti I. Innumerables objetos se amontonan alrededor: vasos de libación, vasos canopes, ushbetis y un gran rollo de cuero: ¡la tienda fúnebre de una reina! Maspero y Brugsch avanzan arrastrándose y, estupefactos, descubren en esa cavidad otros ataúdes con los cartuchos de los más grandes faraones y reinas de la XVIII dinastía: Amenhotep I, Tutmosis II, su hijo Ahmosis, la reina Nefertari. Y en el fondo de la cámara, entre otros objetos, el ataúd del más grande faraón del antiguo Egipto, Ramsés II. Sobre su pecho, un rollo de papiros.

(Todos esos faraones, esas reinas y esos príncipes habían sido sepultados en el Valle de los Reyes. Al principio de la XX dinastía, en tiempos de Ramsés IX, estalló una guerra civil, la guerra de los Impuros, y los tebanos comenzaron a saquear las sepulturas reales. Entonces los sacerdotes decidieron transportar las momias más ilustres, después de extraerlas de sus suntuosos sarcófagos, de escondite en escondite. El último era de tan difícil acceso que permaneció secreto hasta su descubrimiento por Rasul, en 1875, ¡y por la intuición de Mariette! Maspero transportó al museo las momias reales y los objetos funerarios; ellos proporcionaron a los egiptólogos incomparables informaciones. En 1976, la momia de Ramsés II, atacada por un hongo, fue transportada a Francia bajo la égida de la ministro Alice Saunier-Seité, y tratada por irradiación en el Centro de Estudios Nucleares de Saclay, cerca de París. En esa ocasión se estableció que el faraón ¡era pelirrojo, rengueaba, y había sucumbido a una infección generalizada, sin duda de origen dentario!)

Desenmascarado por Mariette, "regenerado" por Maspero, Abdel Rasul se convirtió en funcionario del Servicio de Antigüedades. Pronto puso a Maspero en la pista de otros escondites alrededor de Deir el Bahari, donde el Servicio de Antigüedades recogió más de cien momias y numerosos objetos. Ese sector privilegiado, que abarca la depresión del Asasif, era, como Mariette lo había indicado, uno de los más ricos del valle. En 1923, debajo de escombros acumulados por Mariette, el inglés Winlock encontró allí una tumba preparada por Semnut, favorito y arquitecto de Hatshepsut, con una magnífica bóveda celeste. A poca distancia, despejó estatuas rotas de la reina, destruidas por Tutmosis III, sobrino y sucesor de Hatshepsut, que no perdonaba a su tía haberlo apartado durante tanto tiempo del trono. (La agencia Cook construyó un bar para turistas sobre los escombros de las excavaciones de Mariette.) Al trabajar en ese mismo sitio, B. Bruyère descubrió seis mil ostracas... ¡en 1949!

A fines del siglo pasado se reabrieron otras excavaciones de Mariette en el Alto Egipto.

En Karnak, donde Mariette había descubierto y descifrado las dos salas de los anales de Tutmosis III, se siguió despejando y descifrando los grandes templos que, con las pirámides, constituyen en la actualidad la mayor atracción turística del valle.

También se comenzó a trabajar en la otra orilla, frente a Luxor y a Karnak, en Deir el Bahari, donde Mariette había desenterrado el pórtico de Punt (y la Venus hotentote), y en los templos funerarios de Gurnah, Medinet Habu, del Rameseum. En 1898 se despejó el templo de Merenptah, hijo y sucesor de Ramsés II. En ese templo funerario se encontró la famosa Estela de Israel, con su inscripción misteriosa: "¡Israel ha sido arrasado, su simiente ya no existe!".

La Egypt Exploration Society, en parte por la influencia de la novelista Amelia Edwards, comenzó también a trabajar en Karnak y en Luxor con Flinders Petrie. A partir de 1882 empezaron a sucederse los descubrimientos: en Karnak, el templo de Amón, el lago sagrado, la capilla blanca de Senusret, la capilla roja de Hatshepsut. Henri Chevrier llevará a cabo allí un trabajo considerable, y un equipo francés lo hace en nuestros días. Realizó por computadora la asombrosa reconstrucción virtual del sitio.

En el delta, Mariette había esbozado el plano de Tanis, después de haber despejado el eje del gran templo, encontrado los colosos de Ramsés II, las enigmáticas esfinges "hicsas", y la famosa estela del año 400. Con el consentimiento de Maspero, e importantes recursos, Flinders Petrie se instala en 1883 en la obra, traza el plano completo del lugar y descubre un *Tratado de geografía* que entusiasma a Heinrich Brugsch. Para Mariette, Tanis había sido en su tiempo Avaris, capital de los invasores hicsos, luego Pi Ramsés, residencia de Ramsés II; allí donde, según la Biblia, Moisés le hizo frente. Petrie discutió esa teoría, pero más tarde Pierre Montet dio la razón a Mariette. En 1939 descubrió en Tanis un extraordinario tesoro de la XXI dinastía.

Mariette se había propuesto despejar los templos del valle. Maspero y sus sucesores prosiguieron esas obras y fue así como se despejaron Edfú, el templo más completo, Erment, Denderah, y El Kab, poco conocido por los turistas modernos.

Mariette fue el primero en destacar el interés de los monumentos olvidados y de difícil acceso de la región que al sur de Asuán se extiende hacia Sudán y las lejanas fuentes del Nilo, el país de Kush. Se había propuesto proteger Philae, y despejó en Abu Simbel (llamado Ipsambul), para la emperatriz Eugenia, los cuatro colosos exteriores de Ramsés II en Osiris. Con las estelas del yebel Barkal, la montaña sagrada, reveló también al mundo sabio la existencia de la civilización de Nubia entre la quinta y la sexta catarata, en particular la necrópolis de Meroe con sus cincuenta y cinco pirámides y la capital Napata, donde una misión franco-sudanesa trabaja actualmente.

Las misiones de estudio se sucedieron en Philae y en Abu Simbel, hasta los famosos desplazamientos que fueron necesarios para la nivelación de las presas.

Indiscutiblemente, las orientaciones sugeridas por Mariette inspiraron a generaciones de egiptólogos. Varios ejemplos son significativos. Mariette pensaba que en la isla Elefantina, en Asuán, se había instalado una colonia judía en la época saíta y que se la había autorizado a construir un templo. En 1900 se reveló que los judíos habían sido perseguidos por los adoradores de Kum, el dios carnero, y fueron forzados a huir. Hoy en día, algunos investigadores piensan que la colonia de Elefantina dio origen a la población judía de Mali, a la de Tombuctú y a los famosos falashas de Etiopía.

Mariette se había propuesto excavar en Erment. Diez años después de su muerte, se encontró allí el templo primitivo de Melamud, dedicado al dios Montú al que se sacrificaba, como en Menfis, un buey sagrado llamado Bushis. Aparecieron veinticuatro sepulturas de bueyes sagrados (y no sarcófagos como en Sakkara). En Abydos, donde Mariette había trabajado mucho, se desenterró el templo de Osiris (pero no su tumba que sigue siendo inhallable); en 1900, Quibell descubrió allí la célebre paleta de esquisto de Narmer, rey o dios primitivo, anterior a Menes, el más antiguo "objeto grabado" del mundo. En la pirámide romboidal de Dahshur, que intrigaba a Mariette, Jacques de Morgan descubrió el tesoro de joyas de las princesas Ita y Knomit (en el museo de El Cairo) y probó que se trataba de la tumba de Snefru, padre de Keops.

Mariette había abierto todas esas excavaciones.

Abrió tantas, que muchas de ellas fueron abandonadas. Después de su muerte, la Esfinge de Gizeh volvió a cubrirse lentamente de arena. En 1926 se la despejó definitivamente hasta las patas de ladrillo, y se limpió el templo vecino.

El Serapeum de Menfis, primera excavación de Mariette, tuvo menos suerte. No resta mucho de él en la actualidad. Ya no existe la avenida de las ciento cuarenta esfinges que conducía al subterráneo sagrado. Era una zanja de seis a nueve metros de profundidad que el viento y la arena, citados por Estrabón, fueron cubriendo poco a poco desde fines del siglo pasado, con las capillas que la jalonaban. Las esfinges saítas fueron dispersadas. También habían desaparecido las estatuas de los filósofos y poetas griegos, descubiertas durante el avance hacia el Serapeum. Jean-Philippe Lauer, que reconstruyó el complejo funerario de Zoser por anastilosis (según los planos y con las piedras de origen) alrededor de la cercana pirámide escalonada, logró salvar cuatro de esas estatuas protegiéndolas con un techo de cemento. (Jean-Philippe Lauer sigue trabajando en el lugar.)

Del Serapeum propiamente dicho, sólo se visita actualmente la galería principal donde se depositaron los Apis sagrados, desde la XXVI dinastía (632 a.C.) hasta el fin de la época ptolemaica (30 a.C.). Un guardián indolente reclama una propina para iluminar las galerías. Los enormes sarcófagos de granito pulido y de basalto negro descubiertos por Mariette no se han movido, y son impresionantes. Los pequeños subterráneos, los más antiguos, donde se enterraban los Apis en la época de Ramsés, jamás han sido abiertos al público. El terremoto de 1990 hizo todavía más peligroso su acceso. Fue allí donde Mariette descubrió las joyas de Khamuaset, hijo y heredero del gran Ramsés II, que se encuentran en el Louvre.

(Todavía no se ha establecido de manera definitiva si se trata de la tumba del hijo de Ramsés II, muerto antes que su padre. El descubrimiento, en 1996, en el Valle de los Reyes, cerca de la tumba de Tutankamón, de la tumba colectiva de cincuenta hijos de Ramsés, quizá permita aclarar definitivamente este punto.)

Mariette pensaba que en la zona se encontraban tumbas de Apis más antiguas. En 1985 se comenzaron allí excavaciones, lamentablemente interrumpidas.

La casa donde vivió Mariette en 1850 con su familia durante las excavaciones del Serapeum resistió hasta 1960, por increíble que parezca, a los vientos de arena. Yo mismo la visité en 1948.

Servía de albergue a los turistas que recorrían la meseta de Sakkara. Fue reemplazada por una construcción que se derrumbó. Reconstruida, alberga ahora una cafetería y una venta de recuerdos. Algunos dromedarios aguardan allí a los turistas que, después del complejo de Zoser, deseen recorrer la necrópolis.

No lejos del Serapeum, una gran construcción inconclusa de cemento, que debía ser un hotel, se hunde lentamente en la arena, acentuando la impresión de abandono que se desprende del lugar. A poca distancia, las magníficas tumbas decoradas de Ti y de Ptah Hotep, descubiertas por Mariette después del Serapeum, atraen a los turistas a los que la visita del vasto complejo funerario de Zoser no ha agotado.

La influencia de Mariette fue perceptible durante varias generaciones de egiptólogos, y sigue siendo sensible hoy en día, lo que hace más extraño el olvido en el que ha caído su recuerdo. Su curiosidad, su perspicacia, sus intuiciones, eran casi sobrenaturales, como su capacidad de trabajo. Desde las orillas del canal de Suez hasta las colinas de Nubia, ningún emplazamiento arqueológico escapó a su labor. Su herencia es la egiptología en su conjunto.

CAPÍTULO

16

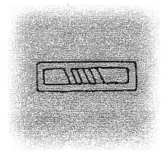

El abate Drioton,

séptimo y último sucesor

de Mariette, cuenta el fin

de su aventura en Egipto.

La aportación de Mariette

y la egiptología del futuro.

El último sucesor francés de Auguste Mariette en la dirección de Antigüedades fue el abate Étienne Drioton. Éste llega a Egipto en el invierno de 1923. Joven egiptólogo, se ha destacado por trabajos de epigrafía, pero su reputación no supera por entonces el círculo de los especialistas.

Su misión es delicada: el Louvre le ha encargado examinar el tesoro desenterrado por Carter en la tumba milagrosamente preservada de Tutnkamón, evaluar su valor histórico y efectuar una suerte de inventario. Pierre Lacau, por entonces director de Antigüedades, no le oculta las dificultades que le aguardan: ¡Carter no coopera en absoluto! Con la impaciencia y la inconsciencia de los jóvenes, Étienne Drioton se encamina al valle.

Recogí el relato de este episodio de labios del abate Drioton a quien, siendo yo un joven periodista, entrevisté en El Cairo en 1950:

—Llegué al sitio a lomos de burro —me contó él—. Mi sotana negra estaba blanca de polvo. Prevenido por Lacau, no esperaba un recibimiento caluroso de Howard Carter, aunque él conocía mis trabajos, pero su reacción me sorprendió. Se encontraba con Hilda Petrie, viuda del célebre egiptólogo inglés, muerto poco tiempo antes a los ochenta y nueve años. Ambos me volvieron la espalda, rehusando mostrarme el menor objeto. No les gustaba la idea de tener que entregar el producto de sus excavaciones al museo de El Cairo. Por otra parte, Carter había escrito precedentemente, con respecto a un asunto menor, que el director Lacau había actuado con él "con una felonía bien francesa". ¡Me marché sin haber visto nada!

Como Mariette en su búsqueda de manuscritos inhallables, el abate había fracasado en su primera misión. Y, como Mariette, ganado por la pasión de Egipto, superó su decepción. Doce años más tarde, en 1935, se convertía en el séptimo sucesor de Mariette en el cargo de director de Antigüedades y del museo.

—Cuando el rey Fuad me propuso la función —me contó el abate Drioton— se desató una verdadera tormenta entre los nacionalistas. La esposa de Fuad, la reina Nazli, madre del príncipe Faruk, contaba entre sus antepasados al coronel francés Sève, convertido en Solimán Bajá, a quien Mariette había conocido. Ella amaba Francia. El hecho de que yo fuese sacerdote católico no era un obstáculo, me dijo el rey, si me comprometía a no decir la misa en público y a llevar el tarbush como cualquier funcionario egipcio musulmán. El rey me confió que me había preferido a otros dos egiptólogos franceses: Pierre Montet, de carácter difícil, y Raymond Weill, perjudicado —ya— por su origen judío.

"Acepté, con el acuerdo de Roma, consciente de las dificultades que me aguardaban. Al entregarme el decreto real, el primer ministro, el Horabi Bajá, me trató sin benevolencia: '¿Hasta cuándo estaremos obligados a nombrar a un extranjero al frente del servicio?', me preguntó.

—¿Cuál era la situación al tomar usted posesión de su cargo en 1935?

—Más desastrosa de lo que yo había imaginado. El pillaje y el contrabando, pesadilla de Mariette, habían comenzado otra vez. No vacilé, apenas instalado, en poner fin a varias redes de exportación clandestina, agotando al mismo tiempo importantes fuentes privadas de ingresos. Más tarde, denuncié a un gobernador de provincia que había entregado solemnemente al rey Faruk joyas de pacotilla que pretendía antiguas, exponiéndome a la vez a toda una serie de intrigas y de venganzas... Auguste Mariette lo había comprendido: en Egipto, nada es posible sin el apoyo del soberano. ¡Toda vez que le faltó ese apoyo, Mariette tuvo que cerrar sus excavaciones! Yo tuve la suerte de vincularme muy pronto con Faruk, que sucedió a su padre un año después de que yo tomara posesión de mis funciones. Era un hombre de varias caras, pero amaba el Egipto de los faraones; era culto, sabía leer una inscripción, juzgar una escultura, una pintura, una joya. Con mi ayuda, formó una bella colección personal.

"Una noche de 1937, en pleno ramadán, llegó de improviso a mi casa de El Cairo, con la reina Farida, su primera esposa. Ambos vestían de etiqueta; serían las dos de la mañana. Yo estaba en pijama. 'Señor abate', me dijo Faruk, 'acaban de depositarme en el palacio de Abdin un lote de escarabajos de amatista. Deseo su opinión.'

"Era, en efecto, un lote magnífico. Los tres permanecimos hasta el alba examinando y traduciendo las fórmulas mágicas y poéticas grabadas en esos amuletos que los egipcios colocaban sobre los muertos embalsamados para facilitar su viaje al más allá. El rey y la reina gozaban mucho al realizar ese trabajo. Para agradecerme, me regalaron un puñado de escarabajos, ¡que naturalmente yo entregué al museo! Faruk, de mala reputación, enriqueció el museo de El Cairo... subvencionó excavaciones con su fortuna personal.

Hasta 1953, el abate Drioton fue una personalidad en El Cairo. Íntimo del rey, estaba vinculado al ministro ciego Taha Hussein bey, autor del bello *Libro de los días* con el filósofo francés, convertido al Islam, René Guénon. Recibió a Jean Cocteau, a Roger Vaillant, a los actores de la Comédie-Française que, una vez terminada la guerra mundial, iban a representar a Egipto su repertorio, según la tradición. Hasta yo lo vi conversando con Charles Trenet. En su libro *Farouk, un roi trahi* (Balland), Adel Sabet, íntimo de la última corte de Egipto, lo describe como "un digno prelado de rostro pícaro y de buen color", y lo califica de "petulante". Según la tradición, el abate escoltó al museo y a los emplazamientos de las excavaciones a numerosas personalidades, entre ellas el rey de Serbia, el rey de Bélgica, el de Afganistán, Ho-Chi-Minh, etc. En 1948, el rey de Arabia Ibn Seud, el legendario "leopardo del desierto", que se dirigía a los Estados Unidos para una reunión de las Naciones Unidas, hizo escala en El Cairo y se instaló, con su séquito, en el hotel Shepheard's. (Yo mismo me encontraba allí en esa época y asistí a su llegada. El leopardo del desierto era impresionante; medía cerca de dos metros. Lo escoltaban guardias armados de sables. Imposible entrevistarlo, pero recuerdo sus pesados párpados, su mirada extraña, a la vez triste y dominante.)

—Ibn Seud llegó al museo con trece de sus hijos —me dijo el abate—. Recorrió rápidamente el hall sin detenerse. Uno de sus hijos hablaba inglés y me traducía las palabras de su padre: "Mirad", decía Ibn Seud, "¡éstos son falsos dioses de los que el Islam ha liberado al mundo!". Uno de los hijos más jóvenes, de alrededor de unos doce años, al que los otros llamaban "el hijo de la cristiana", se inmovilizó delante de la perturbadora estatua de Kefrén en diorita, descubierta por Mariette cerca de la Esfinge, exclamando: "¡Mirad, padre, es un faraón!". "¡Es el diablo!", lo interrumpió Ibn Seud levantando el brazo: "¡Maldito sea!" "¡Maldito sea!", repitieron los hijos del rey levantando el brazo. Luego, —concluyó el abate— todos abandonaron el museo, descontentos, la mirada torva, sin dirigirme la palabra.

Como cada sucesor de Mariette en la dirección de Antigüedades, Étienne Drioton estuvo en el origen de importantes descubrimientos. Supervisó numerosas excavaciones, entre ellas las de Pierre Montet, en Tanis, que culminaron, en 1940 y 1941, en el descubrimiento de un inestimable tesoro. Con Jean-Philippe Lauer, comenzó la reconstrucción del complejo funerario de Zoser. Trabajó en Karnak con Henri Chevrier. Excavó en Abydos, en Heluán. Formó numerosos arqueólogos egipcios. Hombre de campo, era también epígrafo y filólogo. Encontró la clave del sistema criptográfico que, desde Champollion, desafiaba a los investigadores.

(Algunos textos jeroglíficos presentaban signos misteriosos, incomprensibles. El abate Drioton afirmó que se trataba de una escritura secreta, que variaba en el transcurso de los siglos, una especie de código utilizado por los sacerdotes para proteger las inscripciones sagradas, hacerlas ininteligibles para los demonios y los ignorantes. La clave de esa escritura "codificada" sólo era dada a los iniciados. Esa teoría había sido cuestionada, cuando se encontraron en Alejandría dos plaquetas de oro grabadas en caracteres jeroglíficos, con la versión en lenguaje cifrado, criptográfico. La tesis del abate recibía una indiscutible confirmación.)

El abate Drioton sacó también del olvido el teatro egipcio antiguo, reconstituyendo tragedias, comedias, óperas bufas, y hasta piezas de propaganda política a partir de textos, cuyo verdadero significado no había sido captado por sus predecesores.

En 1953, la revolución nacionalista puso fin a las funciones del séptimo sucesor de Mariette. ¿En qué condiciones? Poco después de su regreso a Francia, encontré al abate en un pequeño pabellón perteneciente a su hermana en Montgeron, en las afueras de París. Vestía sotana negra. No parecía decepcionado ni amargado. En cinco años había cambiado poco. Baúles, cajas, cajones, libros, rollos de hojas, croquis, fotos, se apilaban a nuestro alrededor. Sobre el escritorio, cubierto de correspondencia y de legajos, junto a un crucifijo antiguo, una estatua de la diosa Verdad de la XVIII dinastía. El relato que me hizo de su partida de El Cairo se publicó en 1953 en la revista *Constellation*, dirigida entonces por André Labarthe, Pierre Grobel y yo mismo. Se aparta de la versión oficial.

—Tuve tres días para hacer mi equipaje —me dice el abate—. Volvía de un permiso en Francia. Al día siguiente de la toma del poder por los "oficiales libres", fui convocado al cuartel general de la Revolución por un joven capitán de cutis moreno, revólver a la cintura. En inglés, me dijo cortésmente que el general Neguib estaba dispuesto a dejarme ejercer mis funciones de director del servicio de Antigüedades, pero con una condición: que una misión de arqueólogos egipcios fuese autorizada a abrir una excavación en Francia. "Esperamos su respuesta", me dijo. Y me despidió.

Estupefacto, el abate Drioton transmitió a París esa curiosa propuesta. Como era de preverse, fue rechazada. Alguien se interpuso entonces, imaginando un acuerdo de excavaciones con Argelia que permitiera al abate postergar su partida. El proyecto no fue aceptado:

—Una mañana —me dijo el abate— dos militares llegaron al museo de Kasr el Nil donde yo residía, portadores de una carta. Se me despedía de mi cargo de alto funcionario del Estado egipcio. Como extranjero, era indeseable. ¡Debía abandonar Egipto de inmediato! Yo no había previsto esa situación. No tenía dinero. Por si acaso, solicité gozar del preaviso de tres meses correspondiente a todos los empleados del Estado. Como mi petición quedó sin respuesta, me dirigí a nuestra embajada, luego al Quai d'Orsay que, felizmente, aceptó pagar mi mudanza... Éste es el resultado...

El abate me señala el amontonamiento de cajas y maletas:

—Con un poco de tiempo, habría podido preparar de manera más eficaz mi sucesión. En nuestra excavación de Heluán, estábamos a punto de alcanzar el nivel de la III dinastía. Desde 1939 despejábamos los cimientos de la gran pirámide. Desenterramos simulacros de barcas solares. Pienso que nos acercábamos a un escondite.

(Esta suposición del abate Drioton se confirmó al año siguiente: en la base de la pirámide de Keops apareció una gran barca de madera de cedro desmontada, con remos y timón, con la marca de Didufri, hijo y sucesor de Keops, que presidió el entierro de su padre. Actualmente se la puede admirar en Gizeh, armada nuevamente y bien protegida.)

—Egipto está lejos de haber revelado todos sus secretos —continuó el abate—. Lo que se arrancó a la arena no es nada comparado con lo que todavía se va a descubrir. Por ejemplo, la tumba de Alejandro Magno, el Gran Laberinto, el Serapeum de Alejandría, la tumba de Osiris, la del arquitecto Imhotep. ¿Y por qué no la de Menes, primer rey de Egipto? Muchos monumentos descritos por viajeros dignos de fe de los siglos pasados y cuyos relatos coinciden han desaparecido.

Mi última pregunta se refirió a Auguste Mariette, primer eslabón de una cadena de hombres de cultura y de pasión formadas en Francia, que el despido del abate acababa de romper:

—Los hombres —me respondió el abate Drioton— son menos importantes que las obras. Se los olvida. Eso es normal. ¿Podemos hablar de injusticia? Es verdad que Auguste Mariette merecería ser más conocido. Podemos deplorar el olvido en el que ha caído. Pero lo que él hizo da testimonio por él. Desveló parte del misterio que envolvía a las civilizaciones del Nilo. Los sabios de la expedición de Bonaparte describieron y dibujaron el valle, Champollion encontró la clave de los jeroglíficos; hacía falta un hombre que proporcionara los textos, detuviera el pillaje y sentara las bases de una ciencia que no existía: ése fue él. Gracias a Mariette, centenares de monumentos a punto de ser destruidos fueron salvados. Abrió, en el Serapeum de Sakkara, la primera gran excavación de la historia de la egiptología. Si en la actualidad sus métodos de trabajo han sido superados y hasta son criticables, cumplió un trabajo arqueológico gigantesco, completó las cronologías. Su contribución a nuestro conocimiento del Egipto antiguo no termina ahí. Reveló un Egipto desconocido, el de las primeras dinastías. Comprendió el sentido profundo del templo y nos enseñó a descifrar su arquitectura que inspira el arte en su totalidad. Las estatuas fueron creadas para grandiosos edificios de las que jamás se pensó en separarlas, los bajorrelieves fueron esculpidos para paredes en las que lo más importante era, ante todo, no arruinar el efecto arquitectónico. Auguste Mariette tuvo la revelación de la primacía del templo al desenterrar, en Gizeh, cerca de la Esfinge, el templo de recepción de la pirámide de Kefrén en granito rosado. ¡En él reina la geometría como soberana absoluta! Allí fue donde él encontró la célebre estatua de Kefrén, magnífico ejemplo de simplicidad, de nobleza, de poder.

Reveló el arte egipcio al público europeo cultivado. Inspiró numerosas vocaciones; su pasión era comunicativa.

El abate Drioton permaneció un momento silencioso. Su mirada recorría la habitación atestada; afuera caía una fina lluvia. Debía de sentirse muy lejos del valle de arena y sol.

—¿Sabe? —me dijo—. Hay empresas que superan la dimensión humana.

Poco después, se le ofreció la cátedra del Colegio de Francia, creada para Champollion, y que Mariette había rehusado. Aceptó. Pero su salud declinó. Como Mariette, padecía una diabetes que largas permanencias en el valle habían agravado sin duda. Murió sin volver a ver Egipto.

Poco después del despido brutal del abate Drioton, uno de los egiptólogos egipcios que él había formado, Mustafá Amer, rector de la Universidad de Alejandría, fue nombrado director de Antigüedades y del museo. La herencia de Mariette cambió de manos, pero la búsqueda continuó. Después de la barca funeraria de Keops, uno de los alumnos de Amer, Zacharia Gonem, despejó en Gizeh, con la ayuda de Jean-Philippe Lauer, la pirámide sepultada e inconclusa de un rey de la III dinastía, Sejemket. Obra del arquitecto-dios Imhotep, esa pirámide, terminada, debía ser más alta que la pirámide escalonada de Zoser. Se cree que la muerte del rey, sin duda en una expedición lejana, interrumpió su construcción. Era una pirámide maldita: su descubridor fue acusado de falsificación, de tráfico de antigüedades. No pudo probar su inocencia y se suicidó. (Unos meses después de su muerte, fue demostrada su inocencia.)

El trabajo no se ha interrumpido, el entusiasmo no ha decaído jamás. Los métodos han cambiado. La iniciativa privada no es posible. Sin subvenciones importantes, ya no es cuestión de abrir una obra, ni de obtener una autorización para excavar. El Servicio de Antigüedades creado por Mariette se ha transformado en Organismo de Antigüedades del Egipto; las universidades egipcias tienen sus propias excavaciones. Lo que no ha eliminado completamente las búsquedas clandestinas. En 1960, por ejemplo, unos saqueadores extrajeron de la depresión de El Fayum un verdadero tesoro. El museo del Louvre acaba de recuperar un cocodrilo incrustado en oro del Imperio Intermedio que formaba parte de él.

La egiptología se ha convertido en una ciencia con derecho propio. Se ha diversificado en numerosas especialidades: arqueología, filología, epigrafía, historia propiamente dicha, historia de las religiones, historia del arte, la prehistoria. En las excavaciones, los científicos ya no se limitan a la búsqueda de la obra de arte o el papiro, como en los tiempos de Mariette. Se estudian las capas del terreno, se analiza el contexto, se presta atención a los menores detalles (estratigrafía). El examen en sofisticados laboratorios permite observaciones y conclusiones muy exactas, y ha abierto nuevos horizontes. La investigación encuentra nuevos caminos. En 1986, en la gran pirámide de Keops, dos investigadores franceses, apoyados por EDF, obtuvieron la autorización para proceder a microperforaciones endoscópicas a fin de medir las variaciones de densidad de la piedra (gravimetría). Esperaban descubrir cavidades secretas. Los resultados fueron decepcionantes pero, al parecer, no abandonaron su proyecto.

Los investigadores franceses siguen gozando en Egipto de un importante capital de simpatía. Imposible citar a todos los que, desde la partida del abate Drioton, exploran el camino trazado por Mariette: Jean-Philippe Lauer en Sakkara, Christiane Desroches-Noblecourt, Jean Leclant, Jean-Claude Golvin y muchos otros. Recientemente, arqueólogos buceadores franceses han explorado las ruinas sumergidas del faro de Alejandría, una de las maravillas del mundo, y han extraído del mar vestigios impresionantes. En el IFAO, en El Cairo, se estudian varios proyectos importantes, hasta tal punto es verdad que el Egipto de los faraones está lejos de haber revelado todos sus secretos. (De acuerdo con ciertas estimaciones, lo que resta enterrado debajo de la arena es mucho más importante que lo descubierto.) Innumerables interrogantes quedan todavía sin respuesta. Por ejemplo: ¿por qué después de un formidable avance tecnológico al comienzo del Imperio Antiguo, la técnica permaneció prácticamente idéntica hasta la conquista romana? En el año 3000 antes de nuestra era, Imhotep construyó en Sakkara el enorme complejo de Zoser, primer monumento en piedras de la historia de los hombres, decorado con mosaicos azules perfectos. Ésa fue una formidable revolución. Luego se continúa utilizando el mortero al yeso, mientras que en Mesopotamia, por ejemplo, se inventa el mortero a la cal, que resiste más el agua. Las arenas de Egipto ocultan todavía numerosos misterios, y aún podemos esperar espectaculares descubrimientos, tan ricos en enseñanzas y en objetos como el Serapeum, Tanis o las tumbas del valle. Un amplio espacio científico se ofrece a los herederos de Auguste Mariette.

Fuentes y documentación
bibliográfica

Aunque poco difundido, François Auguste Mariette ha inspirado a escritores entre quienes se cuentan los más célebres de su tiempo. Su nombre aparece en numerosos relatos de viajes por Egipto entre 1850 y 1880 (Renan, Maxime Du Camp, Fromentin, los hermanos Goncourt, Vogüé, Théophile Gautier, lady Duff Gordon, etc.) y hasta en novelas: *Le Fellah*, de Edmond About, *Le Nabab*, de Alphonse Daudet, *Les Nuits du Caire*, de Charles Didier. En *Le Roman de la momie*, Théophile Gautier utilizó su descubrimiento, en Sakkara, de los restos de un hijo de Ramsés II.

En vida de Mariette se publicaron numerosos artículos concernientes a él, en particular en la *Revue des Deux Mondes*, de gran circulación: de Renan en abril de 1865, de Vogüé en 1868, de Desjardins en 1874, etc.

Si bien no logró editar el relato, en varios tomos, del descubrimiento del Serapeum, Mariette publicó numerosos trabajos en revistas y varias obras de egiptología, entre ellas *Dendérah et Monuments divers recueillis en Égypte et en Nubie* (Vieweg, 1880). En 1869, para los invitados a la inauguración del canal de Suez, puso en circulación un *Itinéraire de la Haute-Égypte comprenant une description des monuments antiques des rives du Nil entre Le Caire et la première cataracte*, reeditado en 1990 (Éditions 1900). El libreto de *Aída*, la ópera de Verdi, del cual es autor, fue impreso en Egipto en 1872. Se le debe también una *Histoire de l'Égypte antique destinée aux écoliers égyptiens*, traducida al árabe, aún en uso en 1948.

Algunos memorialistas se han dedicado a la vida y las aventuras de Mariette. El trabajo principal es el de su primer sucesor en la dirección de Antigüedades y en el museo de El Cairo, Gaston Maspero *(Auguste Mariette, notice biographique.* Ernest Leroux editor, París 1904, nunca reeditado). La Académie des inscriptions et belles-lettres publicó (en 1888) una memoria sobre Mariette, de M. H. Wallon. Su hermano Édouard escribió sus recuerdos personales (H. Jouvé, París 1904), así como su asistente Théodule Devéria, su compañero alemán Heinrich Brugsch, y su amigo de la infancia E. Deseille. Estas obras sólo se pueden consultar en bibliotecas.

Para la conmemoración del centenario de la muerte de Mariette, Boulogne-sur-Mer, su ciudad natal, organizó en 1981 una importante exposición, inspirando investigaciones originales: un balance de su carrera de periodista (R. Delagneau), un número especial de los *Cahiers du vieux Boulogne*. El IFAO (Instituto Francés de Arqueología Oriental) de El Cairo publicó en 1961 *Mélanges Mariette*, con un texto de Jean-Philippe Lauer: *"Mariette à Sakkara, du Serapeum à la direction des Antiquités"*. En 1994, la egiptóloga Elizabeth David publicó una biografía de Mariette en la Biblioteca del Antiguo Egipto, dirigida por Christiane Desroches-Noblecourt (Pygmalion-Gérard Watelet).

No faltan testimonios sobre el Egipto del último siglo. Flaubert y Maxime Du Camp terminan su visita cuando Mariette desembarca en Alejandría en 1850. (Flaubert, *Voyage en Égypte*, Grasset 1891, Du Camp, *Le Nil*, Hachette 1877). Numerosos viajeros les habían precedido: Chateaubriand *(L'Itinéraire)*, Nerval (*Voyage en Orient)*, Alejandro Dumas. El conjunto de estas obras llenaría una biblioteca. Felizmente, Jean-Marie Carré publicó una importante antología en dos tomos de los *Voyageurs et écrivains français en Égypte* (IFAO, El Cairo, 1956). Digno de señalar es el capítulo sobre Egipto del *Voyage en Orient* (viajeros franceses del siglo xix) de J.-Cl. Berchet (Collection Bouquins, Robert Laffont). La colección Omnibus prepara su propia selección.

En lo que respecta a la investigación y la recolección de antigüedades antes de Mariette, existen varias obras esenciales:

- *Voyages en Égypte et en Nubie*, G. Belzoni, Pygmalion, 1979.
- *L'Aventure archéologique en Égypte*, B.M. Fagan, Pygmalion, 1981.
- *À la recherche de l'Égypte oubliée*, J. Vercoutler, Gallimard Découvertes, 1986.
- *Sauvez les pyramides, 5000 ans de pillage en Égypte*, Peter Ehlebracht, Laffont, 1981.

La pasión por el antiguo Egipto nació con la expedición de Bonaparte, que dio origen a la famosa *Description de l'Égypte*, edición imperial publicada a partir de 1802. Este resumen gigantesco fue reeditado recientemente por Hazan (1987), por el Instituto de Oriente (1989) y por Taschen (1995) en un libro de bolsillo de mil páginas, verdadera proeza. Sobre la expedición de Bonaparte el barón Vivant Denon, primer director del museo del Louvre, escribió un apasionado reportaje, *Voyage dans la Basse et Haute-Égypte*, 1802. Champollion ha sido objeto de numerosas biografías. Las más recientes son las de J. Lacouture (Livre de poche, 1991) y de Christian Jacq (Plon, 1992).

Si se decide, como Mariette, remontarse a las fuentes del conocimiento del Egipto faraónico, se dispone de textos muy numerosos de autores antiguos. Se pueden leer los diecisiete tomos de Estrabón, que inspiró a Mariette, de Herodoto, de Jamblico, de Diodoro de Sicilia, etc. Algunas reediciones recientes facilitarán la tarea: *L'Égypte au pays d'Hérodote*, de Jacques Lacarrière (Ramsay, 1995), *Traité d'Isis et d'Osiris*, de Plutarco (Sand, 1995).

Nunca se ha dejado de estudiar, como Mariette en su época, los orígenes de la civilización del Nilo, su religión, su arte, sus aspectos más atractivos, sus relaciones con el judaísmo y las corrientes religiosas. También en este terreno la investigación está en plena actividad, y el flujo de publicaciones parece interminable. He aquí algunos títulos recientes que merecen atención:

- *Le Mystère des pyramides,* J.-Ph. Lauer, Payot, 1952.
- *Chants d'amour de l'Égypte ancienne,* Pascal Vermus, Imprimerie Nationale, 1992.
- *Égypte, les mystères du sacré,* F. Schwarz, Felin, 1987.
- *Les Dieux de l'Égypte* (Le Un et le Multiple), E. Hornung, Rocher, 1994.
- *Les Déesses de l'Égypte pharaonique,* René Lachaud, Rocher, 1991.
- *Contes et récits de l'Égypte ancienne,* Claire Lalouette, Flammarion, 1995.
- *L'Égypte mystique et légendaire,* Guy Rachet, Sand, 1987.
- *La Science mystérieuse des pharaons,* abate Moreux, G. Douin, París, 1945.
- *Sanctuaires,* Éd. Herriot, Hachette, 1932.
- *Isis (à la recherche de l'Égypte ensevelie),* Pierre Montet, Hachette, 1956.
- *Les Prêtres de l'Ancienne Égypte,* S. Saumeron, Le Seuil, 1957.
- *L'Énigme du Sphinx,* G. Barbarin, Adyar, París, 1949.
- *Les Secrets des bâtisseurs égyptiens,* Manuel Minguez, Taillandier, 1987.

La obra de Albert Slosman evoca un interés particular: La trilogía de los orígenes: *Le Grand Cataclysme, Les Survivants de l'Atlantide, Et Dieu ressuscita à Dendérah* (Laffont). Igualmente, de Albert Slosman: *Le Zodiaque de Dendérah* (Rocher, 1980), *Moïse l'Égyptien* (Laffont, 1981) y *La Grande Hypothèse,* prefacio de Robert Laffont (Laffont, 1995). *L'Astronomie selon les Égyptiens* (R. Laffont, 1983).

Sobre los recorridos de Mariette, sus descubrimientos, las crisis por las que atravesó, las misiones secretas o no, el intercambio de ideas, los encuentros, la creación del departamento de Antigüedades y del museo de El Cairo, la inauguración del canal de Suez y la creación de *Aída,* la documentación es abundante. Se han tomado elementos de las siguientes obras:

- *L'Égypte,* G. Maspero, reedición en 1989 (Éditions 1900), con prefacio de J. Lacouture.
- *Monks and Monasteries of the Egyptian deserts,* Otto P.A. Meinardus, American University, El Cairo, 1961.

- *Journal,* E. y J. de Goncourt, Tomo 2, col. "Bouquins", Laffont.
- *Le Sémaphore d'Alexandrie,* R. Solé, Seuil, 1994.
- *Il était une fois le Louvre,* Jean Prasteau, Pygmalion, 1993.
- *Verdi,* Pierre Petit, Seuil, Solfèges, 1958.
- *Les Journées de juin 48,* de Ch. Schmidt, Hachette, 1926.
- *Le Siège de Paris,* Pierre Dominique, Grasset, 1932.
- *Panorama des expositions universelles,* R. Isay, Gallimard, 1937.
- *Lettres d'Égypte,* Lucie Duff Gordon, col. "Voyageurs", Payot, 1997.
- *Shepheard's Hotel,* Nina Nelson, Barrie Rockliff, Londres, 1960.
- *Cairo, biography of a city,* J. Aldrigde, McMillan, Londres, 1955.
- *4 months on a dahabieh,* M. Carrey, Booth, Londres, 1863.
- *De Lesseps intime,* J. Vincent, Nouvelles éditions latines, 1935.
- *F. de Lesseps,* J. d'Elbée, ediciones literarias de Francia, 1943.
- *L'Homme de Suez,* P. Gaspard-Huit, Presses de la Cité, 1984.
- *Croquis égyptiens,* Émile Guimet, Hetzel, París, 1867.
- *Schliemann de Troie,* David A. Traill, Flammarion, 1996.

Fuente complementaria: *Le Figaro* (1870 a 1881), *L'Illustration* (1875 a 1881).

La herencia de Mariette es un siglo y medio de egiptología, de progreso, de descubrimientos extraordinarios y de promesas. Algunos libros recientes permiten medir el alcance de esta herencia:

- *Lettres d'Égypte,* Pierre Teilhard de Chardin, Aubier, 1963.
- *Saqqarah, une vie* (entrevistas de J.-Ph. Lauer con Ph. Flandrin), Rivages, 1988.
- *Une passion égyptienne (Les Lauer),* Claudine le Tourneur d'Ison, Plon, 1996.
- *L'Égypte ancienne,* J. Vercouter, Que sais-je, PUF.
- *L'Égyptologie,* S. Sauneron, Que sais-je, PUF.
- *Égypte,* Christine Zivic-Coche, Points-Planète, Seuil.
- *La Grande Nubiade,* Christiane Desroches-Noblecourt, Livre de Poche, 1990.
- *Ramsés II, la véritable histoire,* Christiane Desroches-Noblecourt, Pygmalion, 1996.

- *Farouk, un roi trahi,* d'Adel Sabet, Balland, 1990.
- *The Legacy of Egypt,* Jean Capart, Clarendon Press, Oxford, 1943.
- *La Pyramide ensevelie,* Zakaria Goneim, Amiot-Dumont, 1957.
- *Kheops, nouvelle enquête,* G. Dormion, J. P. Goidin, ERC, 1986.
- *Thèbes, 1250 av. J.-C., Ramsès II.* Revue Autrement, 1990.

Álbumes

Le Nil de Maxime Du Camp presentado por M. Dewachter y Daniel Oster, Prefacio de Jean Leclant. Fotos de Du Camp, acuarelas de Prisse d'Avennes, Sand-Conti, 1987.

L'Égypte de Jean François Champollion. Cartas y diarios de viaje, fotos de Hervé Champollion. Prefacio de Christiane Ziegler, Ediciones Jean-Paul Menges, 1988.

L'Égypte à la chambre noire, Francis Frith, Découvertes Gallimard Albums. Fotos de 1856 aparecidas en 1962.

Saqqarah, la nécropole royale de Memphis, J.-Ph. Lauer. Taillander.

Art égyptien, Étienne Drioton, Arts et Métiers graphiques. Fotos E. Sued.

La Découverte des trésors de Tanis, Georges Goyon, prefacio de J. Leclant, Persea, 1987.

Égypte éternelle (Les voyageurs photographes du siècle dernier), Jean-Claude Simoën, Ediciones J. C. Lattès, 1993.

Les Pharaons bâtisseurs, Henri Stierlin, Terrail, 1992.